仁华学校奥林匹克数学系列丛书

仁华学校（原华罗庚学校）
奥林匹克数学课本

小学三年级

（最新版）

人大附中编
主编：刘彭芝

中国大百科全书出版社

董惠香 13621021878

总编辑：徐惟诚　　社长：田胜立

图书在版编目(CIP)数据

仁华学校奥林匹克数学课本·小学三年级/刘彭芝主编. －北京：中国大百科全书出版社，2003.12
(仁华学校奥林匹克数学系列丛书)
ISBN 7－5000－6979－0

Ⅰ. 仁…　Ⅱ. 刘…
Ⅲ. 数学课－小学－教学参考资料　Ⅳ. G624.503

中国版本图书馆 CIP 数据核字(2003)第 118170 号

仁华学校奥林匹克数学课本（小学三年级·最新版）

主　　编：刘彭芝
责任编辑：简菊玲
封面设计：何　茜
责任印制：徐继康

出版发行：中国大百科全书出版社
(北京阜成门北大街 17 号　100037　68315606)
http://www.ecph.com.cn
排　　版：北京中文天地文化艺术有限公司
印　　刷：郑州市毛庄印刷厂
经　　销：新华书店总店北京发行所

版　　次：2004 年 1 月第 1 版
印　　次：2004 年 1 月第 2 次印刷
印　　张：8.875
开　　本：880×1230　1/32
字　　数：203 千字
印　　数：20001 - 50000 册
ISBN　7 - 5000 - 6979 - 0/G · 661
定　　价：10.00 元

顾　问　王　元　裘宗沪
冯克勤　陈德泉

主　编　刘彭芝

副主编　胡先惠

编　委　童　欣　莫颂清　梁丽平
杨骅飞　刘治平　彭建平
吴其明　郭丽军

编　撰　匡政玲　刘治平　刘景华
郭丽军　顾秀文　杨骅飞
焦　峰　邓文虹　梁丽平
沈乃琪

序

这套丛书是北京仁华学校的教学用书。

北京仁华学校是人大附中的超常教育实验基地。其前身为北京市华罗庚学校，2003年12月改用新名（为叙述方便起见，下文涉及“北京市华罗庚学校”或“华校”的一律改用新名）。仁华学校的办学目的是探索科学实用、简单易行的鉴别与选拔超常儿童的方法，探索具有中国特色的超常教育模式，为国家大面积早期发现与培养现代杰出人才开辟一条切实可行的途径。在这里，数百位优秀教师精心执教，一批批超常儿童茁壮成长。仁华学校全体师生决心在教育改革的时代大潮中争做弄潮儿，为实现中华民族的伟大复兴甘当马前卒。

超常教育与早期教育为当今世界各国所重视。近年来，我国的众多有识之士投身超常教育事业，也取得了可喜的成果。超常教育是人类教育史上的一大进步，但同时也是一个复杂而全新的教育课题。无论在历史上还是现实生活中，少年出众，而成年寻常的人比比皆是。究其原因，往往在于成长的环境不佳，特别是未能在超常教育理论指导下施以特殊教育。因而，必须更新教育观念和教学模式，这样才能把大批聪慧儿童培养成为知识经济时代的栋梁之材。我们认为，超常儿童是具有良好的智力和非智力个性特征的统一体，是遗传与环境共同作用下的产物。基于此种看法，北京仁华学校的超常教育，以尊重个性和挖掘潜力为基本原则，强调选拔与培养相结合，不缩短学制而注重学生综合素质的全面提高。

仁华学校分为小学部、初中部和高中部。小学部属校外培训性质，招收小学三至六年级的学生，招生时间定在每年9月或10月，入学后每周学习一次。初中部和高中部属常规中等教育，纳入人大附中建制，每个年级设4－6个实验班。仁华学校初中部和高中部的生源分别主要来自小学部和初中部，同时面向全市招生。

仁华学校在办学过程中，逐渐形成了自己独特的课程体系。在必修课中，我们把数学作为带头学科，并以此促进物理、化学、生物、外语、计算机等其他学科的发展。这是因为，数学作为研究现实世界中数和形的一门基础科学，不仅对人类社会的进步和国家的建设发挥着关键的作用，而且对训练人们的思维能力具有重要的价值。此外，仁华学校还开设有现代少年、科学实践、社会实践、心理导向、创造发明和生物环保等特色课，以及汽车模拟驾驶、网页设计、天文观测、电子技术、几何画板、艺术体操、篆刻和摄影等选修课。华校全新的课程设置，近而言之，是希望学生能够增强学习兴趣，开阔知识视野；远而图之，则是为他们日后发展的多价值取向打下坚实而全面的科学文化基础。

仁华学校在办学过程中，还逐渐形成了一支思想新、业务精、肯吃苦、敢拼搏的教师队伍。这其中既有多年工作在教学第一线的中小学高级和特级教师，又有近年来执着于数学、物理、化学、生物、计算机等学科奥林匹克活动的高级教练员，还有中国科学院和各高等学校中教学科研上成绩卓著的专家教授。他们着眼于祖国的未来，甘做人梯，为超常教育事业辛勤耕耘，是仁华学校藉以成长、引以自豪的中流砥柱。

实践证明，仁华学校对超常儿童的培养方略是可取的。十余年来，仁华学校为高等学校输送了大量全面发展、学有特长并具备创新精神和高尚品德的优异人才。已毕业的16届实验班学生全部考取重点大学，其中进入北京大学和清华大学的人数约占总数的68%，保送生约占25%。不仅如此，还有近3000人次学生在区、市、国家乃至世界级的学科竞赛中获奖夺魁，数量位居北京市重点中学之首。仁华学校的学生在全国雷达表青少年科学英才竞赛中获一、二、三等奖各一次，在全俄罗斯数学竞赛中获两枚金牌、一枚银牌，在国际物理邀请赛中获一枚银牌，在国际信息学奥林匹克竞赛（IOI）中获一枚铜牌，在国际数学奥林匹克竞赛（IMO）中获满分金牌2枚和银牌1枚。近200人在各种发明比赛中获奖，其中几十人获全国及世界创造发明比赛的金奖、银奖，并取得五项国家专利。还有33人次在全国科学论文评比中获一、二、三等奖。此外，实验班的同学在艺术体育等方面也成绩斐然。上述大量事实证明，一种新的教育理论和实践，使得一批又一批英才脱颖而出，这足以显示仁华学校的办学方向是正确的，教学是成功的。

仁华学校超常教育的实践和成果已引起全国和国际教育界的关注。华校现在是中国人才研究会超常人才专业委员会副理事长单位，其超常教育研究课题曾荣获北京市“八五”普教科研优秀成果二等奖。仁华学校先后有数十位师生参加了国际超常儿童教育学术会议，在各种国际会议上宣读论文三十余篇，并同五十多个国家和地区从事超常教育的学校及研究机构建立了友好往来或合作研究关系。

教材是教学质量的基本保证，也是教学的基础建设。高质量的教材，是建立在高水平的学术研究成果和丰富的教学经验基础之上的。我们组织编写的这套“北京市华罗庚学校奥林匹克系列丛书”的作者大部分都是原华校的骨干教师，开创了荟萃专家编书的格局。另外还有数位曾经在国际数学奥林匹克竞赛（IMO）中获得金牌和银牌的大学生和研究生参加撰写。这支由学生组成的特别劲旅将他们学习的真切感受和新鲜经验表达出来，使得本丛书独具一格。综合而言，展现在读者面前的这套丛书集实用、新颖、通俗、严谨等特点于一身，我们将其奉献给中小学教师、学生及家长，希望能博得广大读者的喜爱。此套丛书涉及数学、英语、物理和计算机等学科，目前已经出版和即将出版的有四十余册。

俗云：“一花怒放诚可爱，万紫千红才是春。”仁华学校在努力办学、完善自身的同时，诚望对国内中小学教学水平的提高微尽绵薄，诚望与其他兄弟学校取长补短，携手共进。“合抱之木，生于毫末，九层之台，起于垒土。”遥望未来，让我们同呼志士之言：为中国在21世纪成为科技强国而献身。

作为本系列丛书的主编，借这套丛书再次出版的机会，我再次以一个超常教育的积极参与者与组织者的名义，向各位辛勤的编著者致以衷心的谢意，恳请教育战线的前辈和同仁给予指导和推荐，也恳请广大师生在使用过程中提出宝贵的意见。

刘彭芝

写于2001年1月

修改于2003年12月

目 录

上 册

目　录

下　册

上册

第1讲　速算与巧算(一)

一、加法中的巧算

1．什么叫"补数"?

两个数相加，若能恰好凑成整十、整百、整千、整万…，就把其中的一个数叫做另一个数的"补数"．

如：　1 + 9 = 10，　3 + 7 = 10，
　　　2 + 8 = 10，　4 + 6 = 10，
　　　5 + 5 = 10．

又如：　11 + 89 = 100，33 + 67 = 100，22 + 78 = 100，
　　　44 + 56 = 100，55 + 45 = 100，　…

在上面算式中，1 叫 9 的"补数"；89 叫 11 的"补数"，11 也叫 89 的"补数"．也就是说两个数互为"补数"．

对于一个较大的数，如何能很快地算出它的"补数"来呢？一般来说，可以这样"凑"数：从最高位凑起，使各位数字相加得 9，到最后个位数字相加得 10．

如：　87655→12345，46802→53198，
　　　87362→12638，　…

下面讲利用"补数"巧算加法，通常称为"凑整法"．

2．互补数先加．

【例 1】　巧算下面各题：

① 36 + 87 + 64

② 99 + 136 + 101

③ 1361 + 972 + 639 + 28

解：①式 = (36 + 64) + 87

= 100 + 87 = 187

②式 = (99 + 101) + 136

= 200 + 136 = 336

③式 = (1361 + 639) + (972 + 28)

= 2000 + 1000 = 3000

3. 拆出补数来先加.

【例 2】 ① 188 + 873

② 548 + 996

③ 9898 + 203

解：①式 = (188 + 12) + (873 − 12)（熟练之后，此步可略）

= 200 + 861 = 1061

②式 = (548 − 4) + (996 + 4)

= 544 + 1000 = 1544

③式 = (9898 + 102) + (203 − 102)

= 10000 + 101 = 10101

4. 竖式运算中互补数先加.

如：

$$\begin{array}{rrrrrr} & & 3 & 6 & 1 & 8 \\ & & 5 & 7 & 2 & 4 \\ & & 5 & 4 & 6 & 3 \\ & & 6 & 7 & 8 & 2 \\ + & & 1_{2} & 3_{2} & 9_{2} & 6 \\ \hline & 2 & 2 & 9 & 8 & 3 \end{array}$$

二、减法中的巧算

1．把几个互为“补数”的减数先加起来，再从被减数中减去．

【例 3】　①　300－73－27

②　1000－90－80－20－10

解：①式＝300－(73＋27)

＝300－100 ＝ 200

②式＝1000－(90＋80＋20＋10)

＝1000－200 ＝ 800

2．先减去那些与被减数有相同尾数的减数．

【例 4】　①　4723－(723＋189)

②　2356－159－256

解：①式＝4723－723－189

＝4000－189 ＝ 3811

②式＝2356－256－159

＝2100－159

＝1941

3．利用“补数”把接近整十、整百、整千…的数先变整，再运算(注意把多加的数再减去，把多减的数再加上)．

【例 5】　①　506－397

②　323－189

③　467＋997

④　987－178－222－390

解：①式＝500＋6－400＋3　(把多减的 3 再加上)

＝109

②式 $=323-200+11$　　（把多减的 11 再加上）

$=123+11=134$

③式 $=467+1000-3$　　（把多加的 3 再减去）

$=1464$

④式 $=987-(178+222)-390$

$=987-400-400+10$

$=197$

三、加减混合式的巧算

1. 去括号和添括号的法则

在只有加减运算的算式里，如果括号前面是“+”号，则不论去掉括号或添上括号，括号里面的运算符号都不变；如果括号前面是“-”号，则不论去掉括号或添上括号，括号里面的运算符号都要改变，“+”变“-”，“-”变“+”，即：

$a+(b+c+d)=a+b+c+d$

$a-(b+c+d)=a-b-c-d$

$a-(b-c)=a-b+c$

【例 6】　① $100+(10+20+30)$

② $100-(10+20+30)$

③ $100-(30-10)$

解：①式 $=100+10+20+30$

$=160$

②式 $=100-10-20-30$

$=40$

③式 $=100-30+10$

$=80$

【例7】　计算下面各题:

① $100+10+20+30$

② $100-10-20-30$

③ $100-30+10$

解:①式$=100+(10+20+30)$

$=100+60=160$

②式$=100-(10+20+30)$

$=100-60=40$

③式$=100-(30-10)$

$=100-20=80$

2. 带符号"搬家"

【例8】　计算 $325+46-125+54$

解:原式$=325-125+46+54$

$=(325-125)+(46+54)$

$=200+100=300$

注意:每个数前面的运算符号是这个数的符号.如$+46,-125,+54$.而325前面虽然没有符号,应看作是$+325$.

3. 两个数相同而符号相反的数可以直接"抵消"掉

【例9】　计算 $9+2-9+3$

解:原式$=9-9+2+3=5$

4. 找"基准数"法

几个比较接近于某一整数的数相加时,选这个整数为"基准数".

【例10】　计算 $78+76+83+82+77+80+79+85$

解:原式$=80\times8-2-4+3+2-3+0-1+5$

$=640$

习　题　一

一、直接写出计算结果：

① 1000 − 547

② 100000 − 85426

③ 11111111110000000000 − 1111111111

④ 78053000000 − 78053

二、用简便方法求和：

① 536 + (541 + 464) + 459

② 588 + 264 + 148

③ 8996 + 3458 + 7546

④ 567 + 558 + 562 + 555 + 563

三、用简便方法求差：

① 1870 − 280 − 520

② 4995 − (995 − 480)

③ 4250 − 294 + 94

④ 1272 − 995

四、用简便方法计算下列各题：

① 478 − 128 + 122 − 72

② 464 − 545 + 99 + 345

③ 537 − (543 − 163) − 57

④ 947 + (372 − 447) − 572

五、巧算下列各题：

① 996 + 599 − 402

② 7443 + 2485 + 567 + 245

③ 2000 − 1347 − 253 + 1593

④ 3675 −（11 + 13 + 15 + 17 + 19）

习题一解答

一、直接写出计算结果：

① 1000 − 547 = 453

② 100000 − 85426 = 14574

③ 1111111111000000000 − 1111111111

= 1111111110888888889

④ 78053000000 − 78053 = 78052921947

此题主要是练习直接写出“补数”的方法：从最高位写起，其各位数字用“凑九”而得，最后个位凑 10 而得.

二、用简便方法求和：

①　536 +（541 + 464）+ 459

= (536 + 464) + (541 + 459)

= 2000

②　588 + 264 + 148

= 588 + (12 + 252) + 148

= (588 + 12) + (252 + 148)

= 600 + 400

= 1000

③　8996 + 3458 + 7546

= (8996 + 4) + (3454 + 7546)　（把 3458 分成 4 和 3454）

= 9000 + 11000

= 20000

④　567 + 558 + 562 + 555 + 563

= 560 × 5 + (7 − 2 + 2 − 5 + 3)　（以 560 为基准数）

$=2800+5=2805$.

三、用简便方法求差：

① $1870-280-520$

$=1870-(280+520)$

$=1870-800$

$=1070$

② $4995-(995-480)$

$=4995-995+480$

$=4000+480=4480$

③ $4250-294+94$

$=4250-(294-94)$

$=4250-200=4050$

④ $1272-995$

$=1272-1000+5$

$=277$

四、用简便方法计算加减混合运算：

① $478-128+122-72$

$=(478+122)-(128+72)$

$=600-200$

$=400$

② $464-545+99+345$

$=464-(545-345)+100-1$

$=464-200+100-1$

$=363$

③ $537-(543-163)-57$

$=537-543+163-57$

$=(537+163)-(543+57)$

$= 700 - 600 = 100$

④　$947 + (372 - 447) - 572$

$= 947 + 372 - 447 - 572$

$= (947 - 447) - (572 - 372)$

$= 500 - 200$

$= 300$

五、巧算下列各题:

①$996 + 599 - 402 = 1193$

②$7443 + 2485 + 567 + 245 = 10740$

③$2000 - 1347 - 253 + 1593 = 1993$

④$3675 - (11 + 13 + 15 + 17 + 19) = 3600$

第2讲 速算与巧算(二)

一、乘法中的巧算

1．两数的乘积是整十、整百、整千的，要先乘．为此，要牢记下面这三个特殊的等式：

$5\times2=10$

$25\times4=100$

$125\times8=1000$

【例 1】 计算 ① $123\times4\times25$

② $125\times2\times8\times25\times5\times4$

解：①式 $=123\times(4\times25)$

$=123\times100=12300$

②式 $=(125\times8)\times(25\times4)\times(5\times2)$

$=1000\times100\times10=1000000$

2．分解因数，凑整先乘．

【例 2】 计算 ① 24×25

② 56×125

③ $125\times5\times32\times5$

解：①式 $=6\times(4\times25)$

$=6\times100=600$

②式 $=7\times8\times125=7\times(8\times125)$

$=7\times1000=7000$

③式 $=125\times5\times4\times8\times5=(125\times8)\times(5\times5\times4)$

$= 1000 \times 100 = 100000$

3. 应用乘法分配律.

【例 3】　计算 ① $175 \times 34 + 175 \times 66$

② $67 \times 12 + 67 \times 35 + 67 \times 52 + 67$

解:①式 $= 175 \times (34 + 66)$

$= 175 \times 100 = 17500$

②式 $= 67 \times (12 + 35 + 52 + 1)$

$= 67 \times 100 = 6700$

(原式中最后一项 67 可看成 67×1)

【例 4】　计算① 123×101　　　② 123×99

解:①式 $= 123 \times (100 + 1) = 123 \times 100 + 123 \times 1$

$= 12300 + 123 = 12423$

②式 $= 123 \times (100 - 1)$

$= 12300 - 123 = 12177$

4. 几种特殊因数的巧算.

【例 5】　一个数 $\times 10$,数后添 0;

一个数 $\times 100$,数后添 00;

一个数 $\times 1000$,数后添 000;

…

以此类推.

如:$15 \times 10 = 150$

$15 \times 100 = 1500$

$15 \times 1000 = 15000$

【例 6】　一个数 $\times 9$,数后添 0,再减此数;

一个数 $\times 99$,数后添 00,再减此数;

一个数 $\times 999$,数后添 000,再减此数;

…

以此类推.

如：$12\times 9=120-12=108$

$12\times 99=1200-12=1188$

$12\times 999=12000-12=11988$

【例 7】 一个偶数乘以 5，可以除以 2 添上 0.

如：

$6\times 5=30$

$16\times 5=80$

$116\times 5=580$.

【例 8】 一个数乘以 11，"两头一拉，中间相加".

如 $2222\times 11=24442$

```
   2   2   2   2
   ∧   ∧   ∧   ∧
 2   4   4   4   2
```

因为：

$$\begin{array}{r} 2222 \\ \times\quad 11 \\ \hline 2222 \\ 2222 \\ \hline 24442 \end{array}$$

$2456\times 11=27016$

```
   2   4   5   6
   ∧   ∧   ∧   ∧
 2   7   0   1   6
```

$$\begin{array}{r} 2456 \\ \times\quad 11 \\ \hline 2456 \\ 2456 \\ \hline 27016 \end{array}$$

例 9　一个偶数乘以 15，"加半添 0".

24×15

$=(24+12)\times 10$

$=360$

因为

24×15

$=24\times(10+5)$

$=24\times(10+10\div2)$

$=24\times10+24\times10\div2$　　(乘法分配律)

$=24\times10+24\div2\times10$　　(带符号搬家)

$=(24+24\div2)\times10$　　(乘法分配律)

【例 10】　个位为 5 的两位数的自乘：十位数字 ×(十位数字加 1)×100 + 25

如　$15\times15=1\times(1+1)\times100+25=225$

$25\times25=2\times(2+1)\times100+25=625$

$35\times35=3\times(3+1)\times100+25=1225$

$45\times45=4\times(4+1)\times100+25=2025$

$55\times55=5\times(5+1)\times100+25=3025$

$65\times65=6\times(6+1)\times100+25=4225$

$75\times75=7\times(7+1)\times100+25=5625$

$85\times85=8\times(8+1)\times100+25=7225$

$95\times95=9\times(9+1)\times100+25=9025$

还有一些其他特殊因数相乘的简便算法，有兴趣的同学可参看《算得快》一书.

二、除法及乘除混合运算中的巧算

1. 在除法中，利用商不变的性质巧算

商不变的性质是：被除数和除数同时乘以或除以相同的数(零除外)，商不变. 利用这个性质巧算，使除数变为整十、整百、整千的数，再除.

【例 11】　计算 ①　$110\div5$

② $3300 \div 25$

③ $44000 \div 125$

解: ① $110 \div 5 = (110 \times 2) \div (5 \times 2)$

$= 220 \div 10 = 22$

② $3300 \div 25 = (3300 \times 4) \div (25 \times 4)$

$= 13200 \div 100 = 132$

③ $44000 \div 125 = (44000 \times 8) \div (125 \times 8)$

$= 352000 \div 1000 = 352$

2. 在乘除混合运算中，乘数和除数都可以带符号"搬家".

【例 12】 $864 \times 27 \div 54$

$= 864 \div 54 \times 27$

$= 16 \times 27$

$= 432$

3. 当 n 个数都除以同一个 数后再加减时，可以将它们先加减之后再除以这个数.

【例 13】 ① $13 \div 9 + 5 \div 9$

② $21 \div 5 - 6 \div 5$

③ $2090 \div 24 - 482 \div 24$

④ $187 \div 12 - 63 \div 12 - 52 \div 12$

解: ① $13 \div 9 + 5 \div 9 = (13 + 5) \div 9$

$= 18 \div 9 = 2$

② $21 \div 5 - 6 \div 5 = (21 - 6) \div 5$

$= 15 \div 5 = 3$

③ $2090 \div 24 - 482 \div 24$

$= (2090 - 482) \div 24$

$= 1608 \div 24 = 67$

④　$187\div12-63\div12-52\div12$

$=(187-63-52)\div12$

$=72\div12=6$

4. 在乘除混合运算中"去括号"或添"括号"的方法:如果"括号"前面是乘号,去掉"括号"后,原"括号"内的符号不变;如果"括号"前面是除号,去掉"括号"后,原"括号"内的乘号变成除号,原除号就要变成乘号,添括号的方法与去括号类似.

即　$a\times(b\div c)=a\times b\div c$　　从左往右看是去括号,

$a\div(b\times c)=a\div b\div c$　　从右往左看是添括号.

$a\div(b\div c)=a\div b\times c$

【例 14】 ①　$1320\times500\div250$

②　$4000\div125\div8$

③　$5600\div(28\div6)$

④　$372\div162\times54$

⑤　$2997\times729\div(81\times81)$

解: ①　$1320\times500\div250=1320\times(500\div250)$

$=1320\times2=2640$

②　$4000\div125\div8=4000\div(125\times8)$

$=4000\div1000=4$

③　$5600\div(28\div6)=5600\div28\times6$

$=200\times6=1200$

④　$372\div162\times54=372\div(162\div54)$

$=372\div3=124$

⑤　$2997\times729\div(81\times81)$

$=2997\times729\div81\div81$

$=(2997\div81)\times(729\div81)=37\times9$

$=333$

习 题 二

一、用简便方法求积：

①17×100=<u>1700</u>　　②1112×5=<u>5560</u>

③23×9=<u>23×10-23=230-23</u>
<u>=207</u>　④23×99=<u>23×100-23=2300-23=2277</u>

⑤12345×11=<u>135795</u>　⑥56789×11=<u>624679</u>

⑦36×15=<u>36+18=54</u>

二、速算下列各题：

①123×25×4=<u>(25×4)×123</u>

②456×2×125×25×5×4×8

③25×32×125

三、巧算下列各题：

①15000÷125÷15

②1200÷25÷4

③27000÷(125×3)

④360×40÷60

四、巧算下列各题：

①11÷3+4÷3

②19÷5-9÷5

③234×11+234×88

 习题二解答

一、用简便方法求积：

①17×100 = 1700

②1112×5 = 5560

③$23\times9=230-23=207$

④$23\times99=2300-23=2277$

⑤$12345\times11=135795$

⑥$56789\times11=624679$

⑦$36\times15=(36+18)\times10=540$

二、速算下列各题:

①$123\times25\times4=123\times(25\times4)=12300$

②　$456\times2\times125\times25\times5\times4\times8$

$=456\times(2\times5)\times(25\times4)\times(125\times8)$

$=456000000$

③　$25\times32\times125$

$=(25\times4)\times(125\times8)$

$=100000$

三、巧算下列各题:

①$15000\div125\div15=15000\div15\div125=8$

②$1200\div25\div4=1200\div(25\times4)=12$

③　$27000\div(125\times3)$

$=27000\div3\div125=9\times(1000\div125)$

$=9\times8=72$

④$360\times40\div60=360\div60\times40=240$

四、巧算下列各题:

①$11\div3+4\div3=(11+4)\div3=5$

②$19\div5-9\div5=(19-9)\div5=2$

③　$234\times11+234\times88$

$=234\times(11+88)=234\times99$

$=234\times100-234=23166$

第3讲　上楼梯问题

有这样一道题目:如果每上一层楼梯需要 1 分钟,那么从一层上到四层需要多少分钟? 如果你的答案是 4 分钟,那么你就错了.正确的答案应该是 3 分钟.

为什么是 3 分钟而不是 4 分钟呢? 原来从一层上到四层,只要上三层楼梯,而不是四层楼梯.

下面我们来看几个类似的问题.

【例 1】 裁缝有一段 16 米长的呢子,每天剪去 2 米,第几天剪去最后一段?

分析 如果呢子有 2 米,不需要剪;如果呢子有 4 米,第一天就可以剪去最后一段,4 米里有 2 个 2 米,只用 1 天;如果呢子有 6 米,第一天剪去 2 米,还剩 4 米,第二天就可以剪去最后一段,6 米里有 3 个 2 米,只用 2 天;如果呢子有 8 米,第一天剪去 2 米,还剩 6 米,第二天再剪 2 米,还剩 4 米,这样第三天即可剪去最后一段,8 米里有 4 个 2 米,用 3 天,……

我们可以从中发现规律:所用的天数比 2 米的个数少 1.因此,只要看 16 米里有几个 2 米,问题就可以解决了.

解:16 米中包含 2 米的个数:16÷2=8 (个)

剪去最后一段所用的天数:8-1=7 (天)

答:第七天就可以剪去最后一段.

【例 2】 一根木料在 24 秒内被切成了 4 段,用同样的速度切成 5 段,需要多少秒?

分析　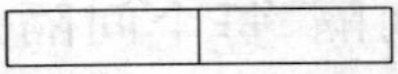把一根木料切成 2 段，切 1 次；

把一根木料切成 3 段，切 2 次；

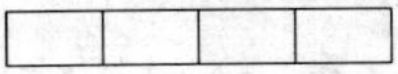把一根木料切成 4 段，切 3 次；

…

可以从中发现规律：切的次数总比切的段数少 1．因此，在 24 秒内切了 4 段，实际只切了 3 次，这样我们就可以求出切一次所用的时间了，又由于用同样的速度切成 5 段；实际上切了 4 次，这样切成 5 段所用的时间就可以求出来了．

解：切一次所用的时间：$24\div(4-1)=8$（秒）

切 5 段所用的时间：$8\times(5-1)=32$（秒）

答：用同样的速度切成 5 段，要用 32 秒．

【例 3】　三年级同学 120 人排成 4 路纵队，也就是 4 个人一排，排成了许多排，现在知道每相邻两排之间相隔 1 米，这支队伍长多少米？

解：因为每 4 人一排，所以共有：$120\div4=30$（排）

30 排中间共有 29 个间隔，所以队伍长：$1\times29=29$（米）

答：这支队伍长 29 米．

【例 4】　时钟 4 点钟敲 4 下，12 秒钟敲完，那么 6 点钟敲 6 下，几秒钟敲完？

分析　如果盲目地计算：$12\div4=3$（秒），$3\times6=18$（秒），认为敲 6 下需要 18 秒钟就错了．请看下图：

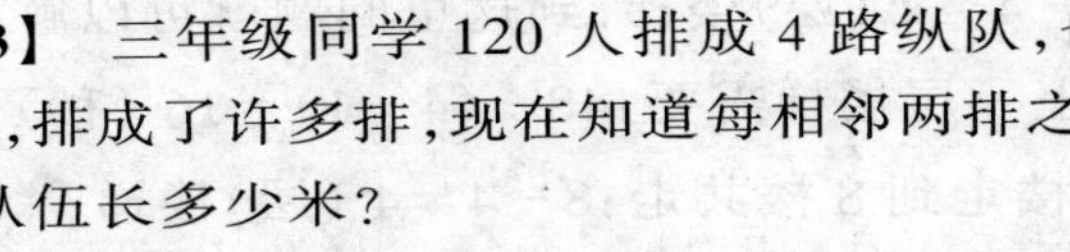

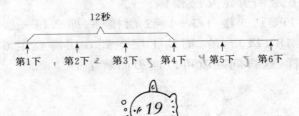

时钟敲4下，其间有3个间隔，每个间隔是：$12\div3=4$（秒）；时钟敲6下，其间共有5个间隔，所用时间为：$4\times5=20$（秒）.

解：每次间隔时间为：$12\div(4-1)=4$（秒）

敲6下共用的时间为：$4\times(6-1)=20$（秒）

答：时钟敲6下共用20秒.

【例5】 某人要到一座高层楼的第8层办事，不巧停电，电梯停开，如从1层走到4层需要48秒，请问以同样的速度走到八层，还需要多少秒？

分析 要求还需要多少秒才能到达，必须先求出上一层楼梯需要几秒，还要知道从4楼走到8楼共走几层楼梯. 上一层楼梯需要：$48\div(4-1)=16$（秒），从4楼走到8楼共走$8-4=4$（层）楼梯. 到这里问题就可以解决了.

解：上一层楼梯需要：$48\div(4-1)=16$（秒）

从4楼走到8楼共走：$8-4=4$（层）楼梯

还需要的时间：$16\times4=64$（秒）

答：还需要64秒才能到达8层.

例6 晶晶上楼，从1楼走到3楼需要走36级台阶，如果各层楼之间的台阶数相同，那么晶晶从第1层走到第6层需要走多少级台阶？

分析 要求晶晶从第1层走到第6层需要走多少级台阶，必须先求出每一层楼梯有多少台阶，还要知道从一层走到6层需要走几层楼梯.

从1楼到3楼有$3-1=2$层楼梯，那么每一层楼梯有$36\div2=18$（级）台阶，而从1层走到6层需要走$6-1=5$（层）楼梯，这样问题就可以迎刃而解了.

解:每一层楼梯有:$36\div(3-1)=18$(级台阶)

晶晶从 1 层走到 6 层需要走:$18\times(6-1)=90$(级)台阶.

答:晶晶从第 1 层走到第 6 层需要走 90 级台阶.

注:例 1 例 4 所叙述的问题虽然不是上楼梯,但它和上楼梯有许多相似之处,请同学们自己去体会.爬楼梯问题的解题规律是:所走的台阶数 = 每层楼梯的台阶数 ×(所到达的层数减起点的层数).

习　题　三

1. 一根木料截成 3 段要 6 分钟,如果每截一次的时间相等,那么截 7 段要几分钟?

2. 有一幢楼房高 17 层,相邻两层之间都有 17 级台阶,某人从 1 层走到 11 层,一共要登多少级台阶?

3. 从 1 楼走到 4 楼共要走 48 级台阶,如果每上一层楼的台阶数都相同,那么从 1 楼到 6 楼共要走多少级台阶?

4. 一座楼房每上 1 层要走 16 级台阶,到小英家要走 64 级台阶,小英家住在几楼?

5. 一列火车共 20 节,每节长 5 米,每两节之间相距 1 米,这列火车以每分钟 20 米的速度通过 81 米长的隧道,需要几分钟?

6. 时钟 3 点钟敲 3 下,6 秒钟敲完,12 点钟敲 12 下,几秒钟敲完?

7. 某人到高层建筑的 10 层去,他从 1 层走到 5 层用了 100 秒,如果用同样的速度走到 10 层,还需要多少秒?

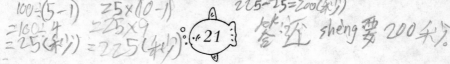

8. A、B 二人比赛爬楼梯，A 跑到 4 层楼时，B 恰好跑到 3 层楼，照这样计算，A 跑到 16 层楼时，B 跑到几层楼？

9. 铁路旁每隔 50 米有一根电线杆，某旅客为了计算火车的速度，测量出从第一根电线杆起到经过第 37 根电线杆共用了 2 分钟，火车的速度是每秒多少米？

习题三解答

1. 解：每截一次需要：$6\div(3-1)=3$（分钟），截成 7 段要 $3\times(7-1)=18$（分钟）

答：截成 7 段要 18 分钟.

2. 解：从 1 层走到 11 层共走：$11-1=10$（个）楼梯，从 1 层走到 11 层一共要走：$17\times10=170$（级）台阶.

答：从 1 层走到 11 层，一共要登 170 级台阶.

3. 解：每一层楼梯的台阶数为：$48\div(4-1)=16$（级），从 1 楼到 6 楼共走：$6-1=5$（个）楼梯，从 1 楼到 6 楼共走：$16\times5=80$（级）台阶.

答：从 1 楼到 6 楼共走 80 级台阶.

4. 解：到小英家共经过的楼梯层数为：$64\div16=4$（层），小英家住在：$4+1=5$（楼）

答：小英家住在楼的第 5 层.

5. 解：火车的总长度为：$5\times20+1\times(20-1)=119$（米），火车所行的总路程：$119+81=200$（米），所需要的时间：$200\div20=10$（分钟）

答：需要 10 分钟.

6. 解：每个间隔需要：$6\div(3-1)=3$（秒），12 点钟敲 12 下，需要 $3\times(12-1)=33$（秒）

答:33秒钟敲完.

7.解:每上一层楼梯需要:$100\div(5-1)=25$(秒),还需要的时间:$25\times(10-5)=125$(秒)

答:从5楼再走到10楼还需要125秒.

8.由A上到4层楼时,B上到3层楼知,A上3层楼梯,B上2层楼梯.那么,A上到16层时共上了15层楼梯,因此B上$2\times5=10$个楼梯,所以B上到$10+1=11$(层).

答:A上到第16层时,B上到第11层楼.

9.解:火车2分钟共行:$50\times(37-1)=1800$(米)

2分钟$=120$秒

火车的速度:$1800\div120=15$(米/秒)

答:火车每秒行15米.

第4讲 植树与方阵问题

一、植树问题

要想了解植树中的数学并学会怎样解决植树问题，首先要牢记三要素：①总路线长．②间距（棵距）长．③棵数．只要知道这三个要素中任意两个要素．就可以求出第三个．

关于植树的路线，有封闭与不封闭两种路线．

1．不封闭路线

例：如图

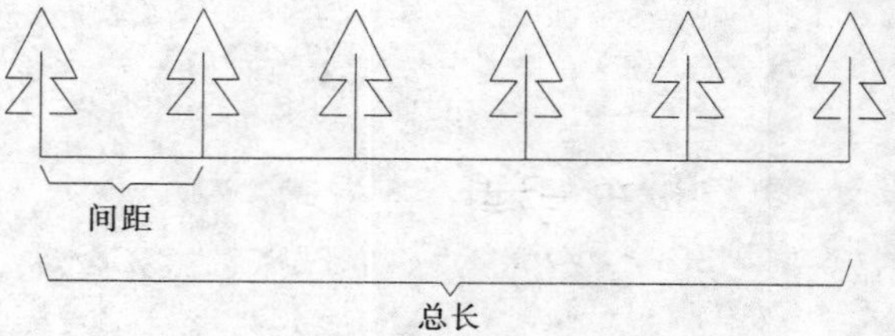

① 若题目中要求在植树的线路两端都植树，则棵数比段数多1．如上图把总长平均分成5段，但植树棵数是6棵．

全长、棵数、株距三者之间的关系是：

棵数＝段数＋1＝全长÷株距＋1

全长＝株距×（棵数－1）

株距＝全长÷（棵数－1）

② 如果题目中要求在路线的一端植树，则棵数就比在两端植树时的棵数少 1，即棵数与段数相等．全长、棵数、株距之间的关系就为：

全长 = 株距 × 棵数；

棵数 = 全长 ÷ 株距；

株距 = 全长 ÷ 棵数．

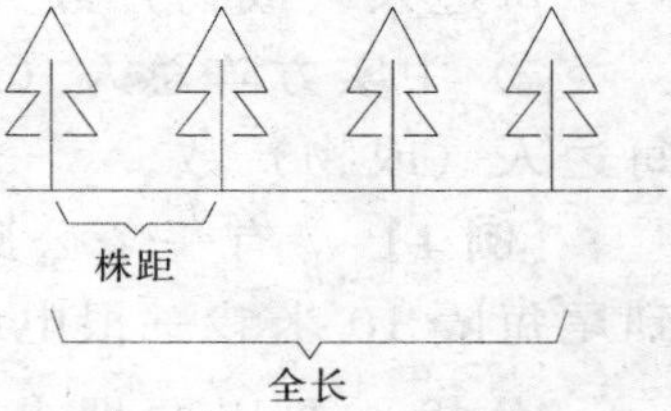

③如果植树路线的两端都不植树，则棵数就比②中还少 1 棵．

棵数 = 段数 − 1

= 全长 ÷ 株距 − 1．如右图所示．段数为 5 段，植树棵数为 4 棵．

株距 = 全长 ÷（棵数 + 1）．

2．封闭的植树路线

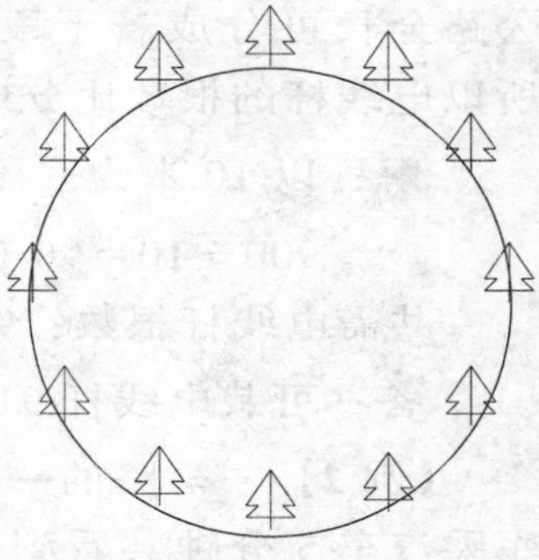

例如：在圆、正方形、长方形、闭合曲线等上面植树，因为头尾两端重合在一起，所以种树的棵数等于分成的段数．如右图所示．

棵数 = 段数 = 周长 ÷ 株距．

二、方阵问题

学生排队，士兵列队，横着排叫做行，竖着排叫做列．如果行数与列数都相等，则正好排成一个正方形，这种图形就叫方队，也叫做方阵（亦叫乘方问题）．

方阵的基本特点是：

① 方阵不论在哪一层，每边上的人（或物）数量都相同．每向里一层，每边上的人数就少 2．

② 每边人（或物）数和四周人（或物）数的关系：

四周人（或物）数＝［每边人（或物）数－1］×4；

每边人（或物）数＝四周人（或物）数÷4＋1．

③ 中实方阵总人（或物）数＝每边人（或物）数×每边人（或物）数．

【例 1】 有一条公路长 900 米，在公路的一侧从头到尾每隔 10 米栽一根电线杆，可栽多少根电线杆？

分析 要以两棵电线杆之间的距离作为分段标准．公路全长可分成若干段．由于公路的两端都要求栽杆，所以电线杆的根数比分成的段数多 1．

解： 以 10 米为一段，公路全长可以分成

900÷10＝90（段）

共需电线杆根数：90＋1＝91（根）

答： 可栽电线杆 91 根．

【例 2】 马路的一边每相隔 9 米栽有一棵柳树．张军乘汽车 5 分钟共看到 501 棵树．问汽车每小时走多少千米？

分析 张军 5 分钟看到 501 棵树意味着在马路的两端都植树了；只要求出这段路的长度就容易求出汽车速度．

解： 5 分钟汽车共走了：

9×（501－1）＝4500（米），

汽车每分钟走：4500÷5＝900（米），

汽车每小时走：

900 × 60 = 54000（米）= 54（千米）

列综合式：

9 ×（501 − 1）÷ 5 × 60 ÷ 1000 = 54（千米）

答：汽车每小时行 54 千米.

【例 3】　某校五年级学生排成一个方阵，最外一层的人数为 60 人. 问方阵外层每边有多少人？这个方阵共有五年级学生多少人？

分析　根据四周人数和每边人数的关系可以知：

每边人数 = 四周人数 ÷ 4 + 1，可以求出方阵最外层每边人数，那么整个方阵队列的总人数就可以求了.

解：方阵最外层每边人数：60 ÷ 4 + 1 = 16（人）

整个方阵共有学生人数：16 × 16 = 256（人）

答：方阵最外层每边有 16 人，此方阵中共有 256 人.

【例 4】　晶晶用围棋子摆成一个三层空心方阵，最外一层每边有围棋子 14 个. 晶晶摆这个方阵共用围棋子多少个？

分析　方阵每向里面一层，每边的个数就减少 2 个. 知道最外面一层每边放 14 个，就可以求第二层及第三层每边个数. 知道各层每边的个数，就可以求出各层总数.

解：最外边一层棋子个数：（14 − 1）× 4 = 52（个）

第二层棋子个数：（14 − 2 − 1）× 4 = 44（个）

第三层棋子个数：（14 − 2 × 2 − 1）× 4 = 36（个）.

摆这个方阵共用棋子：

52 + 44 + 36 = 132（个）

还可以这样想：

中空方阵总个数＝（每边个数－层数）×层数×4 进行计算.

解：（14－3）×3×4＝132（个）

答：摆这个方阵共需 132 个围棋子.

【例 5】 一个圆形花坛，周长是 180 米. 每隔 6 米种一棵芍药花，每相邻的两棵芍药花之间均匀地栽两棵月季花. 问可栽多少棵芍药？多少棵月季？两棵月季之间的株距是多少米？

分析 ① 在圆形花坛上栽花，是封闭路线问题，其株数＝段数. ② 由于相邻的两棵芍药花之间等距的栽有两棵月季，则每 6 米之中共有 3 棵花，且月季花棵数是芍药的 2 倍.

解：共可栽芍药花：180÷6＝30（棵）

共种月季花：2×30＝60（棵）

两种花共：30＋60＝90（棵）

两棵花之间距离：180÷90＝2（米）

相邻的花或者都是月季花或者一棵是月季花另一棵是芍药花，所以月季花的株距是 2 米或 4 米.

答：种芍药花 30 棵，月季花 60 棵，两棵月季花之间距离为 2 米或 4 米.

【例 6】 一个街心花园如右图所示. 它由四个大小相等的等边三角形组成. 已知从每个小三角形的顶点开始，到下一个顶点均匀栽有 9 棵花. 问大三角形边上栽有多少棵花？整个花园中共栽多少棵花？

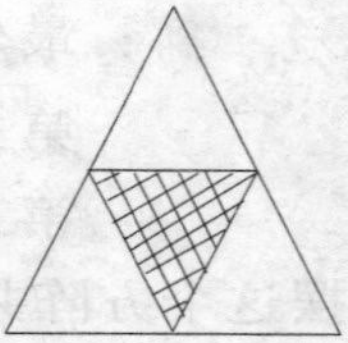

分析 ① 从已知条件中可以知道大三角形的边长是

小三角形边长的 2 倍．又知道每个小三角形的边上均匀栽 9 株，则大三角形边上栽的棵数为

$9\times2-1=17$（棵）．

② 又知道这个大三角形三个顶点上栽的一棵花是相邻的两条边公有的，所以大三角形三条边上共栽花

$(17-1)\times3=48$（棵）．

③ 再看图中画斜线的小三角形三个顶点正好在大三角形的边上．在计算大三角形栽花棵数时已经计算过一次，所以小三角形每条边上栽花棵数为 $9-2=7$（棵）

解：大三角形三条边上共栽花：

$(9\times2-1-1)\times3=48$（棵）

中间画斜线小三角形三条边上栽花：

$(9-2)\times3=21$（棵）

整个花坛共栽花：$48+21=69$（棵）

答：大三角形边上共栽花 48 棵，整个花坛共栽花 69 棵．

习　题　四

1．一个圆形池塘，它的周长是 150 米，每隔 3 米栽种一棵树．问：共需树苗多少株？

2．有一正方形操场，每边都栽种 17 棵树，四个角各种 1 棵，共种树多少棵？

3．在一条路上按相等的距离植树．甲乙二人同时从路的一端的某一棵树出发．当甲走到从自己这边数的第 22 棵树时，乙刚走到从乙那边数的第 10 棵树．已知乙每分钟走 36 米．问：甲每分钟走多少米？

4. 在一根长 100 厘米的木棍上，从左向右每隔 6 厘米点一个红点. 从右向左每隔 5 厘米点一个红点，在两个红点之间长为 4 厘米的间距有几段?

习题四解答

1. 提示：由于是封闭路线栽树，所以棵数 = 段数，

$150 \div 3 = 50$（棵）.

2. 提示：在正方形操场边上栽树. 正方形边长都相等，四个角上栽的树是相邻的两条边公有的一棵，所以每边栽树的棵数为 $17 - 1 = 16$（棵），共栽：$(17 - 1) \times 4 = 64$（棵）

答：共栽树 64 棵.

3. 解：甲走到第 22 棵树时走过了 $22 - 1 = 21$（个）棵距. 同样乙走过了 $10 - 1 = 9$（个）棵距. 乙走到第 10 棵树，所用的时间为（$9 \times$ 棵距 $\div 36$），这个时间也是甲走过 21 个棵距的时间，甲的速度为：$21 \times$ 棵距 $\div$（$9 \times$ 棵距 $\div 36$）$= 84$ 米/分.

答：甲的速度是每分钟 84 米.

4. ①根据已知条件，从左至右每隔 6 厘米点一红点，不难算出共有 17 个点（包括起点，终点）并余 4 厘米. ②100 厘米长的棒从右到左共点 21 个点，可分为 20 段，而最后一点与端点重合，相当于从左到右以 5 厘米的间距画点. ③在 5 与 6 的公倍数 30 中，不难看出有 2 个 4 厘米的小段；同样在第二个和第三个 30 厘米中也各有 2 个，剩下的 10 厘米只有一个 4 厘米的小段，所以在 100 厘米的木棍上只能有 $2 \times 3 + 1 = 7$（段）4 厘米长的间距.

第5讲　找几何图形的规律

找规律是解决数学问题的一种重要的手段，而规律的找寻既需要敏锐的观察力，又需要严密的逻辑推理能力．为培养这方面的能力，本讲将从几何图形的问题入手，逐步分析应从哪些方面来观察思考。因此，学习本讲的知识有助于养成全面地、由浅入深、由简到繁观察思考问题的良好习惯，可以逐步掌握通过观察发现规律并利用规律来解决问题的方法．

下面就来看几个例子．

【例1】　按顺序观察图5－1与图5－2中图形的变化，想一想，按图形的变化规律，在带"?"的空格处应画什么样的图形？

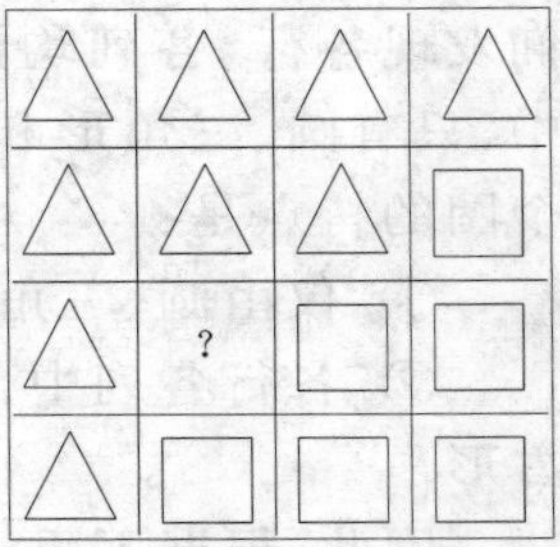

图5－1

分析　观察中，注意到图5－1中每行三角形的个数依次减少，而正方形的个数依次增多，且三角形的个数按4、3、x、1的顺序变化．显然x应等于2；图5－2中黑点的个数从左到右逐次增多，且每一格(第一格除外)比前

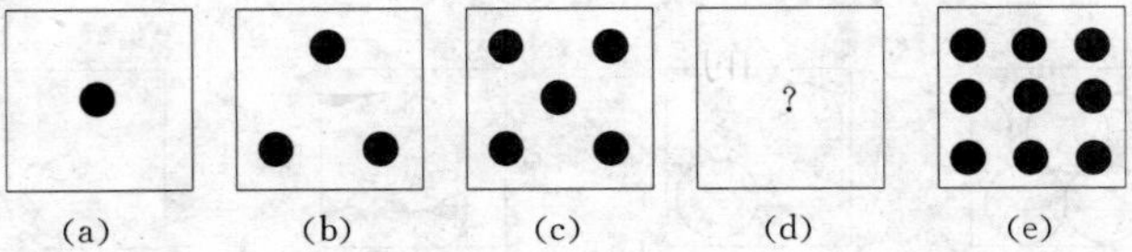

图5－2

面的一格多两个点.事实上,本题中几何图形的变化仅表现在数量关系上,是一种较为基本的、简单的变化模式.

解:在图 5－1 的“?”处应是三角形△,在图 5－2 的“?”处应是

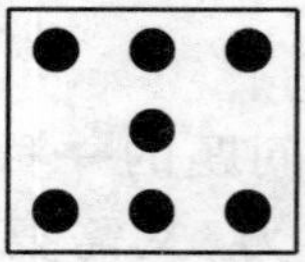

【例 2】 请观察右图中已有的几个图形,并按规律填出空白处的图形.

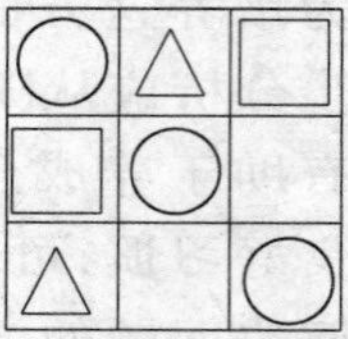

分析 首先可以看出图形的第一行、第二列都是由一个圆、一个三角形和一个正方形所组成的;其次,在所给出的图形中,我们发现各行、各列均没有重复的图形,而且所给出的图形中,只有圆、三角形和正方形三种图形.由此,我们知道这个图的特点是:

① 仅由圆、三角形、正方形组成;

② 各行各列中,都只有一个圆、一个三角形和一个正方形.

因此,根据不重不漏的原则,在第二行的空格中应填一个三角形,而第三行的空格中应填一个正方形.

解略.

【例 3】 按顺序观察下图中图形的变化规律,并在“?”处填上合适的图形.

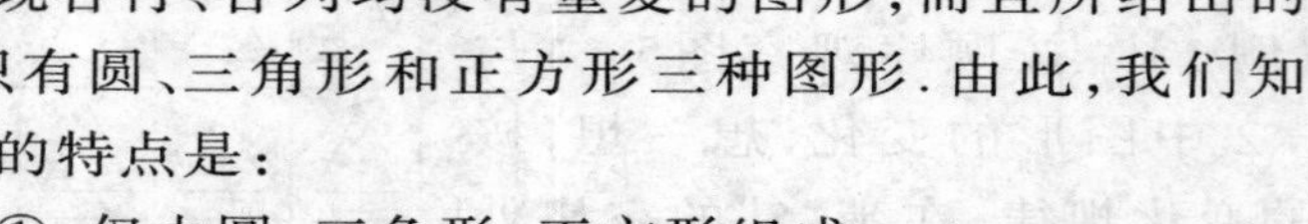

(a) (b) (c) (d)

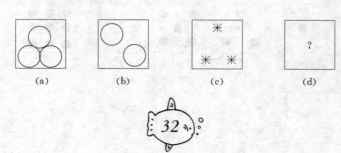

分析　显然，图(a)、图(b)中都是圆，而图(c)中却不是圆；同时，图(a)、(c)中都有 3 个图形，而(b)中只有两个. 由此可知：图(a)到(b)的变化规律对应于图(c)到(d)的变化规律. 再注意到图(a)到图(b)中图形在繁简、多少、位置几方面的变化，就容易得到图(d)中的图形了.

解：在上图的"?"处应填如下图形.

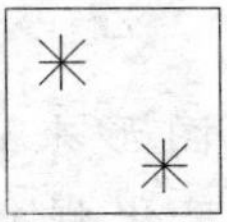

【例 4】　下图中的图形是按一定规律排列的，请仔细观察，并在"?"处填上适当的图形.

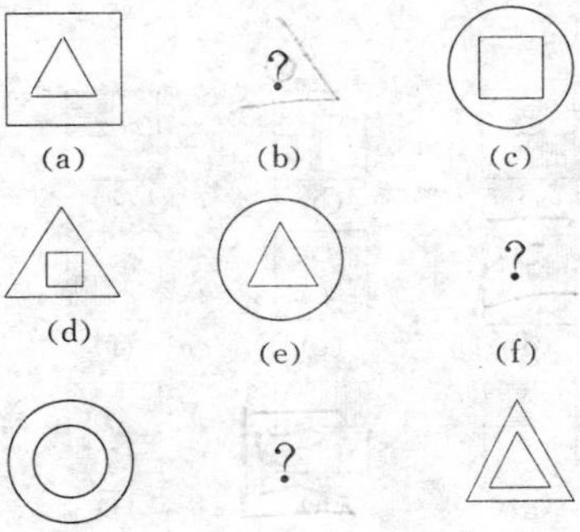

(a)　(b)　(c)

(d)　(e)　(f)

(g)　(h)　(i)

分析　本题中，首先可以注意到每个图形都由大、小两部分组成，而且，大、小图形都是由正方形、三角形和圆形组成，图中的任意两个图形均不相同. 因此，我们不妨试着把大、小图形分开来考虑，再一次观察后我们可以发现：对于大图形来说，每行每列的图形决不重复。因此，每行每列都只有一个大正方形，一个大三角形和一个大圆，对于小图形也是如此，这样，“?”处的图形就不难得出．

解：图中，(b)、(f)、(h)处的图形分别应填下面的图甲、图乙、图丙．

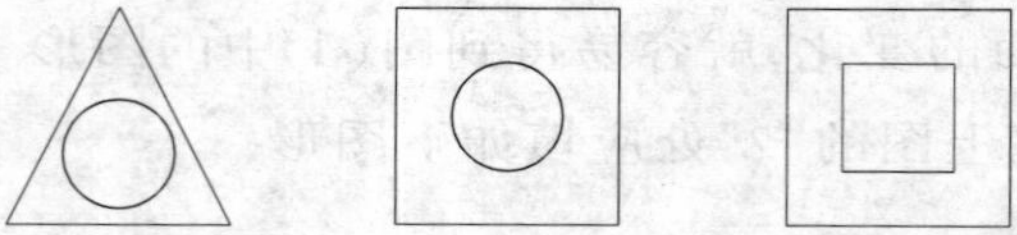

甲　　乙　　丙

小结：对于较复杂的图形来说，有时候需要把图形分开几部分来单独考虑其变化规律，从而把复杂问题简单化．

【例 5】 观察下列各组图的变化规律，并在“?”处画出相关的图形．

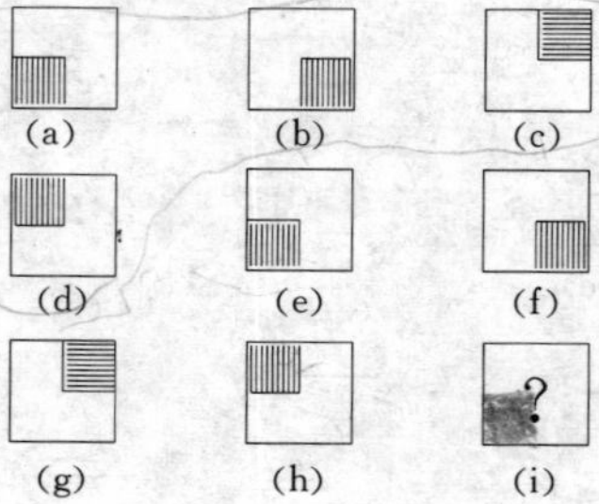

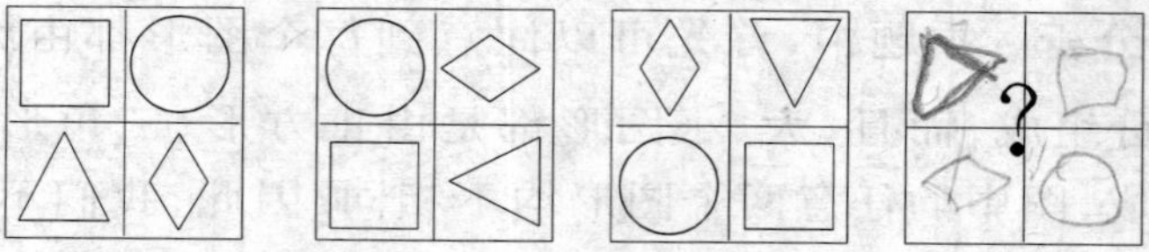

甲　　乙　　丙　　丁

分析　我们先来看这样两个图：

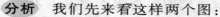

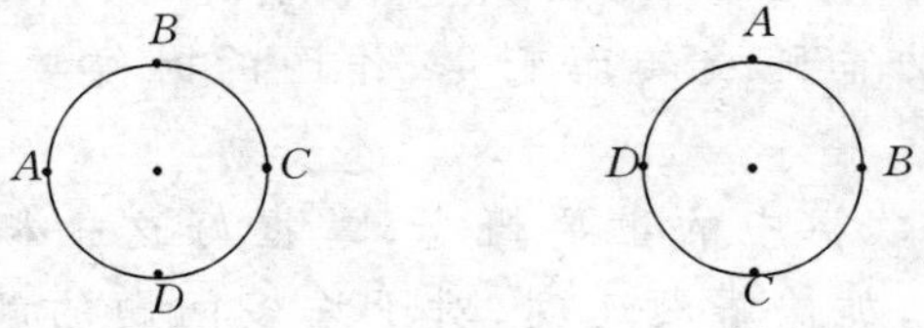

（甲）图与（乙）图中，点 A、B、C、D 的顺序和距离都没有改变，只是每个点的位置发生了变化，如：甲图中，A 在左方；而乙图中，A 在上方，……我们把这样一种位置的变化称为图形的旋转，乙图可以看作是甲图沿顺时针方向旋转 $\frac{1}{4}$ 个圆（或 $90°$）而得到的，甲图也可以看作是由乙图沿逆时针方向旋转 $\frac{1}{4}$ 个圆（$90°$）而得到的.

同样的道理，我们可以把 $\begin{array}{|c|c|}\hline 1 & 2 \\ \hline 4 & 3 \\ \hline\end{array}$ 到 $\begin{array}{|c|c|}\hline 4 & 1 \\ \hline 3 & 2 \\ \hline\end{array}$ 的位置变化也称为旋转，叫做沿顺时针方向旋转 $90°$（或一格）.

现在我们再回到题目上来，容易看出：例 5 题中按（a）、（b）、（c）、（d）、（e）、（f）、（g）、（h）、（i）顺序排列的 9 个图形，它们的变化规律是：每一个图形（a 除外）都是由其前一个图形逆时针旋转 $90°$而得到的.甲乙丙丁四个图形变化规律也类似.

解:图（i）处的图形应是下面左图,丁图处的图形应是下面右图

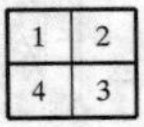

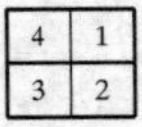

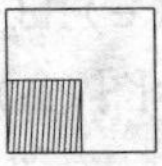

（a）　　　　　　（b）

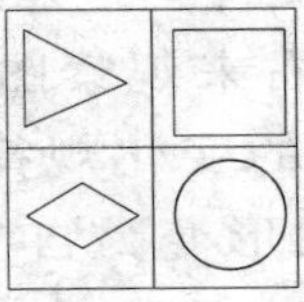

注意：因为图形是由旋转而得到的，所以其中三角形、菱形的方向随旋转而变化，作图的时候要注意到这一点.

旋转是数学中的重要概念，掌握好这个概念，可以提高观察能力，加快解题速度，对于许多问题的解决，也有事半而功倍的效果.

下面再来看几个例子：

【例 6】 仔细观察下图中图形的变化规律，并在“?”处填入合适的图形.

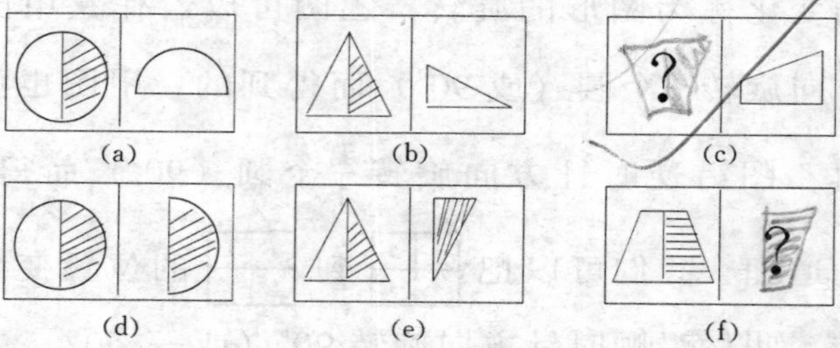

分析 显然，图(a)、(b)的变化规律对应于图(c)的变化规律；图(d)、(e)的变化规律也对应于图(f)的变化规律，我们先来观察(a)、(b)两组图形，发现在形状、位置方面都发生了变化，即把圆变为它的一半——半圆，把三角形也变为它的一半——直角三角形；同时，变化后图形的位置相当于把原图形沿顺时针方向旋转 90°而得到. 因此，我们很容易地就把图(c)中的直角梯形还原为等腰梯形并通过逆时针旋转而得到图(c)“?”处的图形.

当我们从左到右来观察图(d)、(e)的变化规律时，我们发现，图(d)、(e)的变化规律有与图(a)、(b)相同的一面，即都是把一个图形变为自身的一半，但也有与图(a)、 (b)不同的一面，即图(d)、(e)中右半部分的图形无法通过旋转原图来得到，只能通过上下翻转而获得. 这样，我们就得到了这些图形的变化规律.

解:图(c)中“?”处的图形应是下面甲图，图(f)中“?”处的图形应是乙图.

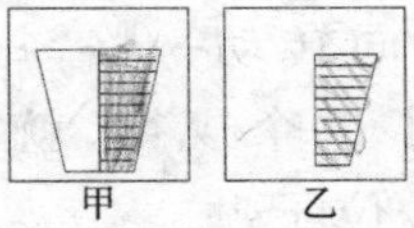

小结:本题是一道较为复杂的题，观察的出发点主要有 3 点:① 形状变化;② 位置变化;③ 颜色变化.

【例 7】　四个小动物排座位，一开始，小鼠坐在第 1 号位子上，小猴坐在第 2 号，小兔坐在第 3 号，小猫坐在第 4 号. 以后它们不停地交换位子，第一次上下两排交换. 第二次是在第一次交换后左右两列交换，第三次再上下两排交换，第四次再左右两列交换…这样一直换下去. 问:第十次交换位子后，小兔坐在第几号位子上?(参看下图)

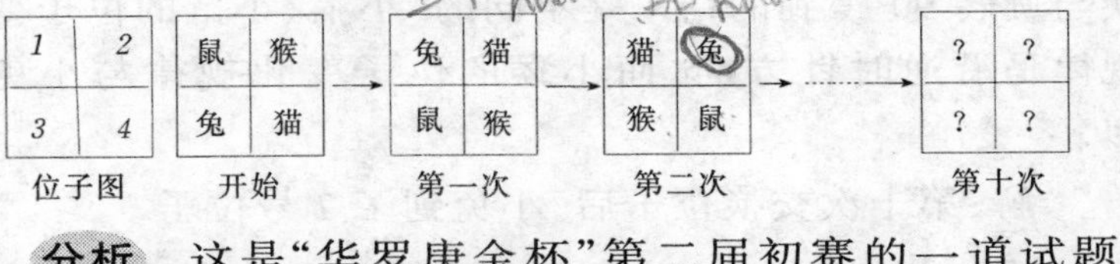

分析　这是“华罗庚金杯”第二届初赛的一道试题，如果有充裕的时间，我们当然可以把十次变化的图都画出来，从而得到答案. 10 并不是一个很大的数字，因此这样的方法虽然麻烦，却也是行之有效的. 然而，在初赛中，本题的思考时间只有 30 秒，不可能一步步把图画出

来，这就要求我们仔细观察，认真思考，找出规律再做题.

方法1：因为题目中问的只是第十次交换位子后，小兔的位子是几. 因此，我们只需考虑小兔的位子变化规律，小兔刚开始时在3号位子，记为③，则变化过程为：③$\xrightarrow{一次}$①$\xrightarrow{二次}$②$\xrightarrow{三次}$④$\xrightarrow{四次}$③→… 容易看出，每一次交换座位，小兔的座位按顺时针方向转动一格，每四次交换座位后，小兔又回到原处，知道了这个规律，就不难得出答案. 即10次后，小兔到了第2号位子.

方法2：受方法一的启示，我们可以思考，其他小动物的变化规律怎样？四个小动物的整体变化规律又怎样呢？事实上，当我们仔细观察示意图时会发现，开始的图沿顺时针方向旋转两格（即180°）时，恰得到第二次交换位子后的图，由此可以知道，每一次上下交换后再一次左右交换的结果就相当于把原图沿顺时针方向旋转180°，第十次交换位子后，相当于是这些小动物沿顺时针方向转了4圈半，这样，我们就得到了小兔的位子及它们的整体变化规律. 但其中需注意一点的是：单独一次上下（或左右）的交换与旋转90°得到的结果是不同的. 小猫、小鼠的位子变化规律是沿逆时针方向，而小猴的位子变化规律与小兔相似.

解：第十次交换位子后，小兔到了2号位子.

【例8】 将A、B、C、D、E、F六个字母分别写在正方体的六个面上，从下面三种不同摆法中判断这个正方体中，哪些字母分别写在相对的面上.

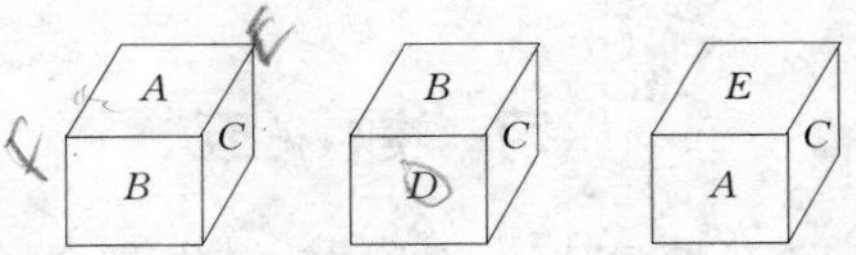

(a)　　(b)　　(c)

分析　本题所给的是一组立体几何图形.但是,我们注意到:由于图(a)、(b)、(c)都是同一个正方体的不同摆法,所以,(a)、(b)、(c)可以通过旋转来互相转化,这三个图形中,字母C所在的一面始终不改变位置.因此,这三个图形的转化只能是前后转动.把图(a)向后翻转一次(90°)得图(b),由此可知,字母A的对面是D,把图(a)向前翻转一次(90°)得图(c),所以,字母B的对面是字母E,最后得出只有字母C、F相对.

解:正方体中,相对的字母分别是A—D、B—E、C—F.

总结:一般地说,在观察图形变化的规律时,应抓住以下几点来考虑问题:

1. 图形数量的变化;
2. 图形形状的变化;
3. 图形大小的变化;
4. 图形颜色的变化;
5. 图形位置的变化;
6. 图形繁简的变化等.

对较复杂的图形,也可分成几部分来分别考虑.总而言之,只要全面观察,勤于思考,就一定能抓住规律、解决问题.

习　题　五

1．顺序观察下面图形，并按其变化规律在“?”处填上合适的图形.

①

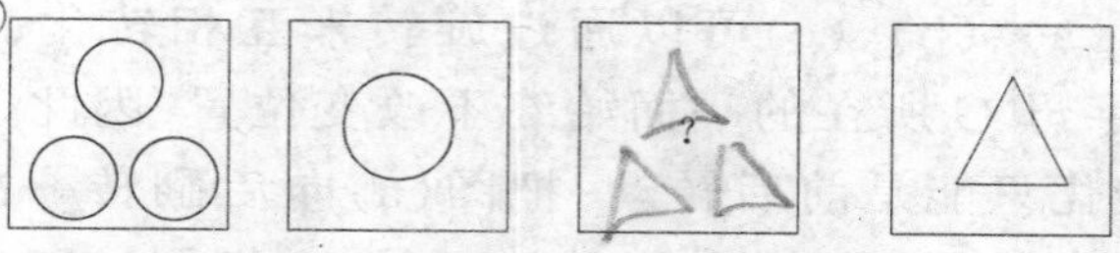

(a)　(b)　(c)　(d)

②

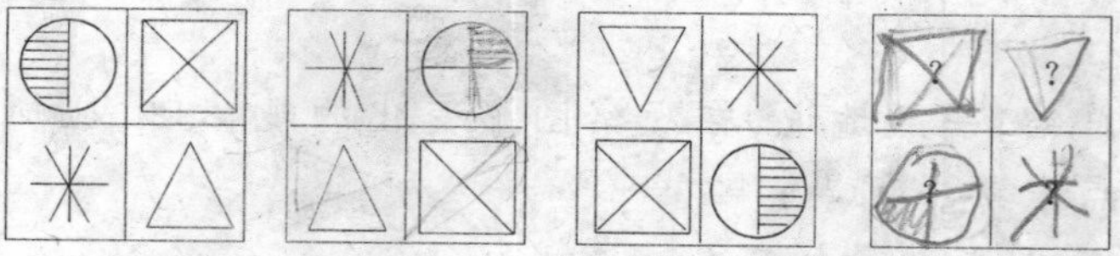

(a)　(b)　(c)　(d)

③

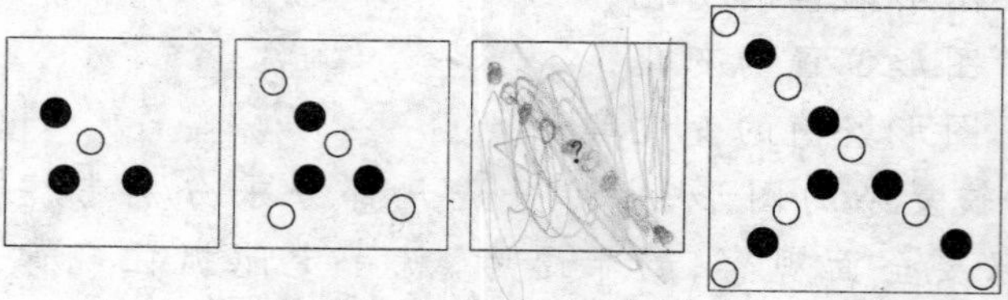

(a)　(b)　(c)　(d)

④

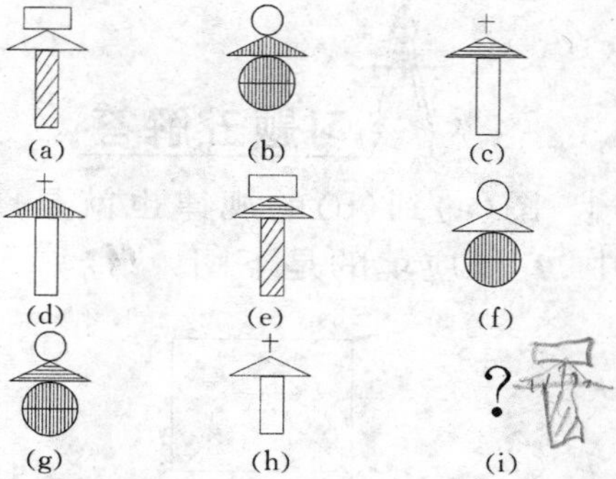

2．一个正方体的小木块，1 与 6、2 与 5、3 与 4 分别是相对面，如照下图那样放置，并按图中箭头指示的方向翻动，则木块翻动到第 5 格时，木块正上方那一面的数字是多少？

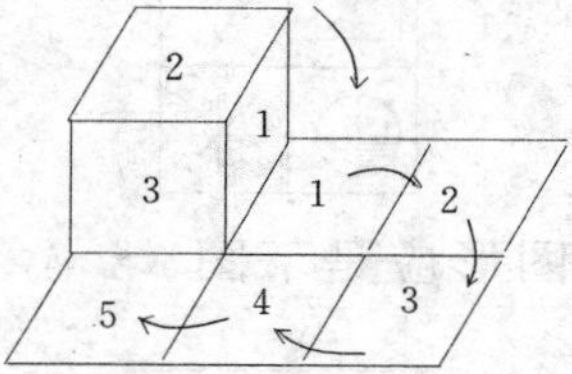

习题五解答

1. 解:① 图(a)到(b)的规律也就是图(c)到(d)的规律,所以①中"?"处应填的是下图.

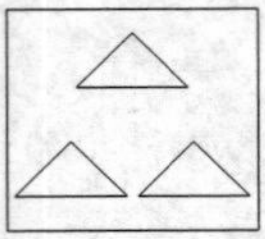

② 图(a)和(c)的规律就是图(b)到(d)的规律,也即把原图沿逆时针方向旋转 180°. 因此②中"?"处的图形是下图.

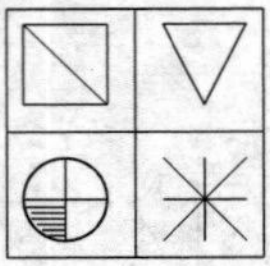

③ 图(c)处的图形应是下图.

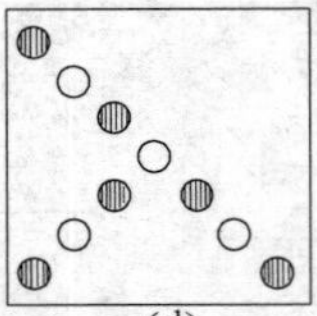

(d)

④ 把图形分为顶部、中部和底部分别考虑,④中"?"处的图形应是下图.

2. 答:是 3.

第6讲　找简单数列的规律

日常生活中，我们经常接触到许多按一定顺序排列的数，如：

自然数：1，2，3，4，5，6，7，…　　(1)

年份：1990，1991，1992，1993，1994，1995，1996　(2)

某年级各班的学生人数（按班级顺序一、二、三、四、五班排列）

45，45，44，46，45　　(3)

像上面的这些例子，按一定次序排列的一列数就叫做数列．数列中的每一个数都叫做这个数列的项，其中第 1 个数称为这个数列的第 1 项，第 2 个数称为第 2 项，…，第 n 个数就称为第 n 项．如数列（3）中，第 1 项是 45，第 2 项也是 45，第 3 项是 44，第 4 项是 46，第 5 项 45．

根据数列中项的个数分类，我们把项数有限的数列（即有有穷多个项的数列）称为有穷数列，把项数无限的数列（即有无穷多个项的数列）称为无穷数列，上面的几个例子中，（2）（3）是有穷数列，（1）是无穷数列．

研究数列的目的是为了发现其中的内在规律性，以作为解决问题的依据，本讲将从简单数列出发，来找出数列的规律．

【例 1】　观察下面的数列，找出其中的规律，并根据规律，在括号中填上合适的数．

① 2，5，8，11，（ ），17，20.

② 19，17，15，13，（ ），9，7.

③ 1，3，9，27，（ ），243.

④ 64，32，16，8，（ ），2.

⑤ 1，1，2，3，5，8，（ ），21，34…

⑥ 1，3，4，7，11，18，（ ），47…

⑦ 1，3，6，10，（ ），21，28，36，（ ）.

⑧ 1，2，6，24，120，（ ），5040.

⑨ 1，1，3，7，13，（ ），31.

⑩ 1，3，7，15，31，（ ），127，255.

⑪ 1，4，9，16，25，（ ），49，64.

⑫ 0，3，8，15，24，（ ），48，63.

⑬ 1，2，2，4，3，8，4，16，5，（ ）.

⑭ 2，1，4，3，6，9，8，27，10，（ ）.

分析与解答 ① 不难发现，从第 2 项开始，每一项减去它前面一项所得的差都等于 3. 因此，括号中应填的数是 14，即：

11 + 3 = 14.

② 同①考虑，可以看出，每相邻两项的差是一定值 2. 所以，括号中应填 11，即：13 − 2 = 11.

不妨把①与②联系起来继续观察，容易看出：数列①中，随项数的增大，每一项的数值也相应增大，即数列①是递增的；数列②中，随项数的增大，每一项的值却依次减小，即数列②是递减的. 但是除了上述的不同点之外，这两个数列却有一个共同的性质：即相邻两项的差都是一个定值. 我们把类似①②这样的数列，称为等差数列.

③ 1，3，9，27，( )，243.

此数列中，从相邻两项的差是看不出规律的，但是，从第 2 项开始，每一项都是其前面一项的 3 倍．即：$3=1\times3$，$9=3\times3$，$27=9\times3$．因此，括号中应填 81，即 $81=27\times3$，代入后，243 也符合规律，即 $243=81\times3$.

④ 64，32，16，8，( )，2

与③类似，本题中，从第 1 项开始，每一项是其后面一项的 2 倍，即：

第1项　$64=32\times2$

第2项　$32=16\times2$

第3项　$16=8\times2$

第4项　8…

因此，括号中填 4，代入后符合规律.

综合③④考虑，数列③是递增的数列，数列④是递减的数列，但它们却有一个共同的特点：每列数中，相邻两项的商都相等．像③④这样的数列，我们把它称为等比数列.

⑤ 1，1，2，3，5，8，( )，21，34…

首先可以看出，这个数列既不是等差数列，也不是等比数列．现在我们不妨看看相邻项之间是否还有别的关系，可以发现，从第 3 项开始，每一项等于它前面两项的和．即

$2=1+1$，$3=2+1$，$5=2+3$，$8=3+5$．因此，括号中应填的数是 13，即 $13=5+8$，$21=8+13$，$34=13+21$.

这个以 1，1 分别为第 1、第 2 项，以后各项都等于其前两项之和的无穷数列，就是数学上有名的斐波那契

数列，它来源于一个有趣的问题：如果一对成熟的兔子一个月能生一对小兔，小兔一个月后就长成了大兔子，于是，下一个月也能生一对小兔子，这样下去，假定一切情况均理想的话，每一对兔子都是一公一母，兔子的数目将按一定的规律迅速增长，按顺序记录每个月中所有兔子的数目（以对为单位，一月记一次），就得到了一个数列，这个数列就是数列⑤的原型，因此，数列⑤又称为兔子数列，这些在高年级递推方法中我们还要作详细介绍.

⑥ 1，3，4，7，11，18，（ ），47…

在学习了数列⑤的前提下，数列⑥的规律就显而易见了，从第 3 项开始，每一项都等于其前两项的和. 因此，括号中应填的是 29，即 29＝11＋18.

数列⑥不同于数列⑤的原因是：数列⑥的第 2 项为 3，而数列⑤为 1，数列⑥称为鲁卡斯数列.

⑦ 1，3，6，10，（ ），21，28，36，（ ）.

方法 1：继续考察相邻项之间的关系，可以发现：

第1项　1＝1

第2项　3＝1＋2 ←项数

第3项　6＝3＋3 ←项数

第4项　10＝6＋4←项数

因此，可以猜想，这个数列的规律为：每一项等于它的项数与其前一项的和，那么，第 5 项为 15，即 15＝10＋5，最后一项即第 9 项为 45，即 45＝36＋9. 代入验算，正确.

方法 2：其实，这一列数有如下的规律：

第 1 项：1 = 1

第 2 项：3 = 1 + 2

第 3 项：6 = 1 + 2 + 3

第 4 项：10 = 1 + 2 + 3 + 4

第 5 项：(　)

第 6 项：21 = 1 + 2 + 3 + 4 + 5 + 6

第 7 项：28 = 1 + 2 + 3 + 4 + 5 + 6 + 7

第 8 项：36 = 1 + 2 + 3 + 4 + 5 + 6 + 7 + 8

第 9 项：(　)

即这个数列的规律是：每一项都等于从 1 开始，以其项数为最大数的 n 个连续自然数的和. 因此，
第五项为 15，即：15 = 1 + 2 + 3 + 4 + 5；
第九项为 45，即：45 = 1 + 2 + 3 + 4 + 5 + 6 + 7 + 8 + 9.

⑧ 1，2，6，24，120，(　)，5040.

方法 1：这个数列不同于上面的数列，相邻项相加减后，看不出任何规律. 考虑到等比数列，我们不妨研究相邻项的商，显然：

2÷1=2
6÷2=3
24÷6=4
120÷24=5

也即

第1项：　1
第2项：　2=1×2
第3项：　6=2×3
第4项：　24=6×4
第5项：　120=24×5

项数

所以，这个数列的规律是：除第 1 项以外的每一项都等于其项数与其前一项的乘积. 因此，括号中的数为

第 6 项 720，即 $720=120\times6$.

方法 2：受⑦的影响，可以考虑连续自然数，显然：

第 1 项　$1=1$

第 2 项　$2=1\times2$

第 3 项　$6=1\times2\times3$

第 4 项　$24=1\times2\times3\times4$

第 5 项　$120=1\times2\times3\times4\times5$

第 6 项　（　）

第 7 项　$5040=1\times2\times3\times4\times5\times6\times7$

所以，第 6 项应为 $1\times2\times3\times4\times5\times6=720$.

⑨ 1，1，3，7，13，（　），31

与⑦类似：

第1项　1

第2项　$1=1+2\times(2-2)$

第3项　$3=1+2\times(3-2)$

第4项　$7=3+2\times(4-2)$　　项数

第5项　$13=7+2\times(5-2)$

可以猜想，数列⑨的规律是该项 = 前项 + 2 ×（项数 − 2）（第 1 项除外），那么，括号中应填 21，代入验证，符合规律.

⑩ 1，3，7，15，31，（　），127，255.

为了书写的方便引进一符号，记：$\underbrace{2\times2\times\cdots\times2}_{n个2相乘}=2^n$，其中 n 为自然数，则：

第1项：　$1=1$

第2项：　$3=1+2^{1}$

第3项：　$7=1+2^{1}+2^{2}$

第4项：　$15=1+2^{1}+2^{2}+2^{3}$

第5项：　$31=1+2^{1}+2^{2}+2^{3}+2^{4}$　　项数－1

第6项：（　）

第7项：　$127=1+2^{1}+2^{2}+2^{3}+2^{4}+2^{5}+2^{6}$

第8项：　$255=1+2^{1}+2^{2}+2^{3}+2^{4}+2^{5}+2^{6}+2^{7}$

因此，括号中的数应填为 63.

小结：寻找数列的规律，通常从两个方面来考虑：①寻找各项与项数间的关系；②考虑相邻项之间的关系．然后，再归纳总结出一般的规律．

事实上，数列⑦或数列⑧的两种方法，就是分别从以上两个不同的角度来考虑问题的．但有时候，从两个角度的综合考虑会更有利于问题的解决．因此，仔细观察，认真思考，选择适当的方法，会使我们的学习更上一层楼．

在⑩题中，$1=2-1$

$3=2^{2}-1$

$7=2^{3}-1$

$15=2^{4}-1$

$31=2^{5}-1$

$127=2^{7}-1$

$255=2^{8}-1$

所以，括号中为 $2^{6}-1$ 即 63.

⑪ 1，4，9，16，25，（　），49，64.

$1=1\times1$，$4=2\times2$，$9=3\times3$，$16=4\times4$，$25=5\times5$，$49=7\times7$，$64=8\times8$，即每项都等于自身项数与项数的乘积，所以括号中的数是36.

本题各项只与项数有关，如果从相邻项关系来考虑问题，势必要走弯路.

⑫ 0，3，8，15，24，（ ），48，63.

仔细观察，发现数列⑫的每一项加上1正好等于数列⑪，因此，本数列的规律是项=项数×项数-1. 所以，括号中填35，即$35=6\times6-1$.

⑬ 1，2，2，4，3，8，4，16，5，（ ）.

前面的方法均不适用于这个数列，在观察的过程中，可以发现，本数列中的某些数是很有规律的，如1，2，3，4，5，而它们恰好是第1项、第3项、第5项、第7项和第9项，所以不妨把数列分为奇数项（即第1，3，5，7，9项）和偶数项（即第2，4，6，8项）来考虑，把数列按奇数和偶数项重新分组排列如下：

奇数项：1，2，3，4，5

偶数项：2，4，8，16　　可以看出，奇数项构成一等差数列，偶数项构成一等比数列. 因此，括号中的数，即第10项应为32（$32=16\times2$）.

⑭ 2，1，4，3，6，9，8，27，10，（ ）.

同上考虑，把数列分为奇、偶项：

偶数项：2，4，6，8，10

奇数项：1，3，9，27，（ ）.

所以，偶数项为等差数列，奇数项为等比数列，括号中应填81（$81=27\times3$）.

像⑬⑭这样的数列，每个数列中都含有两个系列，这两个系列的规律各不相同，类似这样的数列，称为双系列数列或双重数列.

【例 2】　下面数列的每一项由 3 个数组成的数组表示，它们依次是：

（1，3，5），（2，6，10），（3，9，15）…问：第 100 个数组内 3 个数的和是多少？

方法 1：注意观察，发现这些数组的第 1 个分量依次是：1，2，3…构成等差数列，所以第 100 个数组中的第 1 个数为 100；这些数组的第 2 个分量 3，6，9…也构成等差数列，且 $3=3\times1$，$6=3\times2$，$9=3\times3$，所以第 100 个数组中的第 2 个数为 $3\times100=300$；同理，第 3 个分量为 $5\times100=500$，所以，第 100 个数组内三个数的和为 $100+300+500=900$.

方法 2：因为题目中问的只是和，所以可以不去求组里的三个数而直接求和，考察各组的三个数之和.

第 1 组：$1+3+5=9$，第 2 组：$2+6+10=18$

第 3 组：$3+9+15=27$…，由于 $9=9\times1$，$18=9\times2$，$27=9\times3$，所以 9，18，27…构成一等差数列，第 100 项为 $9\times100=900$，即第 100 个数组内三个数的和为 900.

【例 3】　按下图分割三角形，即：① 把三角形等分为四个相同的小三角形（如图（b））；② 把①中的小三角形（尖朝下的除外）都等分为四个更小的三角形（如图（c））…继续下去，将会得到一系列的图，依次把这些图中不重叠的三角形的个数记下来，成为一个数列：1，4，13，40…请你继续按分割的步骤，以便得到数列的前 5 项. 然后，仔细观察数列，从中找出规律，并依照规律得出数列的第 10 项，即第 9 项分割后所得的图中不重叠的小三角形的个数.

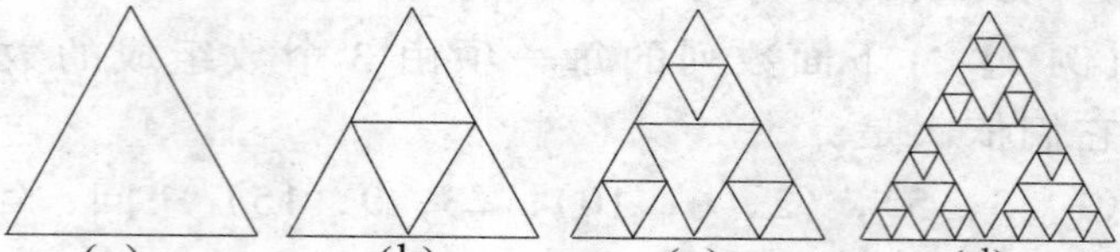

(a)　　(b)　　(c)　　(d)

分析与解答　第 4 次分割后的图形如下图：

因此，数列的第 5 项为 121.

这个数列的规律如下：

第 1 项 1

第 2 项 $4=1+3$

第 3 项 $13=4+3\times3$

第 4 项 $40=13+3\times3\times3$

第 5 项 $121=40+3\times3\times3\times3$

或者写为：第 1 项 $1=1$

第 2 项 $4=1+3^1$

第 3 项 $13=1+3+3^2$

第 4 项 $40=1+3+3^2+3^3$

第 5 项 $121=1+3+3^2+3^3+3^4$

因此，第 10 项也即第 9 次分割后得到的不重叠的三角形的个数是 29524.

【例 4】　在下面各题的五个数中，选出与其他四个数规律不同的数，并把它划掉，再从括号中选一个合适的数替换.

① 42，20，18，48，24

（21，54，45，10）

② 15，75，60，45，27

（50，70，30，9）

③ 42，126，168，63，882

（27，210，33，25）

解：① 中，42、18、48、24 都是 6 的倍数，只有 20 不是，所以，划掉 20，用 54 代替.

② 15、75、60、45 都是 15 的整数倍数，而 27 不是，用 30 来替换 27.

③ 同上分析，发现这些数中，42、126、128、882 都是 42 的整数倍，而 63 却不是. 因此，用 210 来代替 63.

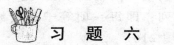

习　题　六

按一定的规律在括号中填上适当的数：

1.　1，2，3，4，5，（　　），7…

2.　100，95，90，85，80，（　　），70

3.　1，2，4，8，16，（　　），64

4.　1，$\frac{1}{2}$，$\frac{1}{4}$，$\frac{1}{8}$，$\frac{1}{16}$，（　　），$\frac{1}{64}$

5.　2，1，3，4，7，（　　），18，29，47

6.　1，2，5，10，17，（　　），37，50

7.　1，8，27，64，125，（　　），343

8.　1，9，2，8，3，（　　），4，6，5，5

习题六解答

1．等差数列，括号处填6．

2．等差数列，括号处填75．

3．等比数列，括号处填32．

4．等比数列，括号处填$\frac{1}{32}$．

5．相邻两项的和等于下一项，括号处填11．

6．后项－前项＝前项的项数×2－1，括号处填26．

7．立方数列，即每一项等于其项数乘以项数再乘以项数，括号处填216．

8．双重数列，括号处填7．

第7讲　填算式(一)

在这一讲中介绍填算式的未知数的方法. 我们将根据算式中给定的运算关系或数量关系，利用运算法则和推理的方法把待定的数字确定出来. 研究和解决这一类问题对学生观察能力、分析和解决问题的能力，以及联想、试探、归纳等思维能力的培养有重要的作用.

【例 1】　在下面算式的空格中，各填入一个合适的数字，使算式成立.

$$\begin{array}{rccccc} & & & \square & 8 & \square \\ + & & \square & 6 & \square & 3 \\ \hline & \square & \square & 1 & 2 & 8 \end{array}$$

分析　这是一个三位数加上一个四位数，其和为五位数，因此和的首位数字为 1. 进一步分析，由于百位最多向千位进 1，所以第二个加数的千位数字为 9，和的千位数字为 0. 现在看个位，由于 $\boxed{5}+3=8$，所以第一个加数的个位为 5. 再看十位，由于 $8+\boxed{4}=12$，所以第二个加数的十位数字为 4. 最后看百位，由于 $\boxed{4}+6+1=11$，所以第一个加数的百位数字为 4. 因此问题得解.

解:

$$\begin{array}{rccccc} & & & \boxed{4} & 8 & \boxed{5} \\ + & & \boxed{9} & 6 & \boxed{4} & 3 \\ \hline & \boxed{1} & \boxed{0} & 1 & 2 & 8 \end{array}$$

【例 2】　在下面算式的空格内各填入一个合适的数

字，使算式成立.

$$\begin{array}{r} 6\ 3\ \square\ \square \\ +\ \square\ \square\ 7\ 8 \\ \hline \square\ 0\ 2\ 6 \end{array}$$

分析　这是一个四位数加上一个四位数，其和仍为四位数．先从个位入手，由于 $\boxed{8}+8=16$，所以第一个加数的个位数字为 8．再看十位，由于 $\boxed{4}+7+1=12$，所以第一个加数的十位数字为 4．百位上，由于 $3+\boxed{6}+1=10$，所以第二个加数的百位数字为 6．最后看千位，由于 $6+\boxed{1}+1=8$，$6+\boxed{2}+1=9$，所以第二个加数的千位数字为 1 或 2.

解：此题有以下两解.

$$\begin{array}{r} 6\ 3\ \boxed{4}\ \boxed{8} \\ +\ \boxed{1}\ \boxed{6}\ 7\ 8 \\ \hline \boxed{8}\ 0\ 2\ 6 \end{array} \qquad \begin{array}{r} 6\ 3\ \boxed{4}\ \boxed{8} \\ +\ \boxed{2}\ \boxed{6}\ 7\ 8 \\ \hline \boxed{9}\ 0\ 2\ 6 \end{array}$$

【例 3】　用 0，1，2，3，4，5，6，7，8，9 这十个数字组成下面的加法算式，每个数字只许用一次，现已写出三个数字，请把这个算式补齐.

$$\begin{array}{r} \square\ \square\ 4 \\ +\ 2\ 8\ \square \\ \hline \square\ \square\ \square\ \square \end{array}$$

分析　由于三位数加三位数，其和为四位数，所以和的首位数字为 1，第一个加数的百位数字为 9 或 7.

如果第一个加数的百位数字为 9，则和的百位数字为 1 或

2，而1和2都已用过，所以第一个加数的百位数字不为9.

如果第一个加数的百位数字为7，则和的百位数字必为0，且十位必向百位进1. 现在还剩下9，6，5，3这四个数字，这里只有一个偶数，如果放在第二个加数（或和）的个位，那么和（或第二个加数）的个位也必为偶数，但这是不可能的，所以6只能放在十位. 由于 $4+\boxed{9}=\boxed{13}$，所以第二个加数的个位为9，和的个位为3. 又由于 $\boxed{6}+8+1=\boxed{15}$，所以第一个加数的十位数字为6，和的十位数字为5.

解:

$$
\begin{array}{r}
\boxed{7}\ \boxed{6}\ 4 \\
+\ \ 2\ \ 8\ \boxed{9} \\
\hline
\boxed{1}\ \boxed{0}\ \boxed{5}\ \boxed{3}
\end{array}
$$

【例 4】 在下面算式的空格内填上合适的数字，使算式成立.

$$
\begin{array}{r}
\square\ \square\ \square \\
-\ \ 9\ \ 1 \\
\hline
\square
\end{array}
$$

分析 由于被减数是三位数，减数是两位数，差是一位数，所以被减数的首位数字为1，且十位必向百位借1，由于差是一位数，所以个位必向十位借1. 因此，被减数的个位数字为0，被减数的十位数字也为0.

解:

$$
\begin{array}{r}
\boxed{1}\ \boxed{0}\ \boxed{0} \\
-\ \ 9\ \ 1 \\
\hline
\boxed{9}
\end{array}
$$

【例 5】 在下面算式的空格内各填入一个合适的数字，使算式成立．

$$\begin{array}{r} \square\ 0\ 0\ \square \\ -\ 5\ 0\ \square\ 9 \\ \hline 1\ \square\ 9\ 3 \end{array}$$

分析 这是一个四位数减去一个四位数，差仍为四位数．先看个位，由于$\boxed{12}-9=3$，所以被减数的个位数字为 2，十位上，由于$9-\boxed{0}=9$，所以减数的十位数字为 0。再看百位，由于$9-0=\boxed{9}$，所以差的百位数字为 9．最后看千位，由于$\boxed{7}-5-1=1$，所以被减数的千位数字为 7．

解：

$$\begin{array}{r} \boxed{7}\ 0\ 0\ \boxed{2} \\ -\ 5\ 0\ \boxed{0}\ 9 \\ \hline 1\ \boxed{9}\ 9\ 3 \end{array}$$

【例 6】 在下面算式的空格内各填入一个合适的数字，使算式成立．

$$\begin{array}{r} \square\ 8\ \square \\ +\ 4\ \square\ 2 \\ \hline \square\ \square\ \square\ \square \\ -\ \ \square\ \square\ \square \\ \hline 1 \end{array}$$

分析 这是一道加减混合的填算式题，为了便于分析，可以把加法、减法分开考虑：

$$\begin{array}{r} \square\ 8\ \square \\ +\ 4\ \square\ 2 \\ \hline \square\square\square\square \end{array} \qquad \begin{array}{r} \square\square\square\square \\ -\ \square\square\square \\ \hline 1 \end{array}$$

观察这两个算式，减法算式空格内的数字容易填．

① 减法算式

由于被减数是四位数，减数是三位数，差为一位数，所以被减数为 1000，减数为 999，因此，加法算式的和就已知了．

② 加法算式

个位上，由于 $\boxed{8}+2=10$，所以第一个加数的个位数字为 8．十位上，由于 $8+\boxed{1}+1=10$，所以第二个加数的十位数字为 1．百位上，由于 $\boxed{5}+4+1=10$，所以第一个加数的百位数字为 5．于是问题得到解决．

解：

$$\begin{array}{r} \boxed{5}\ 8\ \boxed{8} \\ +\ 4\ \boxed{1}\ 2 \\ \hline \boxed{1}\boxed{0}\boxed{0}\boxed{0} \\ -\ \boxed{9}\boxed{9}\boxed{9} \\ \hline 1 \end{array}$$

习　题　七

1．在下面的加法算式的空格内各填入一个合适的数字，使算式成立．

①
$$\begin{array}{r} \boxed{9}\,\boxed{5}\,2 \\ +\quad 4\,\boxed{9} \\ \hline \boxed{1}\,\boxed{0}\,\boxed{0}\,1 \end{array}$$

②
$$\begin{array}{r} 8\,\boxed{5}\,5 \\ +\boxed{3}\,7\,9 \\ \hline \boxed{1}\,2\,3\,\boxed{4} \end{array}$$

③
$$\begin{array}{r} 5\,\boxed{4} \\ +\boxed{6}\,\boxed{9}\,\boxed{6}\,7 \\ \hline 7\,0\,2\,1 \end{array}$$

④
$$\begin{array}{r} \boxed{9}\,8\,\boxed{2}\,2 \\ \boxed{9}\,2\,\boxed{8} \\ +\quad \boxed{8}\,5 \\ \hline 1\,\boxed{0}\,8\,3\,5 \end{array}$$

2．在下面减法算式的空格内各填入一个合适的数字，使算式成立．

①
$$\begin{array}{r} \boxed{1}\,\boxed{0}\,4 \\ -\quad \boxed{9}\,\boxed{5} \\ \hline 9 \end{array}$$

②
$$\begin{array}{r} \boxed{3}\,0\,0\,1 \\ -\,2\,0\,\boxed{0}\,7 \\ \hline \boxed{9}\,9\,\boxed{4} \end{array}$$

③
$$\begin{array}{r} \boxed{9}\,\boxed{9}\,\boxed{9} \\ -\boxed{1}\,\boxed{0}\,\boxed{5} \\ \hline 8\,9\,4 \end{array}$$

④
$$\begin{array}{r} \boxed{6}\,2\,\boxed{3}\,6 \\ -\quad \boxed{7}\,9\,7 \\ \hline 5\,4\,3\,\boxed{9} \end{array}$$

3．在下面的算式中，每个方框代表一个数字，问每个算式中所有方框中的数字的总和各是多少？

①
$$\begin{array}{r} \square\square \\ +\ \square\square \\ \hline 1\ 4\ 9 \end{array}$$
〔23〕

②
$$\begin{array}{r} \square\square\square \\ +\ \square\square\square \\ \hline 1\ 9\ 9\ 3 \end{array}$$
〔49〕 13 18 18

4．在下面算式的空格内各填入一个合适的数字，使算式成立．

①
$$\begin{array}{r} \boxed{9}\ 1\ 1 \\ +\ \boxed{9}\ 9\ \boxed{9} \\ \hline \boxed{1}\ 9\ 1\ \boxed{0} \\ -\ \boxed{8}\ 8\ \boxed{9} \\ \hline \boxed{2}\ 1 \end{array}$$

②
$$\begin{array}{r} \boxed{9}\ 2\ \boxed{2} \\ -\ \boxed{8}\ 5 \\ \hline 7\ 3\ 7 \\ +\ \boxed{2}\ 8\ \boxed{2} \\ \hline \boxed{1}\ 0\ \boxed{1}\ 9 \end{array}$$

习题七解答

1.①
$$\begin{array}{r} 9\ \boxed{5}\ 2 \\ +\ \ \ 4\ \boxed{9} \\ \hline 1\boxed{0}\boxed{0}1 \end{array}$$
$$\begin{array}{r} 9\ \boxed{6}\ 2 \\ +\ \ \ 4\ \boxed{9} \\ \hline 1\boxed{0}\boxed{1}1 \end{array}$$
$$\begin{array}{r} 9\ \boxed{7}\ 2 \\ +\ \ \ 4\ \boxed{9} \\ \hline 1\boxed{0}\boxed{2}1 \end{array}$$

$$\begin{array}{r} 9\ \boxed{8}\ 2 \\ +\ \ \ 4\ \boxed{9} \\ \hline 1\boxed{0}\boxed{3}1 \end{array}$$
$$\begin{array}{r} 9\ \boxed{9}\ 2 \\ +\ \ \ 4\ \boxed{9} \\ \hline 1\boxed{0}\boxed{4}1 \end{array}$$
共五个解。

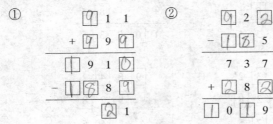

②

$$\begin{array}{r} 8\ \boxed{5}\ 5 \\ +\ \boxed{3}\ 7\ 9 \\ \hline \boxed{1}\ 2\ 3\ \boxed{4} \end{array}$$

③

$$\begin{array}{r} 5\ \boxed{4} \\ +\ \boxed{6}\ \boxed{9}\ \boxed{6}\ 7 \\ \hline 7\ 0\ 2\ 1 \end{array}$$

④

$$\begin{array}{r} \boxed{9}\ 8\ \boxed{1}\ 2 \\ \boxed{9}\ 2\ \boxed{8} \\ +\ \boxed{9}\ 5 \\ \hline 1\ \boxed{0}\ 8\ 3\ 5 \end{array}$$

$$\begin{array}{r} \boxed{9}\ 8\ \boxed{2}\ 2 \\ \boxed{9}\ 2\ \boxed{8} \\ +\ \boxed{8}\ 5 \\ \hline 1\ \boxed{0}\ 8\ 3\ 5 \end{array}$$

$$\begin{array}{r} \boxed{9}\ 8\ \boxed{3}\ 2 \\ \boxed{9}\ 2\ \boxed{8} \\ +\ \boxed{7}\ 5 \\ \hline 1\ \boxed{0}\ 8\ 3\ 5 \end{array}$$

$$\begin{array}{r} \boxed{9}\ 8\ \boxed{4}\ 2 \\ \boxed{9}\ 2\ \boxed{8} \\ +\ \boxed{6}\ 5 \\ \hline 1\ \boxed{0}\ 8\ 3\ 5 \end{array}$$

$$\begin{array}{r} \boxed{9}\ 8\ \boxed{5}\ 2 \\ \boxed{9}\ 2\ \boxed{8} \\ +\ \boxed{5}\ 5 \\ \hline 1\ \boxed{0}\ 8\ 3\ 5 \end{array}$$

由于前四种解中第一个加数的十位与第三个加数的十位可互换，所以共有 9 种解法.

2. ①

$$\begin{array}{r} \boxed{1}\ \boxed{0}\ 4 \\ -\ \boxed{9}\ \boxed{5} \\ \hline 9 \end{array}$$

②

$$\begin{array}{r} \boxed{3}\ 0\ 0\ 1 \\ -\ 2\ 0\ \boxed{0}\ 7 \\ \hline \boxed{9}\ 9\ \boxed{4} \end{array}$$

③

$$\begin{array}{r} \fbox{9}\fbox{9}\fbox{4} \\ -\ \fbox{1}\fbox{0}\fbox{0} \\ \hline 8\ 9\ 4 \end{array} \quad \begin{array}{r} \fbox{9}\fbox{9}\fbox{5} \\ -\ \fbox{1}\fbox{0}\fbox{1} \\ \hline 8\ 9\ 4 \end{array} \quad \begin{array}{r} \fbox{9}\fbox{9}\fbox{6} \\ -\ \fbox{1}\fbox{0}\fbox{2} \\ \hline 8\ 9\ 4 \end{array}$$

$$\begin{array}{r} \fbox{9}\fbox{9}\fbox{7} \\ -\ \fbox{1}\fbox{0}\fbox{3} \\ \hline 8\ 9\ 4 \end{array} \quad \begin{array}{r} \fbox{9}\fbox{9}\fbox{8} \\ -\ \fbox{1}\fbox{0}\fbox{4} \\ \hline 8\ 9\ 4 \end{array} \quad \begin{array}{r} \fbox{9}\fbox{9}\fbox{9} \\ -\ \fbox{1}\fbox{0}\fbox{5} \\ \hline 8\ 9\ 4 \end{array}$$

共六个解。

④

$$\begin{array}{r} \fbox{6}\ 2\ \fbox{3}\ 6 \\ -\ \ \fbox{7}\ 9\ 7 \\ \hline 5\ 4\ 3\ \fbox{9} \end{array}$$

3. 本题主要从各数位上的进位情况加以分析，而不必把每个空格所代表的数字求出来.

① 由于个位相加的和为 9，十位相加的和为 14，所以所有方框中的数字总和为 $9+14=23$.

② 由于个位相加的和为 13，十位相加的和为 18，百位相加的和为 18，所以所有方框中的数字总和为 $13+18+18=49$.

4. ①

$$\begin{array}{r} \fbox{9}\ 1\ 1 \\ +\ \ \fbox{9}\ 9\ \fbox{9} \\ \hline \fbox{1}\ 9\ 1\ \fbox{0} \\ -\ \fbox{1}\ \fbox{8}\ 8\ \fbox{9} \\ \hline \fbox{2}\ 1 \end{array}$$

②

$$\begin{array}{r} \fbox{9}\ 2\ \fbox{2} \\ -\ \ \fbox{1}\ \fbox{8}\ 5 \\ \hline 7\ 3\ 7 \\ +\ \ \fbox{2}\ 8\ \fbox{2} \\ \hline \fbox{1}\ 0\ \fbox{1}\ 9 \end{array}$$

第8讲 填算式(二)

上一讲介绍了在加、减法算式中，根据已知几个数字之间的关系、运算法则和逻辑推理的方法，如何进行推断，从而确定未知数的分析思考方法．在乘、除法算式中，与加减法算式中的分析方法类似，下面通过几个例题来说明这类问题的解决方法．

【例1】 在右面算式的方框中填上适当的数字，使算式成立．

$$
\begin{array}{r}
4\ 1\ 5 \\
\times\ 3\ 8\ 2 \\
\hline
8\ 3\ 0 \\
3\ 3\ 2\ 0 \\
1\ 2\ 4\ 5 \\
\hline
1\ 5\ 8\ 5\ 3\ 0
\end{array}
$$

分析 由于 $\boxed{\ }1\boxed{\ }\times 3 = \boxed{\ }2\boxed{\ }5$，所以被乘数的个位数字为 5．又由于 $\boxed{\ }15\times 2$ 的积还是三位数，所以被乘数的百位数字为 1、2、3 或 4，因为 $\boxed{\ }15\times 3$ 的积为四位数，所以被乘数的百位数字为 4．

最后确定乘数的十位数字．由于 $415\times \boxed{\ } = 3\boxed{\ }2\boxed{\ }$，所以乘数的十位数字为 8 或 9，经试验，乘数的十位数字为 8．

被乘数和乘数确定了，其他方框中的数字也就容易确定了

解：

$$
\begin{array}{r}
\boxed{4}\ 1\ \boxed{5} \\
\times\ 3\ \boxed{8}\ 2 \\
\hline
\boxed{8}\ \boxed{3}\ \boxed{0} \\
3\ \boxed{3}\ 2\ \boxed{0} \\
\boxed{1}\ 2\ \boxed{4}\ 5 \\
\hline
1\ \boxed{5}\ 8\ \boxed{5}\ \boxed{3}\ 0
\end{array}
$$

【例 2】　妈妈叫小燕上街买白菜，邻居张老师也叫小燕顺便代买一些．小燕买回来就开始算帐，她列的竖式有以下三个，除三式中写明的数字和运算符号外，其余的由于不小心都被擦掉了．请你根据三个残缺的算式把方框中原来的数字重新填上．

两家买白菜数量（斤）：　　　　小燕家买菜用钱（分）：

① $\begin{array}{r} \square \\ +\ \square \\ \hline \square\ 7 \end{array}$　　　　② $\begin{array}{r} \square\square \\ \times\ \ \square \\ \hline \square\square \end{array}$

张老师家买菜用钱（分）：

③ $\begin{array}{r} \square\square \\ \times\ \ \square \\ \hline \square\square\square \end{array}$

分析　解决问题的关键在于算式①，由于算式①是两个一位数相加，且和的个位为 7，因此这两个加数为 8 和 9.

算式②与③的被乘数应为白菜的单价，考虑这个两位数乘以 8 的积为两位数，所以这个两位数应小于 13，再考虑这个两位数乘以 9 的积为三位数，所以这个两位数应大于 11. 因此这个两位数为 12.

解：

① $\begin{array}{r} \boxed{8} \\ +\ \boxed{9} \\ \hline \boxed{1}\,7 \end{array}$ ② $\begin{array}{r} \boxed{1}\boxed{2} \\ \times\ \ \boxed{8} \\ \hline \boxed{9}\boxed{6} \end{array}$ ③ $\begin{array}{r} \boxed{1}\boxed{2} \\ \times\ \ 9 \\ \hline \boxed{1}\boxed{0}\boxed{8} \end{array}$

【例 3】 在下面算式的空格内各填入一个合适的数字，使算式成立.

```
              □□
        ┌─────────
□□2 │ □0□□
          4□4
        ─────────
          1□9□
          13□□
        ─────────
             0
```

分析 由于除数□□2乘以商的十位数字积为 4□4，且 2×[2]=4，2×[7]=14，所以商的十位数字为 2 或 7. 而除数的首位数字最小为 1，且1□2×7≠4□4，因此商的十位数字只能为 2，除数的首位数字也为 2. 由于2□2×6 接近于13□□，所以初步确定商

的个位数字为 6，由于2[3]2×6＝1392，所以除数的十位数字为 3．因此问题得以解决．

解：

```
             [2][6]
[2][3]2 ) [6] 0 [3][2]
           4 [6] 4
           1 [3] 9 [2]
           1  3 [9][2]
                  0
```

【例 4】　下式中，“□”表示被擦掉的数字，那么这十三个被擦掉的数字的和是多少？

```
      □ 2 □ □
  ×       □ 6
  -----------
      □ □ 0 4
    □ □ 7 0
  -----------
    □ □ □ □ □
```

分析　由于被乘数□2□□与乘数的个位数字 6 相乘，结果为□□04，即□2□□×6＝□□04，考虑[4]×6＝24．[9]×6＝54，因此被乘数的个位数字为 6 或 9．又由于被乘数□2□□与乘数的十位数字相乘，结果为□□70，即□2□□×□＝□□70，因为乘数的十位数字不能为 0，因而不论 9 乘以 19 中的哪个数字都不可能出现个位为 0，进而被乘数的个位数字不为 9，只能为 4，则乘数的十位数字必为 5.

进一步分析，确定被乘数的十位数字与千位数字.

由于被乘数□2□$\boxed{4}$与乘数的个位数字 6 相乘的积的十位数字为 0，考虑$\boxed{3}\times 6=18$，$\boxed{8}\times 6=48$，所以被乘数的十位数字为 3 或 8. 由于被乘数□2□4与乘数的十位数字$\boxed{5}$相乘的积的十位数字为 7，所以被乘数的十位数字为 3. 再由于被乘数□2$\boxed{3}\boxed{4}$与乘数的个位数字 6 相乘的积为四位数□□04，所以被乘数的千位数字为 1. 因而问题得到解决.

解：

$$
\begin{array}{r}
\boxed{1}\ 2\ \boxed{3}\boxed{4} \\
\times \qquad \boxed{5}\ 6 \\
\hline
\boxed{7}\boxed{4}\ 0\ 4 \\
\boxed{6}\boxed{1}\ 7\ 0\quad \\
\hline
\boxed{6}\boxed{9}\boxed{1}\boxed{0}\boxed{4}
\end{array}
$$

$\therefore\ 1+3+4+5+7+4+6+1+6+9+1+0+4=51.$

【例 5】 某存车处有若干辆自行车. 已知车的辆数与车轮总数都是三位数，且组成这两个三位数六个数字是 2、3、4、5、6、7，则存车处有多少辆自行车？

分析 此题仍属于填算式问题，因为车辆数乘以 2 就是车轮总数，所以此题可转化为把 2、3、4、5、6、7 分别填在下面的方框中，每个数字使用一次，使算式成立.

$$\begin{array}{r} \square\square\square \\ \times\quad\quad 2 \\ \hline \square\square\square \end{array}$$

此题的关键在于确定被乘数——即自行车的辆数.

因为一个三位数乘以 2 的积仍为三位数，所以被乘数的首位数字可以为 2、3 或 4.

① 若被乘数的首位数字为 2，则积的首位数字为 4 或 5.

(i) 若积的首位数字为 4，则积的个位数字必为 6，由此可知，被乘数的个位数字为 3. 这时只乘下 5 和 7 这两个数字，不论怎样填，都不可能使算式成立.

(ii) 若积的首位数字为 5，说明乘数 2 与被乘数的十位数字相乘后必须向百位进 1，所以被乘数的十位数字可以为 6 或 7.

若被乘数的十位数字为 6，则积的个位数字为 4，那么被乘数的个位数字便为 7，积的十位数字为 3. 得到问题的一个解：

$$\begin{array}{r} \boxed{2}\boxed{6}\boxed{7} \\ \times\quad\quad 2 \\ \hline \boxed{5}\boxed{3}\boxed{4} \end{array}$$

若被乘数的十位数字为 7，则积的个位她字为 4 或 6，但由于 2 和 7 都已被使用，所以积的个位数字不可能为 4，因而只能为 6. 由此推出被乘数的个位数字为 3，则积的十位数字为 4. 得到问题的另一解：

$$\begin{array}{r} \boxed{2}\,\boxed{7}\,\boxed{3} \\ \times \quad\quad 2 \\ \hline \boxed{5}\,\boxed{4}\,\boxed{6} \end{array}$$

② 若被乘数的首位数字为 3，则积的首位数字为 6 或 7.

(i) 若积的首位数字为 6，则积的个位数字只能为 4，则被乘数的个位数字为 2 或 7.

若被乘数的个位数字为 2，则还剩下 5 和 7 这两个数字，不论怎样填，都不可能使算式成立.

若被乘数的个位数字为 7，则这时剩下 2 和 5 这两个数字，那么被乘数的十位数字为 2，积的十位数字为 5. 得到问题的第三个解：

$$\begin{array}{r} \boxed{3}\,\boxed{2}\,\boxed{7} \\ \times \quad\quad 2 \\ \hline \boxed{6}\,\boxed{5}\,\boxed{4} \end{array}$$

(ii) 若积的首位数字为 7，则被乘数的十位数字为 5 或 6.

若被乘数的十位数字为 5，则积的十位数字只能为 0 或 1，与已知矛盾，所以被乘数的十位数字不为 5.

若被乘数的十位数字为 6，则积的个位数字必为 4，因而被乘数的个位数字为 2，此时 5 已无法使算式成立，因此被乘数的十位数字也不为 6.

③ 由于 2、3、4、5、6、7 这六个数字中，最大的为 7，因而被乘数的首位数字不可能为 4.

解：因为

$$\begin{array}{r} \boxed{2}\,\boxed{6}\,\boxed{7} \\ \times \quad\quad 2 \\ \hline \boxed{5}\,\boxed{3}\,\boxed{4} \end{array} \qquad \begin{array}{r} \boxed{2}\,\boxed{7}\,\boxed{3} \\ \times \quad\quad 2 \\ \hline \boxed{5}\,\boxed{4}\,\boxed{6} \end{array} \qquad \begin{array}{r} \boxed{3}\,\boxed{2}\,\boxed{7} \\ \times \quad\quad 2 \\ \hline \boxed{6}\,\boxed{5}\,\boxed{4} \end{array}$$

所以存车处有 267 辆、273 辆或 327 辆自行车.

习 题 八

1. 在下列乘法算式的空格内各填入一个合适的数字，使算式成立.

①
$$\begin{array}{r} 2\,\square\,5 \\ \times\ \square\,6\,\square \\ \hline \square\,4\,\square \\ 1\,\square\,1\,\square\ \ \\ \square\,6\,\square\,5\ \ \ \ \\ \hline 1\,\square\,9\,\square\,4\,\square \end{array}$$

②
$$\begin{array}{r} A\ B \\ \times\ B\ A \\ \hline \square\,\square\,4 \\ \square\,\square\,4\ \ \\ \hline \square\,\square\,\square\,4 \end{array}$$

③
$$\begin{array}{r} \square\,\square\,\square\,\square \\ \times \quad\quad\quad 6 \\ \hline \square\,4\,\square\,4 \end{array}$$

④
$$\begin{array}{r} \square\,\square\,8 \\ \times \quad\quad \square \\ \hline 3\,1\,\square\,2 \end{array}$$

2. 在下列除法算式的空格内各填入一个合适的数字，

使算式成立.

①
```
          1□
     ──────
□□ ) 1□2
     □□
     ──────
      □2
      □□
     ──────
       0
```

②
```
            3□
     ────────
□6 ) 14□□
     □□8
     ────────
       □□
       □2
     ────────
        0
```

③
```
              □8□
      ───────────
□□2 ) 110768
      □□□□
      ───────────
        □□6
        □□□
      ───────────
        □□□8
        □□□□
      ───────────
           0
```

④
```
              2□□
      ───────────
□4□ ) □□□□□
      □□4
      ───────────
      □□□□
       □□4
      ───────────
         4□□
         □□□
      ───────────
           0
```

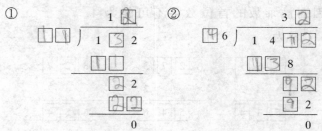

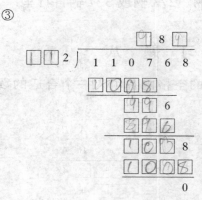

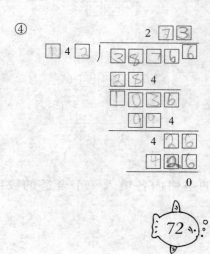

3．某数的个位数字为 2，若把 2 换到此数的首位，则此数增加一倍，问原来这个数最小是多少？

4．一个四位数被一位数 A 除得（1）式，被另一个一位数 B 除得（2）式，求这个四位数．

①

```
      × × ×
   ─────────
A ) × × × ×
      ×
    ─────
      × ×
        ×
    ───────
        × ×
        × ×
      ─────
          0
```

②

```
      × × ×
   ─────────
B ) × × × ×
    × ×
    ─────
      × ×
      × ×
    ─────
        0
```

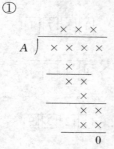

5．在右面的“□”内填入 1～8（每个数字必须用一次），使算式成立．

```
    □ □ □
×       □
─────────
  □ □ □ □
```

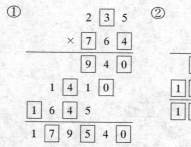

习题八解答

1．

①

```
            2 [3] 5
      × [7] 6 [4]
  ─────────────────
        [9] 4 [0]
    1 [4] 1 [0]
 [1] 6 [4] 5
  ─────────────────
 1 [7] 9 [5] 4 [0]
```

②

```
        7 2
      × 2 7
  ───────────
    [5][0] 4
 [1][4] 4
  ───────────
 [1] 9 [4] 4
```

或

```
        3 8
      × 8 3
  ───────────
    [1][1] 4
 [3][0] 4
  ───────────
 [3][1][5] 4
```

③共有十三个解．

$$\begin{array}{r} \boxed{1}\boxed{0}\boxed{7}\boxed{4} \\ \times \quad 6 \\ \hline \boxed{6}\,4\,\boxed{4}\,4 \end{array} \qquad \begin{array}{r} \boxed{1}\boxed{4}\boxed{0}\boxed{4} \\ \times \quad 6 \\ \hline \boxed{8}\,4\,\boxed{2}\,4 \end{array} \qquad \begin{array}{r} \boxed{1}\boxed{4}\boxed{1}\boxed{4} \\ \times \quad 6 \\ \hline \boxed{8}\,4\,\boxed{8}\,4 \end{array}$$

$$\begin{array}{r} \boxed{1}\boxed{2}\boxed{3}\boxed{4} \\ \times \quad 6 \\ \hline \boxed{7}\,4\,\boxed{0}\,4 \end{array} \qquad \begin{array}{r} \boxed{1}\boxed{2}\boxed{4}\boxed{4} \\ \times \quad 6 \\ \hline \boxed{7}\,4\,\boxed{6}\,4 \end{array} \qquad \begin{array}{r} \boxed{1}\boxed{5}\boxed{7}\boxed{4} \\ \times \quad 6 \\ \hline \boxed{9}\,4\,\boxed{4}\,4 \end{array}$$

$$\begin{array}{r} \boxed{1}\boxed{0}\boxed{7}\boxed{9} \\ \times \quad 6 \\ \hline \boxed{6}\,4\,\boxed{7}\,4 \end{array} \qquad \begin{array}{r} \boxed{1}\boxed{4}\boxed{0}\boxed{9} \\ \times \quad 6 \\ \hline \boxed{8}\,4\,\boxed{5}\,4 \end{array} \qquad \begin{array}{r} \boxed{1}\boxed{2}\boxed{3}\boxed{9} \\ \times \quad 6 \\ \hline \boxed{7}\,4\,\boxed{3}\,4 \end{array}$$

$$\begin{array}{r} \boxed{1}\boxed{2}\boxed{4}\boxed{9} \\ \times \quad 6 \\ \hline \boxed{7}\,4\,\boxed{9}\,4 \end{array} \qquad \begin{array}{r} \boxed{1}\boxed{5}\boxed{7}\boxed{9} \\ \times \quad 6 \\ \hline \boxed{9}\,4\,\boxed{7}\,4 \end{array} \qquad \begin{array}{r} \boxed{1}\boxed{0}\boxed{6}\boxed{9} \\ \times \quad 6 \\ \hline \boxed{6}\,4\,\boxed{1}\,4 \end{array}$$

$$\begin{array}{r} \boxed{1}\boxed{5}\boxed{6}\boxed{9} \\ \times \quad 6 \\ \hline \boxed{9}\,4\,\boxed{1}\,4 \end{array}$$

④共有四个解.

$$\begin{array}{r} \boxed{7}\boxed{7}\boxed{8} \\ \times \quad \boxed{4} \\ \hline 3\,1\,\boxed{1}\,2 \end{array} \qquad \begin{array}{r} \boxed{7}\boxed{8}\boxed{8} \\ \times \quad \boxed{4} \\ \hline 3\,1\,\boxed{5}\,2 \end{array}$$

$$\begin{array}{r} 798 \\ \times\quad 4 \\ \hline 3192 \end{array} \qquad \begin{array}{r} 348 \\ \times\quad 9 \\ \hline 3132 \end{array}$$

2.

①

$$\begin{array}{r} 12 \\ 16\overline{)192} \\ \underline{16} \\ 32 \\ \underline{32} \\ 0 \end{array} \qquad \begin{array}{r} 13 \\ 14\overline{)182} \\ \underline{14} \\ 42 \\ \underline{42} \\ 0 \end{array}$$

$$\begin{array}{r} 14 \\ 13\overline{)182} \\ \underline{13} \\ 52 \\ \underline{52} \\ 0 \end{array} \qquad \begin{array}{r} 16 \\ 12\overline{)192} \\ \underline{12} \\ 72 \\ \underline{72} \\ 0 \end{array}$$

$$\begin{array}{r} 11 \\ 12\overline{)132} \\ \underline{12} \\ 12 \\ \underline{12} \\ 0 \end{array} \qquad \begin{array}{r} 12 \\ 11\overline{)132} \\ \underline{11} \\ 22 \\ \underline{22} \\ 0 \end{array}$$

共六个解.

②

$$\begin{array}{r} 3\boxed{2} \\ \boxed{4}6\,\overline{)\,14\boxed{7}\boxed{2}} \\ \underline{\boxed{1}\boxed{3}8} \\ \boxed{9}\boxed{2} \\ \underline{\boxed{9}2} \\ 0 \end{array}$$

③

$$\begin{array}{r} \boxed{9}8\boxed{9} \\ \boxed{1}\boxed{1}2\,\overline{)\,110768} \\ \underline{\boxed{1}\boxed{0}\boxed{0}\boxed{8}} \\ \boxed{9}\boxed{9}6 \\ \underline{\boxed{8}\boxed{9}\boxed{6}} \\ \boxed{1}\boxed{0}\boxed{0}8 \\ \underline{\boxed{1}\boxed{0}\boxed{0}\boxed{8}} \\ 0 \end{array}$$

④

$$\begin{array}{r} 2\boxed{7}\boxed{3} \\ \boxed{1}4\boxed{2}\,\overline{)\,\boxed{3}\boxed{8}\boxed{7}\boxed{6}\boxed{6}} \\ \underline{\boxed{2}\boxed{8}4} \\ \boxed{1}\boxed{0}\boxed{3}\boxed{6} \\ \underline{\boxed{9}\boxed{9}4} \\ 4\boxed{2}\boxed{6} \\ \underline{\boxed{4}\boxed{2}\boxed{6}} \\ 0 \end{array}$$

3．原数最小是 105263157894736842.

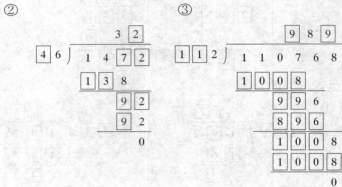

4．当 $A=3, B=2$ 时，这个四位数为 1014，当 $A=9, B=5$ 时，这个四位数为 1035.

5．有两个解.

$$\begin{array}{r} \boxed{5}\boxed{8}\boxed{2} \\ \times\quad \boxed{3} \\ \hline \boxed{1}\boxed{7}\boxed{4}\boxed{6} \end{array} \qquad \begin{array}{r} \boxed{4}\boxed{5}\boxed{3} \\ \times\quad \boxed{6} \\ \hline \boxed{2}\boxed{7}\boxed{1}\boxed{8} \end{array}$$

第9讲 数字谜（一）

数字谜是一种有趣的数学问题. 它的特点是给出运算式子，但式中某些数字是用字母或汉字来代表的，要求我们进行恰当的判断和推理，从而确定这些字母或汉字所代表的数字. 这一讲我们主要研究加、减法的数字谜.

【例 1】 右面算式中每一个汉字代表一个数字，不同的汉字表示不同的数字. 当它们各代表什么数字时算式成立？

$$\begin{array}{r} 好\ 啊\ 好 \\ +\ 真\ 是\ 好 \\ \hline 真\ 是\ 好\ 啊 \end{array}$$

分析 由于是三位数加上三位数，其和为四位数，所以“真” =1. 由于十位最多向百位进 1，因而百位上的“是” =0，“好” =8 或 9.

① 若“好”=8,个位上因为 8+8=16,所以“啊”=6,十位上,由于 6+0+1=7≠8,所以“好”≠8.

② 若“好”=9,个位上因为 9+9=18,所以“啊”=8,十位上,8+0+1=9,百位上,9+1=10,因而问题得解.

解:

$$\begin{array}{r} 9\ 8\ 9 \\ +\ 1\ 0\ 9 \\ \hline 1\ 0\ 9\ 8 \end{array}$$

真=1，是=0，好=9，啊=8

【例 2】 下面的字母各代表什么数字，算式才能成立？

$$\begin{array}{r} A\ B\ C\ D \\ +\ E\ B\ E\ D \\ \hline E\ D\ C\ A\ D \end{array}$$

分析 由于四位数加上四位数其和为五位数，所以可确定和的首位数字 $E=1$. 又因为个位上 $D+D=D$, 所以 $D=0$. 此时算式为：

$$\begin{array}{r} A\ B\ C\ 0 \\ +\ 1\ B\ 1\ 0 \\ \hline 1\ 0\ C\ A\ 0 \end{array}$$

下面分两种情况进行讨论：

① 若百位没有向千位进位，则由千位可确定 $A=9$, 由十位可确定 $C=8$, 由百位可确定 $B=4$. 因此得到问题的一个解：

$$\begin{array}{r} 9\ 4\ 8\ 0 \\ +\ 1\ 4\ 1\ 0 \\ \hline 1\ 0\ 8\ 9\ 0 \end{array}$$

② 若百位向千位进1，则由千位可确定 $A=8$, 由十位可确定 $C=7$, 百位上不论 B 为什么样的整数，$B+B$ 和的个位都不可能为7，因此此时不成立.

解：

$$\begin{array}{r} 9\ 4\ 8\ 0 \\ +\ 1\ 4\ 1\ 0 \\ \hline 1\ 0\ 8\ 9\ 0 \end{array}$$

$A=9$, $B=4$, $C=8$, $D=0$, $E=1$.

【例 3】 在下面的减法算式中，每一个字母代表一

个数字，不同的字母代表不同的数字，那么 $D+G=?$

$$
\begin{array}{r}
A\ B\ C\ B\ D \\
-\quad E\ F\ A\ G \\
\hline
F\ F\ F
\end{array}
$$

分析 由于是五位数减去四位数，差为三位数，所以可确定 $A=1, B=0, E=9$. 此时算式为：

$$
\begin{array}{r}
1\ 0\ C\ 0\ D \\
-\quad 9\ F\ 1\ G \\
\hline
F\ F\ F
\end{array}
$$

分成两种情况进行讨论：

① 若个位没有向十位借 1，则由十位可确定 $F=9$，但这与 $E=9$ 矛盾.

② 若个位向十位借 1，则由十位可确定 $F=8$，百位上可确定 $C=7$. 这时只剩下 2、3、4、5、6 五个数字，由个位可确定出：

$\begin{cases} D=2 \\ G=4 \end{cases}$ 或 $\begin{cases} D=3 \\ G=5 \end{cases}$ 或 $\begin{cases} D=4 \\ G=6 \end{cases}$ 因此，问题得解.

解：因为

$$
\begin{array}{r}
1\ 0\ 7\ 0\ 2 \\
-\quad 9\ 8\ 1\ 4 \\
\hline
8\ 8\ 8
\end{array}
\qquad
\begin{array}{r}
1\ 0\ 7\ 0\ 3 \\
-\quad 9\ 8\ 1\ 5 \\
\hline
8\ 8\ 8
\end{array}
\qquad
\begin{array}{r}
1\ 0\ 7\ 0\ 4 \\
-\quad 9\ 8\ 1\ 6 \\
\hline
8\ 8\ 8
\end{array}
$$

所以 $D+G=2+4=6$ 或 $D+G=3+5=8$

或 $D+G=4+6=10$

【例 4】 右面的算式中不同的汉字表示不同的数字，相同的汉字表示相同的数字. 如果巧 + 解 + 数 + 字 + 谜 $=30$，那么“巧解数字谜”所代表的五位数是多少？

$$
\begin{array}{r}
谜 \\
字\ 谜 \\
数\ 字\ 谜 \\
解\ 数\ 字\ 谜 \\
+\ 巧\ 解\ 数\ 字\ 谜 \\
\hline
巧\ 解\ 数\ 字\ 谜
\end{array}
$$

分析 观察算式的个位，由于谜 + 谜 + 谜 + 谜 + 谜和的个位还是"谜"，所以"谜" = 0 或 5.

① 若"谜" = 0，则巧 + 解 + 数 + 字 = 30，因为 9 + 8 + 7 + 6 = 30，那么"巧"、"解"、"数"、"字"这四个汉字必是 9、8、7、6 这四个数字. 而十位上，9 + 9 + 9 + 9 = 36，36 的个位不为 9，8 + 8 + 8 + 8 = 32，32 的个位不为 8，7 + 7 + 7 + 7 = 28，28 的个位不为 7，6 + 6 + 6 + 6 + = 24，24 的个位不为 6，因而得出"字"≠9、8、7、6，矛盾，因此"谜"≠0.

② 若"谜" = 5，则巧 + 解 + 数 + 字 = 25. 观察这个算式的十位，由于字 + 字 + 字 + 字 + 2 和的个位还是"字"，所以"字" = 6，则巧 + 解 + 数 = 19. 再看算式的百位，由于数 + 数 + 数 + 2 和的个位还是"数"，因而"数" = 4 或 9，若"数" = 4，则"解" = 9. 因而"巧" = 19 − 4 − 9 = 6，"赛" = 5，与"谜" = 5 重复，因此"数"≠4，所以"数" = 9，则"巧" + "解" = 10. 最后看算式的千位，由于"解" + "解" + 2 和的个位还是"解"，所以"解" = 8，则"巧" = 2，因此"赛" = 1. 问题得解.

解：

$$
\begin{array}{r}
5 \\
6\ 5 \\
9\ 6\ 5 \\
8\ 9\ 6\ 5 \\
+\ 2\ 8\ 9\ 6\ 5 \\
\hline
2\ 8\ 9\ 6\ 5
\end{array}
$$

因此，"巧解数字谜"所代表的五位数为 28965.

【例 5】　英文“*HALLEY*”表示“哈雷”，“*COMET*”表示“彗星”，“*EARTH*”表示地球．在下面的算式中，每个字母均表示 09 中的某个数字，且相同的字母表示相同的数字，不同的字母表示不同的数字．这些字母各代表什么数字时，算式成立？

$$\begin{array}{r} H\ A\ L\ L\ E\ Y \\ -\ \ C\ O\ M\ E\ T \\ \hline E\ A\ R\ T\ H \end{array}$$

分析　因为是一个六位数减去一个五位数，其差为五位数，所以可确定被减数的首位数字 $H=1$．若个位没有向十位借 1，则十位上 $E-E=0$，有 $T=0$，那么个位上，$Y-0=1$，得 $Y=1$，与 $H=1$ 矛盾，所以个位要向十位借 1，于是十位必向百位借 1，则十位上，$10+E-1-E=9$，则 $T=9$，因此，由个位可确定 $Y=0$．此时算式为：

$$\begin{array}{r} 1\ A\ L\ L\ E\ 0 \\ -\ \ C\ O\ M\ E\ 9 \\ \hline E\ A\ R\ 9\ 1 \end{array}$$

① 若百位不向千位借位，则有 $R+M+1=L$，这时剩下数字 2、3、4、5、6、7、8，因为 $2+3+1=6$，所以 L 最小为 6．

若 $L=6$，则 $(R,M)=(2,3)$（表示 R、M 为 2、3 这两个数字，其中 R 可能为 2，也可能为 3，M 也同样）．这时还剩下 4、5、7、8 这四个数字，由千位上有 $O+A=6$，而在 4、5、7、8 这四个数字中，不论哪两个数字相加，和都不可能为 6，因此 $L\neq6$．

若 $L=7$，则 $M+R=6$，于是 $(M,R)=(2,4)$，还剩下 3、5、6、8 这四个数字．由千位上 $O+A=7$，而在 3、5、6、8 这四个数字中，不论哪两个数字相加，和都不可能为 7，因此 $L \neq 7$.

若 $L=8$，则 $M+R=7$，$(M,R)=(2,5)$或 $(M,R)=(3,4)$.

若 $(M,R)=(2,5)$，则还剩下 3、4、6、7 这四个数字.

由千位可确定 $O+A=8$，而在 3、4、6、7 这四个数字中，不论哪两个数字相加，和都不可能为 8，因此 $(M,R) \neq (2,5)$.

若 $(M,R)=(3,4)$，则还剩下 2、5、6、7 这四个数字.

由千位可确定 $O+A=8$，而 $2+6=8$，所以 $(O,A)=(2,6)$，最后剩下 5 和 7. 因为 $5+7=12$，所以可确定 $A=2$，$O=6$，则 $(C,E)=(5,7)$. 由于 C 与 E 可对换，M 与 R 可对换，所以得到问题的四个解：

$$\begin{array}{r} 128850 \\ -\quad 76359 \\ \hline 52491 \end{array} \qquad \begin{array}{r} 128850 \\ -\quad 76459 \\ \hline 52391 \end{array}$$

$$\begin{array}{r} 128870 \\ -\quad 56379 \\ \hline 72491 \end{array} \qquad \begin{array}{r} 128870 \\ -\quad 56479 \\ \hline 72391 \end{array}$$

② 若百位向千位借 1，则 $M+R=L+9$. 还剩下 2、3、4、5、6、7、8.

若 $L=2$，则 $(M,R)=(3,8)$或 $(M,R)=(4,7)$或 $(M,R)=(5,6)$. 由千位得 $O+A=11$，则必有 $C+E=11$，而万位上 $C+E=9+A$，由此可得 $A=2$，与 $L=2$ 矛盾. 所以 $L \neq 2$.

若 $L=3$，则 $M+R=12$，$(M,R)=(4,8)$或 $(M,R)=(5,7)$. 由千位得 $O+A=12$，这时还剩下 2、6 这两个数

字．由万位得 $C+E=9+A$，即 $2+6=9+A$，A 无解．所以 $L\neq3$．

若 $L=4$，则 $M+R=13$，$(M,R)=(5,8)$或（M,R）$=(6,7)$．由千位得 $O+A=13$，这时还剩下 2 和 3 这两个数字．由万位得 $C+E=A+9$，即 $2+3=A+9$，A 无解．所以 $L\neq4$．

若 $L=5$，则 $M+R=14$，$(M,R)=(6,8)$．由千位得 $O+A=14$，而在剩下的 2、3、4、7 这四个数中，任意两个数字的和都不等于 14．所以 $L\neq5$．

若 $L=6$，则 $M+R=15$，$(M,R)=(7,8)$．由千位得 $O+A=5$，则（O,A）$=(2,3)$．这时还剩下 4 和 5 这两个数字，由万位得 $C+E=10+A$，即 $4+5=10+A$，A 无解．所以 $L\neq6$．

因为 $M+R$ 的和最大为 15，所以 L 最大取 6．

解：

$$\begin{array}{r} 128850 \\ -\ \ 76359 \\ \hline 52491 \end{array} \qquad \begin{array}{r} 128850 \\ -\ \ 76459 \\ \hline 52391 \end{array}$$

$$\begin{array}{r} 128870 \\ -\ \ 56379 \\ \hline 72491 \end{array} \qquad \begin{array}{r} 128870 \\ -\ \ 56479 \\ \hline 72391 \end{array}$$

共以上四个解．

通过以上几个例题我们不难看出，认真分析算式中隐含的数量关系，选择有特征的部分作为解题的突破口，作出局部的判断是解数字谜的关键．其次，在采用试验法的同时，常借助估值的方法，对某些数位上的数字进行合理的估计，逐步排除一些不可能的取值，缩小所求数字的取值范围，这样可以加快解题的速度．

习　题　九

1. 下面各题中的字母都代表一个数字，不同的字母代表不同的数字，相同的字母代表相同的数字，问它们各代表什么数字时，算式成立？

①
$$\begin{array}{r} A\;B\;C \\ +\;C\;D\;C \\ \hline D\;C\;F\;E \end{array}$$

②
$$\begin{array}{r} 1\;9\;9\;3 \\ +\;A\;B\;B\;C \\ \hline 2\;D\;D\;E \end{array}$$

③
$$\begin{array}{r} A\;B\;C\;D \\ -\;A\;B\;C \\ \hline D\;C\;D\;C \end{array}$$

④
$$\begin{array}{r} A\;B \\ -\;C\;D \\ \hline E\;F \\ +\;G\;H \\ \hline I\;I\;I \end{array}$$

2. 下面各题中的每一个汉字都代表一个数字，不同的汉字代表不同的数字，相同的汉字代表相同的数字，当它们各代表什么数字时，算式成立？

①
$$\begin{array}{r} \text{大家上学} \\ +\;\text{大家爱学} \\ \hline \text{爱学上大学} \end{array}$$

②
$$\begin{array}{r} \text{攀登高峰} \\ +\;\text{攀登高峰} \\ \hline \text{我登高攀峰} \end{array}$$

③
$$\begin{array}{r} \text{助} \\ \text{助人} \\ \text{助人为} \\ +\;\text{助人为乐} \\ \hline 1\;9\;9\;3 \end{array}$$

④
$$\begin{array}{r} \text{奥运会} \\ \text{办奥运会} \\ \text{争办奥运会} \\ +\;\text{力争办奥运会} \\ \hline \text{成功}2000 \end{array}$$

3．已知

$$\begin{array}{r} A\ B\ C\ D\ E \\ +\ E\ D\ C\ B\ A \\ \hline 6\ 7\ 8\ 6\ 6 \end{array}$$

且 $9|\overline{ABC}$，$7|\overline{DE}$，求 $\overline{ABCDE}=?$

4．将一个各数位数字都不相同的四位数的数字顺序颠倒过来，得到一个新的四位数，如果新数比原数大 7902，那么所有符合这样条件的原四位数共有多少个？并把所有符合条件的原四位数都找出来？

习题九解答

1．

① $$\begin{array}{r} 9\ 8\ 7 \\ +\ 7\ 1\ 7 \\ \hline 1\ 7\ 0\ 4 \end{array}$$

$A=9$，$B=8$

$C=7$，$D=1$

$E=4$，$F=0$

或 $$\begin{array}{r} 9\ 8\ 6 \\ +\ 6\ 1\ 6 \\ \hline 1\ 6\ 0\ 2 \end{array}$$

$A=9$，$B=8$

$C=6$，$D=1$

$E=2$，$F=0$

② $$\begin{array}{r} 1\ 9\ 9\ 3 \\ +\ 1\ 0\ 0\ 2 \\ \hline 2\ 9\ 9\ 5 \end{array} \qquad \begin{array}{r} 1\ 9\ 9\ 3 \\ +\ 1\ 0\ 0\ 3 \\ \hline 2\ 9\ 9\ 6 \end{array}$$

$$\begin{array}{r} 1\ 9\ 9\ 3 \\ +\ 1\ 0\ 0\ 4 \\ \hline 2\ 9\ 9\ 7 \end{array} \qquad \begin{array}{r} 1\ 9\ 9\ 3 \\ +\ 1\ 0\ 0\ 5 \\ \hline 2\ 9\ 9\ 8 \end{array}$$

$A=1$，$B=0$，$C=2\sim5$，$D=9$，$E=5\sim8$，共四个解．

③ $$\begin{array}{r} 5\ 2\ 7\ 4 \\ -\ \ 5\ 2\ 7 \\ \hline 4\ 7\ 4\ 7 \end{array}$$

$A=5$，$B=2$

$C=7$，$D=4$

④

$$\begin{array}{r} 95 \\ -\ 27 \\ \hline 68 \\ +\ 43 \\ \hline 111 \end{array} \quad \text{或} \quad \begin{array}{r} 85 \\ -\ 46 \\ \hline 39 \\ +\ 72 \\ \hline 111 \end{array} \quad \text{或} \quad \begin{array}{r} 86 \\ -\ 54 \\ \hline 32 \\ +\ 79 \\ \hline 111 \end{array}$$

2. ①

$$\begin{array}{r} 5240 \\ +\ 5210 \\ \hline 10450 \end{array}$$

大＝5，家＝2
爱＝1，上＝4
学＝0

②

$$\begin{array}{r} 8740 \\ +\ 8740 \\ \hline 17480 \end{array}$$

我＝1，攀＝8
登＝7，高＝4
峰＝0

③

$$\begin{array}{r} 1 \\ 17 \\ 179 \\ +\ 1796 \\ \hline 1993 \end{array}$$

助＝1，人＝7
为＝9，乐＝6

④

$$\begin{array}{r} 250 \\ 7250 \\ 67250 \\ +\ 867250 \\ \hline 942000 \end{array}$$

力＝8，争＝6
办＝7，奥＝2
运＝5，会＝0
成＝9，功＝4

3. $\overline{ABCDE} = 54921$

4. 共有六个，它们是：1329、1439、1549、1659、1769、
1879.

第10讲 数字谜(二)

在一些乘除法的运算中,也可以用字母或汉字来表示数字,形成数字谜算式.这一讲,将介绍如何巧解乘除法数字谜.

【例1】 右面算式中相同的字母代表相同的数字,不同的字母代表不同的数字,问 A 和 E 各代表什么数字?

$$\begin{array}{r} A\ B\ C\ D\ E \\ \times \qquad\quad A \\ \hline E\ E\ E\ E\ E\ E \end{array}$$

分析 由于被乘数的最高位数字与乘数相同,且积为六位数,故 $A \geqslant 3$.

① 若 $A=3$,因为 $3\times3=9$,则 $E=1$,而个位上 $1\times3=3\neq1$,因此,$A\neq3$.

② 若 $A=4$,因为 $4\times4=16$,$16+6=22$,则 $E=2$,而个位上 $2\times4=8\neq2$,因此 $A\neq4$.

③ 若 $A=5$,因为 $5\times5=25$,$25+8=33$,则 $E=3$,而 $3\times5=15$,积的个位为5不为3,因此 $A\neq5$.

④ 若 $A=6$,因为 $6\times6=36$,$36+8=44$,则 $E=4$.个位上,$4\times6=24$,写4进2.十位上,因为 $2\times6+2=14$,D 可以为2,但不论 C 为什么数字,$C\times6+1$ 个位都不可能为4,因此 D 不可能为2.因为 $7\times6+2=44$,所以可以有 $D=7$.百位上,因为 $5\times6+4=34$,所以 $C=5$.千位上,不论 B 为什么数字,$B\times6+3$ 的个位都不可能为4,因此 B 无解.故 $A\neq6$.

⑤ 若 $A=7$,因为 $7\times7=49$，$49+6=55$，则 $E=5$. 个位上，$5\times7=35$，写 5 进 3. 十位上，因为 $6\times7+3=45$，所以 $D=6$. 百位上，因为 $3\times7+4=25$，所以 $C=3$. 千位上，因为 $9\times7+2=65$，所以 $B=9$. 万位上，因为 $7\times7+6=55$，所以得到该题的一个解.

$$\begin{array}{r} 7\ 9\ 3\ 6\ 5 \\ \times\qquad\quad\ 7 \\ \hline 5\ 5\ 5\ 5\ 5\ 5 \end{array}$$

⑥ 若 $A=8$,因为 $8\times8=64$，$64+2=66$，则 $E=6$. 个位上，$6\times8=48$，则积的个位为 8 不为 6，因此 $A\neq8$.

⑦ 若 $A=9$,因为 $9\times9=81$，$81+7=88$，则 $E=8$,而个位上，$8\times9=72$，则积的个位为 2 不为 8，因此 $A\neq9$.

解:

$$\begin{array}{r} 7\ 9\ 3\ 6\ 5 \\ \times\qquad\quad\ 7 \\ \hline 5\ 5\ 5\ 5\ 5\ 5 \end{array}$$

所以，$A=7,E=5$.

【例 2】 下面竖式中的每个不同汉字代表 09 中不同的数码，求出这些使算式成立的汉字的值.

$$\begin{array}{r} \text{趣味数学} \\ \times\quad \text{趣味数学} \\ \hline \times\times\times\times \\ \times\times\times\times\ \ \\ \times\times\times\times\quad\ \ \\ \hline \times\times\times\times\times\times\times\times \end{array}$$

分析 由于乘数是四位数，而在用乘数的每位数字去乘被乘数时，只有三层结果，由此观察出“数” $=0$，且积的最高位为 1. 为了叙述方便，在算式中“×”的位

置用字母代替，此时的算式如下式.

$$\begin{array}{r}
\text{趣}\ \text{味}\ 0\ \text{学} \\
\times\quad \text{趣}\ \text{味}\ 0\ \text{学} \\
\hline
A_1\ A_2\ A_3\ A_4 \\
A_5\ A_6\ A_7\ A_8\quad\ \ \\
A_9\ A_{10}\ A_{11}\ A_{12}\qquad\quad\ \ . \\
\hline
1\ A_{13}\ A_{14}\ A_{15}\ A_{16}\ A_{17}\ A_3\ A_4
\end{array}$$

由于百万位要向千万位进 1，而十万位最多只能向百万位进 1，因而 $A_9=9, A_{13}=0$. 由于 $3\times3=9$，所以“趣”$=3$. 又由于 $\overline{3\text{味}0\text{学}}\times3$ 的积为四位数，因而“味”$=1$ 或 2.

① 若“味”$=1$，则 $A_5=3, A_{10}=3$，于是，$A_5+A_{10}=3+3=6$，这样不论万位有没有向十万位进位，十万位都不可能向百万位进 1，因此“味”$\neq1$.

② 若“味”$=2$，则 $A_5=6, A_6=4, A_{10}=6$，于是，$A_5+A_{10}=12$，因此十万位必向百万位进 1，所以“味”$=2$.

由于 $\overline{320\text{学}}\times$学的积为四位数，所以“学”$=1$.

解:

$$\begin{array}{r}
3\ 2\ 0\ 1 \\
\times\quad 3\ 2\ 0\ 1 \\
\hline
3\ 2\ 0\ 1 \\
6\ 4\ 0\ 2\quad\ \ \\
9\ 6\ 0\ 3\qquad\quad \\
\hline
1\ 0\ 2\ 4\ 6\ 4\ 0\ 1
\end{array}$$

因此，“趣”$=3$，“味”$=2$，“数”$=0$，“学”$=1$.

【例 3】　右面算式中的每个“奇”字代表 1、3、5、7、9 中的一个，每个“偶”字代表 0、2、4、6、8 中的一个，为使算式成立，求出它们所代表的值.

$$\begin{array}{r} 偶偶 \\ 偶偶\overline{)奇奇偶偶} \\ 奇偶偶 \\ \hline 偶偶 \\ 偶偶 \\ \hline 0 \end{array}$$

分析　为了叙述方便，把算式中每个“奇”与“偶”字都标上角码，如下式所示.

$$\begin{array}{r} 偶_1偶_2 \\ 偶_3偶_4\overline{)奇_1奇_2偶_5偶_6} \\ 奇_3偶_7偶_8 \\ \hline 偶_9偶_6 \\ 偶_9偶_6 \\ \hline 0 \end{array}$$

由于$\overline{奇_1奇_2偶_5}-\overline{奇_3偶_7偶_8}=偶_9$，因此“$偶_5$”所在位必定向“$奇_2$”所在位借 1，因而排除“$偶_4$”$=0$.

又由于$\overline{偶_3偶_4}\times偶_2=\overline{偶_9偶_6}$，所以“$偶_2$”$=2$ 或 4.

① 若“$偶_2$”$=2$，则$\overline{偶_3偶_4}=22$，24，42，44，而
$22\times6=132$　（积为奇奇偶）

$22\times8=176$　（积为奇奇偶）

因此$\overline{偶_3偶_4}\neq22$.

$24\times6=144$　（积为奇偶偶）

$24\times8=192$　（积为奇奇偶）

于是$\overline{奇_3偶_7偶_8}=144$，$\overline{偶_9偶_6}=48$. 而$\overline{奇_1奇_2偶_5}-144$ 的差不可能等于 4，因此$\overline{偶_3偶_4}\neq24$.

$42\times4=168$　（积为奇偶偶）

$42\times6=252$　（积为偶奇偶）

$42\times8=336$　（积为奇奇偶）

于是 $\overline{\text{奇}_3\text{偶}_7\text{偶}_8}=168$，因为 $\overline{\text{偶}_9\text{偶}_6}=84$，所以有 $\overline{\text{奇}_1\text{奇}_2\text{偶}_5}$

$=168+8=176$，便得：

$$\begin{array}{r} 42 \\ 42\overline{)\,1764} \\ \underline{168} \\ 84 \\ \underline{84} \\ 0 \end{array}$$

$44\times4=176$　　（积为奇奇偶）

$44\times6=264$　　（积为偶偶偶）

$44\times8=352$　　（积为奇奇偶）

因此，$\overline{\text{偶}_3\text{偶}_4}\neq44$.

② 若“偶_2”$=4$，则 $\overline{\text{偶}_3\text{偶}_4}=22$，

而 $22\times6=132$　　（积为奇奇偶）

$22\times8=176$　　（积为奇奇偶）

因此，“偶_2”$\neq4$.

解：

$$\begin{array}{r} 42 \\ 42\overline{)\,1764} \\ \underline{168} \\ 84 \\ \underline{84} \\ 0 \end{array}$$

【例 4】　下页算式中不同的汉字表示不同的数字，相同的汉字表示相同的数字，则符合题意的数“华罗庚学校赞”是什么？

$$\begin{array}{r} \text{赞华罗庚学校} \\ \times\qquad\qquad\text{好} \\ \hline \text{华罗庚学校赞} \end{array}$$

分析　首先确定“好”$\neq0$、1、5、9，且“好”$\neq6$、8（若“好”$=6$ 或 8，则被乘数的最高位数字“赞”$=1$，

而个位上“校”与“好”的积的个位不可能是1，所以“好”≠6、8.），因此，“好”=2、3、4或7.

① 若“好”=2，则被乘数的最高位“赞”字可能为1、3或4，而个位上“校”×2的积的个位等于“赞”，所以“赞”≠1、3，因而“赞”=4.

个位上，因为7×2=14，所以“校”=7. 十位上，因为3×2+1=7，8×2+1=17，所以“学”=3或8. 若“学”=3，则“庚”×2积的个位为3，而不论“庚”为什么样的整数，都不可能实现，因此，“学”≠3. 若“学”=8，则“庚”×2+1和的个位为8，而不论“庚”为什么样的整数，都不可能实现，因此，“学”≠8. 故“好”≠2.

② 若“好”=3，则被乘数的最高位数字“赞”=1或2.

若“赞”=1，个位上因为7×3=21，所以“校”=7. 十位上，因为5×3+2=17，所以“学”=5. 百位上，因为8×3+1=25，所以“庚”=8. 千位上，因为2×3+2=8，所以“罗”=2. 万位上，因为4×3=12，所以“华”=4. 十万位上，便有1×3+1=4，得到一个解：

$$\begin{array}{r} 1\ 4\ 2\ 8\ 5\ 7 \\ \times\qquad\quad 3 \\ \hline 4\ 2\ 8\ 5\ 7\ 1 \end{array}$$

若“赞”=2，个位上因为4×3=12，所以“校”=4. 十位上，因为1×3+1=4，所以“学”=1. 百位上，因为7×3=21，所以“庚”=7. 千位上，因为5×3+2=17，所以“罗”=5. 万位上，因为8×3+1=25，所以“华”=8. 十万位上便有2×3+2=8，于是得到一个解：

$$\begin{array}{r} 2\ 8\ 5\ 7\ 1\ 4 \\ \times\qquad\quad\ 3 \\ \hline 8\ 5\ 7\ 1\ 4\ 2 \end{array}$$

③ 若“好”＝4，则被乘数的最高位数字“赞”＝1或2，而个位上“校”×4 积的个位不可能为 1，所以“赞”只能为 2．个位上，因为 3×4＝12，8×4＝32，则“校”＝3 或 8．

若“校”＝3，十位上，因为 8×4＋1＝33，所以“学”＝8．百位上，不论“庚”为什么样的整数，“庚”×4＋3 和的个位都不可能为 8，所以“校”≠3．

若“校”＝8，十位上，不论“学”为什么样的整数，“学”×4＋3 和的个位都不可能为 8，所以“校”≠8．

因此，“好”≠4．

④ 若“好”＝7，则被乘数的最高位数字“赞”＝1．

个位上，因为 3×7＝21，所以“校”＝3．十位上，因为 3×7＋2＝23，则“学”＝3，与“校”＝3 重复，因而“好”≠7．

解：

$$\begin{array}{r} 1\ 4\ 2\ 8\ 5\ 7 \\ \times\qquad\quad\ 3 \\ \hline 4\ 2\ 8\ 5\ 7\ 1 \end{array} \qquad \begin{array}{r} 2\ 8\ 5\ 7\ 1\ 4 \\ \times\qquad\quad\ 3 \\ \hline 8\ 5\ 7\ 1\ 4\ 2 \end{array}$$

则“华罗庚学校赞”＝428571 或 857142．

【例 5】　在下面的算式中，每一个汉字代表一个数字，不同的汉字表示不同的数字，当“开放的中国盼奥运”代表什么数时，算式成立？

盼盼盼盼盼盼盼盼盼÷□＝开放的中国盼奥运

分析　这是一道除法算式题．

因为盼盼盼盼盼盼盼盼盼是“□”的倍数，且又为

9的倍数，所以“□”可能为3或9.

① 若“□”=3，则盼盼盼盼盼盼盼盼盼÷3的商出现循环，且周期为3，这样就出现重复数字，因此“□”≠3.

② 若“□”=9

因为　盼盼盼盼盼盼盼盼盼÷9

　　=盼×（111111111÷9）

　　=盼×12345679

若“盼”=1，则“开放的中国盼奥运”=12345679×1=12345679，“盼”=6，前后矛盾，所以“盼”≠1.

若“盼”=2，则“开放的中国盼奥运”=12345679×2=24691358，“盼”=3，矛盾，所以“盼”≠2.

若“盼”=3，则“开放的中国盼奥运”=12345679×3=37037037，“盼”=0，矛盾，所以“盼”≠3.

若“盼”=4，则“开放的中国盼奥运”=12345679×4=49382716，“盼”=7，矛盾，所以“盼”≠4.

若“盼”=5，则“开放的中国盼奥运”=12345679×5=61728395，“盼”=3，矛盾，所以“盼”≠5.

若“盼”=6，则“开放的中国盼奥运”=12345679×6=74074074，则“盼”=0，矛盾，所以“盼”≠6.

若“盼”=7，则“开放的中国盼奥运”=12345679×7=86419753，“盼”=7，得到一个解：777777777÷9=86419753

若“盼”=8，则“开放的中国盼奥运”=12345679×8=98765432，“盼”=4，矛盾，所以“盼”≠8.

若“盼”=9，则“开放的中国盼奥运”=12345679

×9＝111111111，“盼”＝1，矛盾，所以“盼”≠9.

解：777777777÷9＝86419753

则“开放的中国盼奥运”＝86419753.

从以上几个题不难看出，逐渐缩小范围的思想和试验法在数字谜的分析解答过程中起着重要的作用，良好的分析思考习惯还需要同学们在今后的学习中进一步培养.

习　题　十

1. 下面竖式中不同的字母代表 09 中不同的数字，求出它们使竖式成立的值.

①
$$\begin{array}{r} A\ B\ C \\ \times\quad\ \ 4 \\ \hline E\ B\ A\ N \end{array}$$

②
$$\begin{array}{r} A\ B\ C\ D \\ \times\qquad\ \ 4 \\ \hline D\ C\ B\ A \end{array}$$

③
$$\begin{array}{r} A\ B\ C\ D \\ -\ E\ B\ B\ A \\ \hline E\ B\ B\ A \\ \times\qquad\ \ E \\ \hline 1\ 9\ 9\ 3 \end{array}$$

④
$$\begin{array}{r} A\ B \\ \times\ B\ A \\ \hline 1\ 1\ 4 \\ 3\ 0\ 4\ \ \\ \hline 3\ 1\ 5\ 4 \end{array}$$

2. 将下面算式中的汉字换成适当的数字，（相同的汉字代表相同的数字）使两个算式的运算结果相同.

$$\begin{array}{r} 蜂\ 蜜 \\ \times\ 甜\ 蜜 \\ \hline \square\square\square \end{array} \qquad \begin{array}{r} 蜜\ 蜂 \\ \times\ 蜜\ 甜 \\ \hline \square\square\square \end{array}$$

3. 下面竖式中的每个不同汉字代表 09 中不同的数码，求出它们使得竖式成立的值.

巧解数字谜
× 巧解数字谜
□□□□□□巧
□□□□□解
□□□□□数
□□□□□字
□□□□□谜
□□□□□□□□□

4．下列竖式中的每个“奇”字代表1、3、5、7、9中的一个，每个“偶”字代表0、2、4、6、8中的一个．为使算式成立，求出它们所代表的数值．

①

奇奇
偶偶奇）奇奇奇奇奇
偶奇奇
偶奇偶奇
偶奇偶奇
0

②

奇偶
× 偶奇
偶偶偶
偶偶
偶偶偶

习题十解答

1．①

$$\begin{array}{r} 8\ 2\ 1 \\ \times\quad\ \ 4 \\ \hline 3\ 2\ 8\ 4 \end{array}$$

$A=8,\ B=2$
$C=1,\ N=4$
$E=3$

②

$$\begin{array}{r} 2\ 1\ 7\ 8 \\ \times\qquad\ 4 \\ \hline 8\ 7\ 1\ 2 \end{array}$$

$A=2,\ B=1$
$C=7,\ D=8$

③

$$\begin{array}{r} 3\ 9\ 8\ 6 \\ -\ 1\ 9\ 9\ 3 \\ \hline 1\ 9\ 9\ 3 \\ \times\qquad\ 1 \\ \hline 1\ 9\ 9\ 3 \end{array}$$

$A=3,\ B=9$
$C=8,\ D=6$
$E=1$

④

$$\begin{array}{r} 3\ 8 \\ \times\ \ 8\ 3 \\ \hline 1\ 1\ 4 \\ 3\ 0\ 4\ \ \\ \hline 3\ 1\ 5\ 4 \end{array}$$

$A=3,\ B=8$

2．

$$\begin{array}{r} 1\ 2 \\ \times\ 4\ 2 \\ \hline 5\ 0\ 4 \end{array} \qquad \begin{array}{r} 2\ 1 \\ \times\ 2\ 4 \\ \hline 5\ 0\ 4 \end{array}$$

蜂 = 1，蜜 = 2，甜 = 4，其中蜂和甜的值可对换.

3.

$$
\begin{array}{r}
13579 \\
\times\ 13579 \\
\hline
122211 \\
95053 \\
67895 \\
40737 \\
13579 \\
\hline
184389241
\end{array}
\qquad
\begin{array}{r}
16549 \\
\times\ 16549 \\
\hline
148941 \\
66196 \\
82745 \\
99294 \\
16549 \\
\hline
273869401
\end{array}
$$

$$
\begin{array}{r}
14569 \\
\times\ 14569 \\
\hline
131121 \\
87414 \\
72845 \\
58276 \\
14569 \\
\hline
212255761
\end{array}
$$

4.①

$$
\begin{array}{r}
39 \\
285\overline{)\ 11115} \\
855 \\
\hline
2565 \\
2565 \\
\hline
0
\end{array}
$$

②

$$
\begin{array}{r}
32 \\
\times\ 27 \\
\hline
224 \\
64 \\
\hline
864
\end{array}
$$

第11讲 巧填算符（一）

所谓填算符，就是指在一些数之间的适当地方填上适当的运算符号（包括括号），从而使这些数和运算符号构成的算式成为一个等式.

在填算符的问题中，所填的算符包括＋、－、×、÷、(　)、[　]、{　}.

解决这类问题常用两种基本方法：一是凑数法，二是逆推法，有时两种方法并用.

凑数法是根据所给的数，凑出一个与结果比较接近的数，然后，再对算式中剩下的数字作适当的增加或减少，从而使等式成立.

逆推法常是从算式的最后一个数字开始，逐步向前推想，从而得到等式.

【例1】 在下面算式适当的地方添上加号，使算式成立.

8 8 8 8 8 8 8 8＝1000

分析 要在八个8之间只添加号，使和为1000，可先考虑在加数中凑出一个较接近1000的数，它可以是888，而888＋88＝976，此时，用去了五个8，剩下的三个8应凑成1000－976＝24，这只要三者相加就行了.

解： 本题的答案是

888＋88＋8＋8＋8＝1000

【例2】 在下列算式中合适的地方添上＋、－、×，使等式成立.

① 9 8 7 6 5 4 3 2 1＝1993

② 1 2 3 4 5 6 7 8 9＝1993

分析 本题的特点是所给的数字比较多，而得数比较大，这种题目一般用凑数法来做，在本题中应注意可使用的运算符号只有＋、－、×.

①中，$654\times3=1962$，与结果1993比较接近，而$1993-1962=31$，所以，如果能用9 8 7 2 1凑出31即可，而最后两个数合在一起是21，那么只需用9 8 7凑出10，显然，$9+8-7=10$，就有：

$9+8-7+654\times3+21=1993$

②中，与1993比较接近的是$345\times6=2070$. 它比1993大77，现在，剩下的数是1 2 7 8 9，如果把7、8写在一起，成为78，则无论怎样，前面的1、2和最后的9都不能凑成1. 注意到$8\times9=72$，而$7+8\times9=79$，$1\times2=2$，$79-2=77$. 所以这个问题可以如下解决：

$1\times2+345\times6-7-8\times9=1993$.

解：本题的答案是：

① $9+8-7+654\times3+21=1993$；

② $1\times2+345\times6-7-8\times9=1993$.

【例3】 在下面算式合适的地方添上＋、－、×号，使等式成立.

3 3 3 3 3 3 3 3 3 3 3 3 3 3＝1992

分析 本题等号左边数字比较多，右边得数比较大，仍考虑凑数法，由于数字比较多，在凑数时，应多用去一些数，注意到$333\times3=999$，所以$333\times3+333\times3=1998$，它比1992大6，所以只要用剩下的八个3凑出6

就可以了，事实了，$3+3+3-3+3-3+3-3=6$，由于要减去6，则可以这样添：$333\times3+333\times3-3-3+3-3+3-3+3-3=1992$.

解：本题的一个答案是：

$$333\times3+333\times3-3-3+3-3+3-3+3-3=1992.$$

补充说明：前面例1至例3中，它们的特点是等号左边的数比较多，而等号右边的数比较大，这种问题一般用凑数法解决比较容易.

【例4】　在下面算式合适的地方添上＋、－、×，使等式成立.

1 2 3 4 5 6 7 8＝1

分析　这道题的特点是等号左边的数字比较多，而等号右边的得数是最小的自然数1，可以考虑在等号左边最后一个数字8的前面添“－”号.

这时，算式变为：　1 2 3 4 5 6 7－8＝1
只需让1 2 3 4 5 6 7＝9就可以了，考虑在7的前面添“＋”号，则算式变为1 2 3 4 5 6＋7＝9，只需让1 2 3 4 5 6＝2就可以了，同开始时的想法，在6的前面添“－”号，算式变为1 2 3 4 5－6＝2，这时只要1 2 3 4 5＝8即可. 同样，在5前面添“＋”号，则只需1 2 3 4＝3即可. 观察发现，只要这样添：$1+2\times3-4=3$就得到本题的一个解为$1+2\times3-4+5-6+7-8=1$.

解：本题的一个答案是：

$$1+2\times3-4+5-6+7-8=1$$

补充说明：一般逆推法常限于数字不太多（如果太多，推的步骤也会太多），得数也比较小的题目，如例4. 在解决这类问题时，常把逆推法和凑数法结合起来使用，我们称之为综合法．所以，在解决这类问题时，把逆推法和凑数法综合考虑更有助于问题的解决．

【例5】 在下面算式中合适的地方，只添两个加号和两个减号使等式成立．

1 2 3 4 5 6 7 8 9＝100

分析 在本题条件中，不仅限制了所使用运算符号的种类，而且还限制了每种运算符号的个数．

由于题目中，一共可以添四个运算符号，所以，应把1 2 3 4 5 6 7 8 9分为五个数，又考虑最后的结果是100，所以应在这五个数中凑出一个较接近100的，这个数可以是123或89．

如果有一个数是123，就要使剩下的后六个数凑出23，且把它们分为四个数，应该是两个两位数，两个一位数．观察发现，45与67相差22，8与9相差1，加起来正巧是23，所以本题的一个答案是：

$123+45-67+8-9=100$

如果这个数是89，则它的前面一定是加号，等式变为1 2 3 4 5 6 7＋89＝100，为满足要求，1 2 3 4 5 6 7＝11，在中间要添一个加号和两个减号，且把它变成四个数，观察发现，无论怎样都不能满足要求．

解： 本题的一个答案是：

$123+45-67+8-9=100$

补充说明：一般在解题时，如果没有特别说明，只要得到一个正确的解答就可以了．

在例5这类限制比较多的题目的解决过程中，要时时注意按照题目的要求去做，由于题目的要求比较高，所以解决的方法比较少．

【例 6】　在下列算式中合适的地方，添上（　）〔　〕，使等式成立.

① $1+2\times3+4\times5+6\times7+8\times9=303$

② $1+2\times3+4\times5+6\times7+8\times9=1395$

③ $1+2\times3+4\times5+6\times7+8\times9=4455$

分析　本题要求在算式中添括号，注意到括号的作用是改变运算的顺序，使括号中的部分先做，而在四则运算中规定“先乘除，后加减”，要改变这一顺序，往往把括号加在有加、减运算的部分.

题目中三道小题的等号左边完全相同，而右边的得数一个比一个大. 要想使得数增大，可以让加数增大或因数增大，这是考虑本题的基本思想.

①题中，由凑数的思想，通过加（　），应凑出较接近 303 的数，注意到 $1+2\times3+4\times5+6=33$，而 $33\times7=231$. 较接近 303，而 $231+8\times9=303$，就可得到一个解为：

$(1+2\times3+4\times5+6)\times7+8\times9=303$

②题中，得数比①题大得多，要使得数增大，只要把乘法中的因数增大. 如果考虑把括号加在 $7+8$ 上，则有 $6\times(7+8)\times9=810$，此时，前面 $1+2\times3+4\times5$ 无论怎样加括号也得不到 $1395-810=585$. 所以这样加括号还不够大，可以考虑把所有的数都乘以 9，即 $(1+2\times3+4\times5+6\times7+8)\times9=693$，仍比得数小，还要增大，考虑将括号内的数再增大，即把括号添在 $(1+2)$ 或 $(3+4)$ 或 $(5+6)$ 或 $(7+8)$ 上，试验一下知道，可以有如下的添加法：

$[(1+2)\times(3+4)\times5+6\times7+8]\times9=1395$

③题的得数比②题又要大得多，可以考虑把 $(7+8)$ 作

为一个因数，而 $1+2\times3+4\times5+6\times(7+8)\times9=837$，还远小于 4455，为增大得数，试着把括号加在 $(1+2\times3+4\times5+6)$ 上，作为一个因数，结果得 33，而 $33\times(7+8)\times9=4455$. 这样，得到本题的答案是：

$$(1+2\times3+4\times5+6)\times(7+8)\times9=4455$$

解：本题的答案是：

① $(1+2\times3+4\times5+6)\times7+8\times9=303$

② $[(1+2)\times(3+4)\times5+6\times7+8]\times9=1395$

③ $(1+2\times3+4\times5+6)\times(7+8)\times9=4455$

习题十一

1. 在下列算式的□中，添入加号和减号，使等式成立.

① 1 □ 23 □ 4 □ 5 □ 6 □ 78 □ 9 = 100

② 12 □ 3 □ 4 □ 5 □ 6 □ 7 □ 89 = 100

2. 在下列算式中合适的地方添上＋、－号，使等式成立.

① 9 8 7 6 5 4 3 2 1 = 21

② 9 8 7 6 5 4 3 2 1 = 23

3. 只添一个加号和两个减号，使下面的算式成立.

1 2 3 4 5 6 7 8 9 = 100

4. 在下列算式中适当的地方添上＋、－、×号，使等式成立.

① 4 4 4 4 4 4 4 4 4 4 4 4 4 4 = 1996

② 6 6 6 6 6 6 6 6 6 6 6 6 6 6 = 1992

5. 在下列算式中适当的地方添上（　）〔　〕，使等式成立.

① $1+3\times5+7\times9+11\times13+15=401$

② $15-13\times11-9\times7-5\times3-1=8$

习题十一解答

1. ① $1 \boxed{+} 23 \boxed{-} 4 \boxed{+} 5 \boxed{+} 6 \boxed{+} 78 \boxed{-} 9 = 100$

　② $12 \boxed{+} 3 \boxed{+} 4 \boxed{+} 5 \boxed{-} 6 \boxed{-} 7 \boxed{+} 89 = 100$

2. ① $9-8+7-6+5-4-3+21=21$

　② $9+8+7+6-5-4+3-2+1=23$

3. $123-45-67+89=100$

4. ① $444\times4+44\times4+4\times4+4\times4+4\times4-4=1996$

　② $6\times6\times6\times6+666+6+6+6+6+6+6-6=1992$

5. ① $[(1+3)\times5+7]\times9+11\times13+15=401$

　② $[(15-13)\times11-9\times(7-5)]\times(3-1)=8$

第12讲 巧填算符（二）

【例1】 在+、−、×、÷、( )中，挑出合适的符号，填入下面的数字之间，使算式成立.

① 9 8 7 6 5 4 3 2 1=1

② 9 8 7 6 5 4 3 2 1=1000

分析 这两道题等号左边的数字各不相同，且从大到小排列，题目要求在每个数字之间都要填上运算符号，这是解题中要注意到的.

①中，等号右边的得数是最小的自然数1，而等号左边共有九个数字.

先考虑用逆推法：由于等号左边最后一个数字恰好是1，与等号右边相同，所以，可以考虑在1的前面添"+"号，这样如果前面8个数字的运算结果是0就可以了，观察注意到，前面8个数字每一个数都比它前面一个数小1，这样，只要把它们分成4组，每两数相减都得1，在两组的前面添"+"号，两组的前面添"−"号，即得到：

$(9-8)+(7-6)-(5-4)-(3-2)=0$

或$(9-8)-(7-6)+(5-4)-(3-2)=0$

于是得到答案：

$9-8+7-6-(5-4)-(3-2)+1=1$

或$9-8-(7-6)+5-4-(3-2)+1=1$

再考虑用凑数法：注意到等号左边每一个数都比前

一个数小 1，所以，只要在最前面凑出一个 1，其余的凑出 0 即可，事实上，恰有

$$9-8+7-6-(5-4)+(3-2)-1=1$$

凑数法的解答还有很多，请同学们试一试其他的凑法.

②中，等号右边是一个较大的自然数 1000，而等号左边要在每两个数字之间添上运算符号，考虑用凑数法.

由于等号右边是 1000，所以，运算结果应由个位是 5 或 0 的数与一个偶数的乘积得到.

如果这个偶数是 8，则在 8 的左、右两边都应该添“×”号，而 $9\times8=72$，而 $1000\div72$ 不是整数. 所以，无论在 7 6 5 4 3 2 1 之间怎样添算符，都不能得到所要的答案.

如果这个偶数是 6，由于 $1000\div6$ 不是整数，所以，不能得到所要的结果.

如果这个偶数是 4，那么在 4 的两边都应该添“×”号，即有：

9 8 7 6 5 × 4 × 3 2 1 = 1000. 在 4 的右边只有添为 $4\times(3-2)\times1$才有可能使左边的算式得 1000，这时，必须有 9 8 7 6 5 = 250，经过试验知，无论怎样添算符，都不能使上面的算式成立. 所以，这个偶数不能是 4.

如果这个偶数是 2，那么，在 2 的两边都应该添“×”号，即有 9 8 7 6 5 4 3 × 2 × 1 = 1000. 只要添适当的算符，使 9 8 7 6 5 4 3 的计算结果是 500 即可. 再用凑数法，注意到 $9\times8\times7=504$，与 500 很接近，只要能用 6 5 4 3 凑出“－”4 即可. 事实上，$6+5-4-3=4$，所以只需

$$9\times8\times7-(6+5-4-3)$$

即　$9 \times 8 \times 7 - 6 - 5 + 4 + 3 = 500$

这样，得到本题的答案是：

$(9 \times 8 \times 7 - 6 - 5 + 4 + 3) \times 2 \times 1 = 1000$

②题还可以综合运用逆推法和凑数法：由于等号右边是 1000，所以，等号左边 1 的前面只能添"×"或"÷"号（事实上，"×1"与"÷1"结果是相同的），由于等号右边的得数较大，考虑在 2 的前面添"×"号，于是９８７６５４３应凑出 500，再用与上面相同的凑数法即可解决. $(9-8+7) \times (6 \times 5 \times 4 + 3 + 2) \times 1 = 1000$

解：本题的答案是：

① $9 - 8 + 7 - 6 - (5 - 4) - (3 - 2) + 1 = 1$

或　　　$9 - 8 - (7 - 6) + 5 - 4 - (3 - 2) + 1 = 1$

或　　　$9 - 8 + 7 - 6 - (5 - 4) + (3 - 2) - 1 = 1$

② $(9 \times 8 \times 7 - 6 - 5 + 4 + 3) \times 2 \times 1 = 1000$

补充说明：本题的结果不只一个，一般来讲，填算符的问题只要得到一个答案就可以了. 但是我们应该通过解题的各种方法，开阔我们的思路. 所以，一题多解在我们解题中占有很重要的地位.

值得注意的是，虽然添算符的方法被归结为逆推法和凑数法，但它们的运用往往不是孤立的，在求解过程中，常常要将它们结合起来.

【例 2】　在下列算式中合适的地方，添上 +、－、×、÷、() 等运算符号，使算式成立.

① ６６６６６６６６６６６６６６６６ = 1993

② ２２２２２２２２２２２２ = 1993

分析　本题中两道小题的共同特点是：等号左边的数字比较多，且都相同，而等号右边的数是 1993，比较大．所以，考虑用凑数法，在等号左边凑出与 1993 较接近的数．

①题中，$666+666+666=1998$，比 1993 大 5，只要用余下的七个 6 凑成 5 就可以了，即 6 6 6 6 6 6 6＝5．如果把最前面一个 6 留下来，则只须将剩下的六个 6 凑成 1，即 6 6 6 6 6 6＝1，注意到 $6\div6=1$，$6-6=0$，可以这样凑　$6\div6+6-6+6-6=1$，或 $666\div666=1$。由于题目中要由 1998 中减掉 5，所以最后的答案是：

$$666+666+666-(6-6\div6+6-6+6-6)=1993$$

或者 $666+666+666-(6-666\div666)=1993$

②题中，等号左边是十二个 2，比①题中的数字 6 小，个数也比①中的少．所以，要把它们也凑成 1993，应该增大左边的数，也就是要多用乘法，仿照①题的想法，先凑出 1998，可以这样做：

$$222\times(2+2\div2)\times(2+2\div2)=1998$$

用去了九个 2，余下三个 2，无论怎样也凑不出 5，不行．所以要减少前面用去 2 的个数，由于 $222\times9=1998$，所以，我们要用几个 2 凑出 9，即：

$2\times2\times2+2\div2$，这样，凑出 1998 共用去了八个 2，即 $222\times(2\times2\times2+2\div2)$．此时，还剩下四个 2，用四个 2 凑出 5 是可以的，即 $2+2+2\div2=5$．这样得到答案为：

$$222\times(2\times2\times2+2\div2)-(2+2+2\div2)=1993$$

解：① $666+666+666-(6-6\div6+6-6+6-6)=1993$

或者　$666+666+666-(6-666\div666)=1993$

② $222\times(2\times2\times2+2\div2)-(2+2+2\div2)=1993$

补充说明：由例 2 的思考过程可以看到，在添运算符号时常要用到 0 或 1，而对于相同的数（不同的数可以通过运算凑成相同的数），要想得到 0，只要在它们中间添“－”号；要想得到 1，只要在它们中间添“÷”号，0 和 1 是添算符凑等式的过程中常用的非常重要的数.

【例 3】 在下面的式子里加上（ ）和〔 〕，使它们成为正确的等式.

① $217-49\times8+112\div4-2=89$

② $217-49\times8+112\div4-2=1370$

③ $217-49\times8+112\div4-2=728$

分析 本题只要求添括号，而括号在四则运算中的作用是改变运算的先后顺序，即由原来的“先乘除，后加减”改为先做（ ）中的运算，再做〔 〕中的运算，然后再按四则运算法做. 所以，一般来讲，括号应加在“＋”、“－”运算的部分.

这道题中的三道小题等号左边完全相同，而右边是不同的数，注意到 $49\times8=392$，所以，括号不可能添在 $(217-49\times8)$ 上，而且每一道小题都要把 217 后面的减数缩小.

①题中，等号右边的数比较小，所以应考虑用 217 减去一个较大的数，并且这个数得小于 217，最好是一百多，注意到 $49\times8+112=504$，而 $504\div4=126$. 恰有 $217-126=91$，$91-2=89$，即可得到答案：

$217-(49\times8+112)\div4-2=89$

②题中，等号右边的数比较大，所以在减小 217 后面的减数的同时，要注意把整个算式的得数增大，这可以通过增大乘法中的因数或减小除法中的除数实现. 如果这样做：

$(217-49)\times 8$，则既减小了减数，又增大了因数，计算知：$(217-49)\times 8=1344$．算式中得数是 1370．注意到剩下的部分 $112\div 4-2=26$ 相加恰好得到答案：

$(217-49)\times 8+112\div 4-2=1370$

③题中，等号右边的数介于①题与②题之间，所以，放大和缩小的程度也要适当，由②题的计算知：$(217-49)\times 8=1344$，③题的得数是 728，而算式左边还有 $+112\div 4-2$，观察发现，$1344+112=1456$，$1456\div 2=728$．

这样可以得到③题的答案是：

$[(217-49)\times 8+112]\div(4-2)=728$

解：① $217-(49\times 8+112)\div 4-2=89$

② $(217-49)\times 8+112\div 4-2=1370$

③ $[(217-49)\times 8+112]\div(4-2)=728$

习题十二

1. 从+、−、×、÷、（ ）中，挑选出合适的符号，添入下列算式合适的地方，使各等式成立.

① 6 6 6 6 6＝19　② 7 7 7 7 7＝20

③ 9 9 9 9 9＝21　④ 9 9 9 9 9＝22

2. 在下列各算式的左端填上+、−、×、÷、( )等符号使等式成立.

① 8 8 8 8 8 8 8 8 8 8＝1993

② 8 8 8 8 8 8 8 8 8 8＝1994

③ 8 8 8 8 8 8 8 8 8 8＝1995

④ 8 8 8 8 8 8 8 8 8 8＝1996

3. 在下列各式中合适的地方，添上+、−、×、÷、（ ）等运算符号，使等式成立.

① 4 4 4 4 4 4 4 4 4 4 4 4 4 4 4＝1993

② 7 7 7 7 7 7 7 7 7 7 7 7 7 7 7 7＝1993

4. 在下列等式中合适的地方添上（ ）〔 〕｛ ｝，使等式成立.

① $1+2\times3+4\times5+6\times7+8\times9=505$

② $1+2\times3+4\times5+6\times7+8\times9=1005$

③ $1+2\times3+4\times5+6\times7+8\times9=1717$

④ $1+2\times3+4\times5+6\times7+8\times9=2899$

⑤ $1+2\times3+4\times5+6\times7+8\times9=9081$

习题十二解答

1. ① $6+6+6+6\div 6=19$

② $7+7+7-7\div 7=20$

③ $(99+9)\div 9+9=21$

④ $(99+99)\div 9=22$

2. ① $(8888+8+8)\div 8+888-8=1993$

② $(8+8)\times(8+8)\times 8-8\times 8+(88-8)\div 8=1994$

③ $(8+8+8)\times 88-(8+8)\times 8+88\div 8=1995$

④ $(8888-8-8-8)\div 8+888=1996$

3. ① $444\times 4+44\times(4+4\div 4)-4+4\div 4+4-4=1993$

② $7777\div 7+777+77+7+7+7+7\div 7\times 7=1993$

4. ① $(1+2\times 3+4)\times 5+(6\times 7+8)\times 9=505$

② $(1+2)\times[3+4\times(5+6)\times 7]+8\times 9=1005$

③ $1+2\times 3+[(4\times 5+6)\times 7+8]\times 9=1717$

④ $1+[2\times 3+4\times(5+6)\times 7+8]\times 9=2899$

⑤ $\{[(1+2)\times 3+4]\times(5+6)\times 7+8\}\times 9=9081$

第13讲 火柴棍游戏(一)

用火柴棍可以摆成一些数字和运算符号,如 1、2、4、7;还可以摆出几何图形如正三角形、正方形、菱形、正多边形和一些物品的形状.通过移动火柴棍,可进行算式的变化,可以用它来做有趣的图形变化游戏.这一讲将就这些问题进行讨论.

在用火柴棍摆数学算式时,可以通过添加、去掉和移动几根火柴来使一些原来不正确的算式成立,在思考由火柴棍组成的算式的变换时,应注意以下两点:

① 在考虑使等式成立的数时,注意数字只限于 1、2、4、7.这就缩小了可讨论的数的范围,而运算符号也只限于+、-、×.

② 要使算式成立,经常要添加、去掉和移动几根火柴,从而达到目的,而“添”、“去”、“移”的一般规律是:

添,添加一根火柴,可变 1 为 7,变 7 为 2,变 + 为 4,还可以在数前、数后添上 1,另外,可以把“-”号变为“+”号,把“-”变为“=”号,在两个数之间增加“-”号等.

去,“去”是“添”的反面,要去掉一根火柴棍,常可以变“4”为“+”,变“7”为“1”,变“2”为“7”,变“+”为“-”,变“=”为“-”.还可以去掉数字前面或后面的“1”,以及数字之间的“-”号等.

移,“移”是“去”和“添”的结合,移动火柴棍时,要保证

火柴的根数没有变化.如“2”与“4”之间,“+”与“7”之间,“|”与“-”之间,“7”与“×”之间,“+”与“=”之间都可以互相转化.

【例1】 在下面由火柴棍摆成的算式中,添加或去掉一根火柴,使等式成立.

① 772-1244-417=111

② 4421+12×7=117-7-1

分析 ①题中,只有一个四位数1244,且它是减数,其余的数都是三位数,所以,我们首先想到,要把1244千位上的1去掉,使它变成三位数.这时,等式左边是:772-244-417,计算的结果恰好就是111.等式成立.①题中,由于减数是四位数1244,我们又可以想到在被减数的前面添加一根火柴,使它变成1772.这样,算式左边变为1772-1244-417,计算的结果也是111,等式仍然成立.所以①题有两个答案.

②题中,原式左边的计算结果是四位数,右边的运算结果是109.所以,使左边减小是做这道题的想法,左边,12×7=84,所以,应该有4421变成25,注意到拿掉百位4上的一根火柴即可变为“4+21”,从而满足等式.

解:① (1)去掉一根火柴棍:

772-244-417=111

(2)添加一根火柴棍:

1772-1244-417=111

② 去掉一根火柴棍:

$4+21+12\times7=117-7-1$

【例 2】 在下面火柴棍摆成的算式中，移动一根火柴，使等式成立.

① $741+21-121=141$

② $422-27\times7+27\times2=17712$

分析 ①题中，观察算式两边，等号左边计算的结果是 641，右边计算的结果是 141，所以基本想法是通过移动火柴棍，使左边减小而右边增加. 注意到，如果把左边的减数 121 变成 21，则左边的计算结果是 741，且被拿掉一根火柴，右边 141 中，添上这根火柴，恰好变成 741，于是等式成立.

②题中，左边的计算结果是三位数，而右边是五位数，既使将右边万位上的 1 或十位上的 1 移到左边 422 的前面，算式也不能成立. 所以想到，应该把右边的五位数变成三位数与一位数的和，只能是“177 + 2”或“1 + 712”，从而使右边变为三位数. 计算左边，结果是 287，所以，将 17712 变成“1 + 712”不行，只能考虑从左边移一根火柴到右边，使右边变成“177 + 2”，即 179. 这需要把左边减小一些. 试着把左边的“ + ”号变为“ − ”号，则左边为 $422-27\times7-27\times2$，计算得 179. 满足算式.

① $741+21-21=741$

或 $141+121-121=141$.

② $422-27\times7-27\times2=177+2$.

【例 3】 在下面由火柴摆成的算式中，移动一根火柴

棍,使算式变成等式.

① 　(此处为火柴棍算式)
① $112 \times 7 - 72 - 7 + 2$

② $111 + 111 + 11 + 1 - 224$

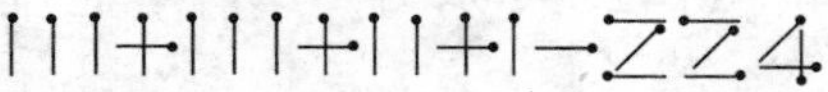

分析　题目中的两个小题只是两个四则运算式子,并没有等号,而题目要求移动一根火柴使它变成等式.所以,我们一定是要在数字或"+"号上去掉一根火柴,添在"-"号上或改"+"为减号.

①题中,$112 \times 7 = 784$,而 $784 - 72 = 712$,剩下的部分还有 $7 + 2$,可变成 712.所以,可以把最后面一个"+"号中"-"移到 7 前面的"-"号上,变成等号,即:

$112 \times 7 - 72 = 712$,得到一个答案.

②题中,前面 $111 + 111 = 222$,最后面一个数是 224.所以,如果能在 222 后面再加 2(或加两个 1),则可变成等式,这可以把 11 中的一个 1 移到 224 前的"-"号上,变成"="号就得到答案:$111 + 111 + 1 + 1 = 224$.

解:①题的答案是:

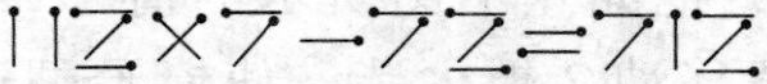

$112 \times 7 - 72 = 712$

②题的答案是:

$111 + 111 + 1 + 1 = 224$

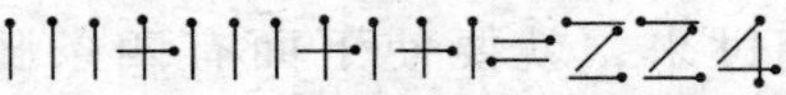

【例 4】　用火柴棍摆出所有的千位为 1 的四位数,且每个数位上的数字各不相同,计算它们的和,并用火柴棍摆出这个等式.

分析　解决这个问题分两步:

先用火柴摆出所有的以 1 开头的四位数,由于火柴棍可摆的数字只有 1、2、4、7,为保证不重、不漏地写出它们摆出的所有的以 1 开头的四位数，可以按从小到大（或从大到小）的顺序来写，它们是 1247、1274、1427、1472、1724、1742 共六个，计算它们的和为 8886.

再用火柴棍摆出这个等式，要把它们用火柴棍摆出来，关键是把 8886 用 1、2、4、7 表示，观察发现：
$8886=4444\times2-2$

解：用火柴棍摆出所有以 1 开头的四位数是：

1247，1274，1427，1472，
1724，1742

求它们和的等式可以表示为：

$1247+1274+1427+1472+$
$1724+1742=4444\times2-2$

在用火柴棍摆图形时，可以通过移动一根或几根火柴棍，使图形发生有趣的变化.

【例 5】 仓库中有一把如左下图所示的椅子，且椅子翻倒还掉了一条腿，请移动 2 根火柴，使椅子翻过来，且看上去也不缺少腿.

分析 要把椅子翻过来，就要使下面有四条腿，上面有椅子的靠背，故可以移动成（右下图所示）的样子.

解:移动的结果如前页右下图(虚线表示移走的火柴).

【例 6】　用火柴棍摆成头朝上的龙虾如下左图所示,移动它上面的三根火柴,使它头朝下.

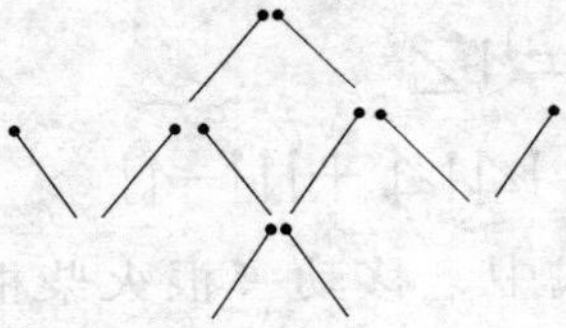

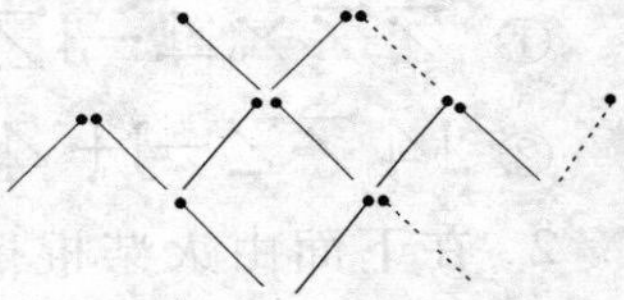

分析　要把龙虾的头变成朝下的,需要把上面的"头"拆掉,并摆出"尾".还要在下面摆出"头".由上面的分析,可移火柴摆成上右图的样子.

解:可移火柴成上右图,即把虚线向左移动.

【例 7】　由九根火柴棍组成的天平处于不平衡状态,(左下图),移动其中五根火柴,使它变为平衡.

分析　要把天平摆平,应先确定水平的天平臂,再把整个天平摆好,而天平臂可利用一个天平盘的底,另一个天平盘不移动,如右下图.

解:本题可移走右图中虚线所示的火柴棍,摆成实线的样子.

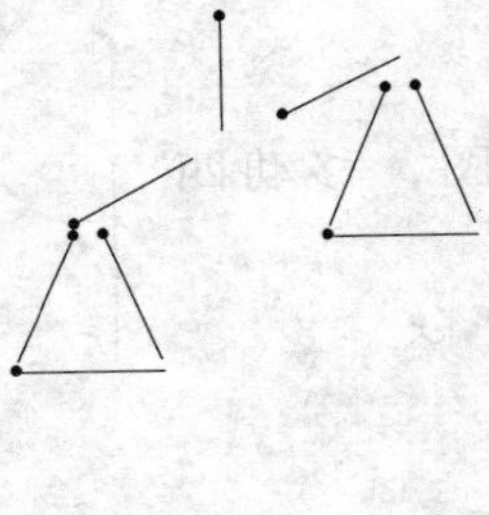

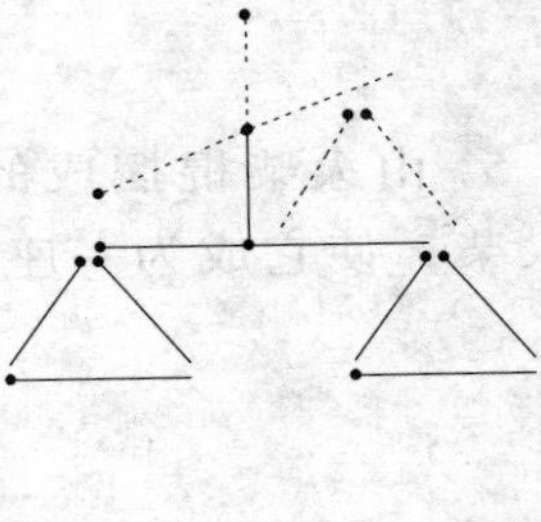

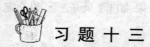

习题十三

1. 在下面由火柴棍摆成的算式中，添上或去掉一根火柴棍，使算式成立.

① 27×4−12−24=12

② 1472−1+42+11=1414+111−11

2. 在下面由火柴棍摆成的算式中，移动一根火柴棍，使算式成立.

① 472+27×2×7=44

② 227×2+74−4141=14

3. 在下面由火柴棍摆成的算式中，只移动一根火柴棍，使算式变成等式.

① 27×4−172−24−12

② 447×2−722+2−774

4. 由火柴棍摆了两只倒扣着的杯子，如右图，请移4根火柴棍，把杯口正过来.

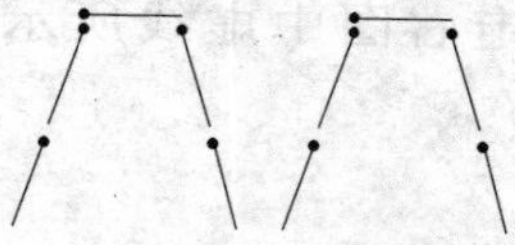

5. 由火柴棍摆成的定风旗如右图，移动四根火柴，使它成为一座房子.

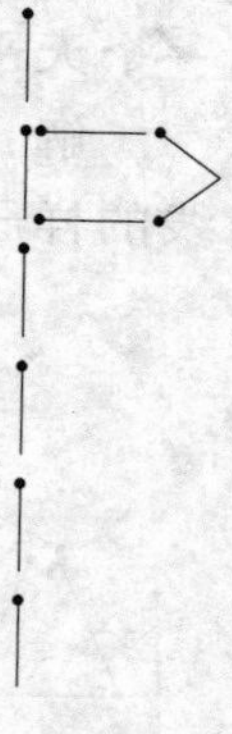

习题十三解答

1．

① 27×4−72−24=12

② 1472−1+42+1=1414+111−11

2．

① 422−27×2×7=44（移动一根）

② 227×2+74−414=114（移动一根）

3．

① 27×4−72−24=12（移动一根）

② 447×2−122+2=774（移动一根）

4．

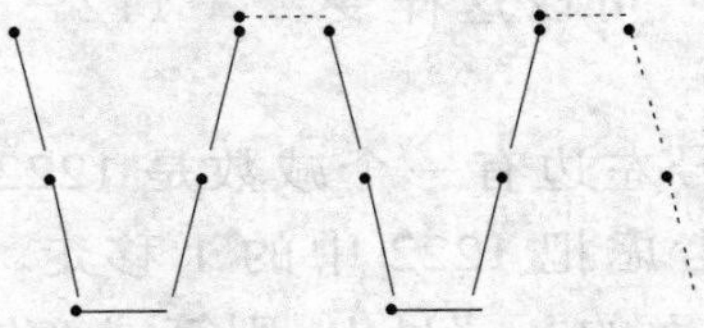

5．

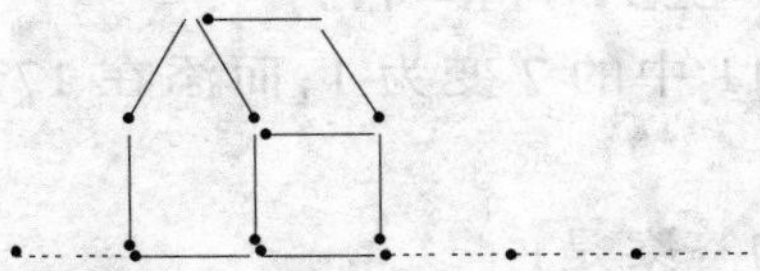

第 *14* 讲 火柴棍游戏（二）

这一讲将继续上一讲的内容,请看下面的例题.

【例1】 在下面由火柴摆成的算式中,移动两根火柴使等式成立.

① $41 - 1112 + 11 = 42$

② $222 - 1222 + 222 + 711 = 177$

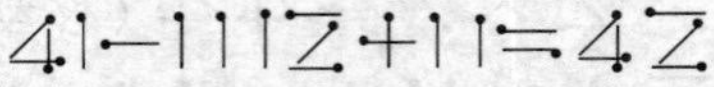

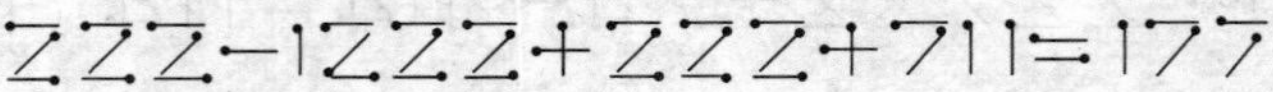

分析 ①题中,等号左边有一个四位数1112,而其他的数都是两位数,所以,基本想法是把这个四位数变成两位数,或把它变成三位数,再把其他一个数变成三位数.观察算式注意到,等号右边是42,而等号左边第一个数是41,如果能把"$-1112+11$"的计算结果凑成"$+1$",就可以了,可以这样变:"$+112-111$",就满足了算式.

②题中,等号左边有一个减数是1222,而其他数都是三位数.所以应考虑把1222中的1移走.观察算式,可考虑把1移到它前面的"$-$"号上,则算式变成:

$$222 + 222 + 222 + 711 = 177$$

显然,如果把711中的7变为1,而添在177上,变为777,则等式成立.

解:①题的答案是:

$$41 + 112 - 111 = 42$$

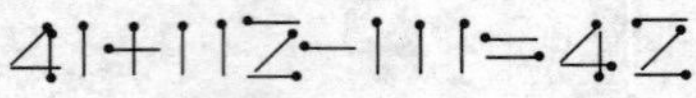

②题的答案是:

$$222+222+222+111=777$$

【例 2】 在下面的算式中,移动两根火柴,使算式变成等式.

① $12\times4-14-24$

② $1112\times2+11144-222+117$

分析 ①题中,$12\times4=48$,而最后一个数是 24,通过移一根火柴,可改成 44,观察算式知,可将 14 中的 1 移到 24 前面的"−"号上,变为等式.

②题中,有一个四位数,一个五位数,其他是三位数,所以,可将所有数都化为不超过三位,做如下的移动,即将 $1112\times2+11144$ 变为 $112\times2+1+114$.这时,$112\times2+1+114=339$,而 $339-222=117$,所以只要把 117 前面的"+"变为"="号即可.

解:①题的答案是:

$$12\times4-4=44$$

②题的答案是:

$$112\times2+1+114-222=117$$

补充说明:在解决由添加、去掉或移动火柴,从而使算式成立的问题时,要注意以下几点:

① 由火柴棍摆成的数字只有 1、2、4、7 这四个数.

② 在把火柴添、去、移时,目标经常是使等号两边各数的位数一样多,从而使等式成立.

③ 要有较强的运算能力和全面观察、分析问题的能力,才能顺利地解决问题.

火柴棍可以摆出许多图形，它不仅限于生活中的物品，还能摆出一些几何图形，如三角形、四边形、多边形等等，而且，通过移动几根火柴棍，使它们之间出现一些有趣的转化.

【例 3】 移动四根火柴棍，把图 14－1 中的斧子变为三个全等的三角形.

分析 本题中，构成斧子的火柴棍共九根，而最后要用这九根火柴构成三个全等的三角形，说明每个三角形都是边长为 1 根火柴棍的三角形，且三个三角形没有公用的边，基于这种想法，可有如图 14－2 的摆法.

解：本题的摆法（图 14－2）中，虚线为移走的部分.

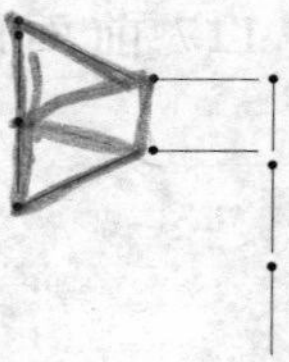
图14－1

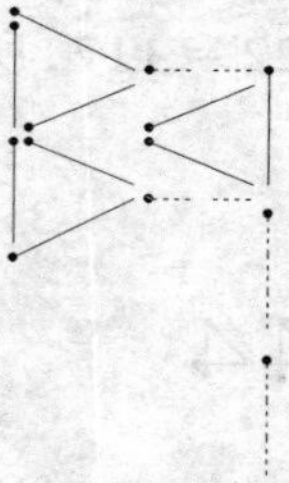
图14－2

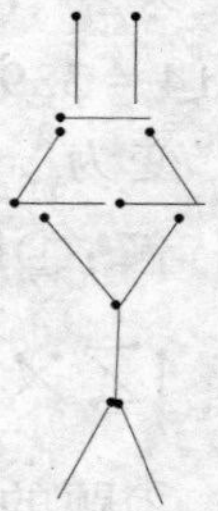
图14－3

【例 4】 在图 14－3 中，由十二根火柴棍摆成了灯，移动三根火柴，变为五个全等的三角形.

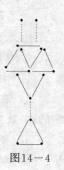

分析 要由十二根火柴组成五个全等的三角形，这些三角形中一定会有公用的“边”．并且在移动火柴棍时，一般应考虑斜放着的火柴棍不动，而去移动不容易构成三角形的水平或竖直放置的火柴．观察图形，可以做如图 14－4

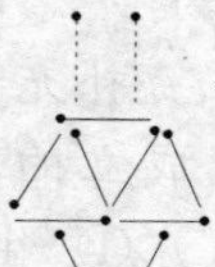
图14－4

的移动.恰好构成五个全等的三角形.

解:本题的移法如右图,其中虚线为移走的部分.

【例 5】　图 14－5 是由十一根火柴摆成的希腊式教堂,移动四根火柴,把它变为十五个正方形.

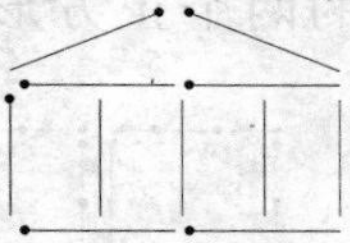

图14—5

分析　首先注意到题目中并没有要求这十五个正方形大小相同,而由条件,要由十一根火柴摆成十五个正方形,可以肯定这些正方形有大有小,且有很多“边”要重复使用,如果只把“房顶”的两根火些移下来,如图 14－6,则只能得到 11 个正方形(8 个小的,3 个大的).且只移动了两根火柴,不满足题目要求,要想增加正方形的个数,正方形应该变小,数一下图 14－7中正方形的个数,有 9 个小正方形,4 个由四个小正方形构成的正方形和一个大正方形,共 14 个正方形.那么它再加上一个正方形就满足题目要求了,而事实上,只要移为图 14－8,恰好满足题目的要求.

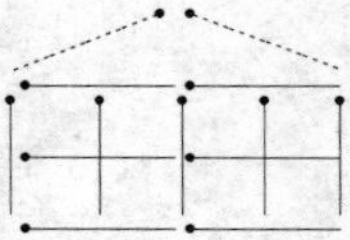

图14—6

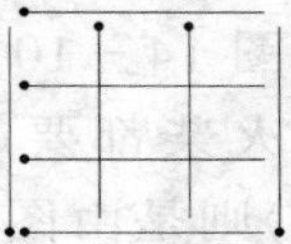

图14—7

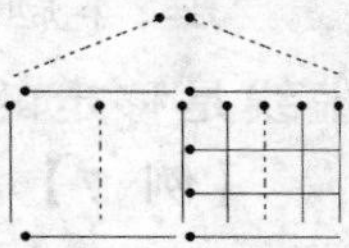

图14—8

解:本题的摆法为图 14－8,其中,虚线表示被移走的部分.

【例 6】　图 14－9 是由 24 根火柴摆成的回字形,移动四根火柴,使它变成两个大小相同的正方形.

分析　由题目可见,要用 24 根火柴

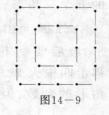

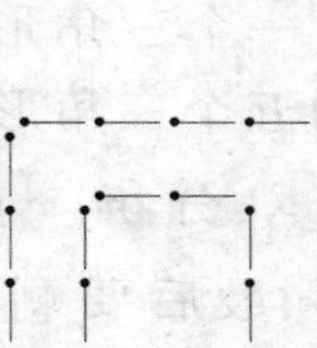

图14—9

摆出两个大小相同的正方形，每个正方形可由 12 根火柴构成. 这样，每个正方形的边长应由三根火柴棍组成，这样的两个正方形可以有图 14－10 的四种摆法.

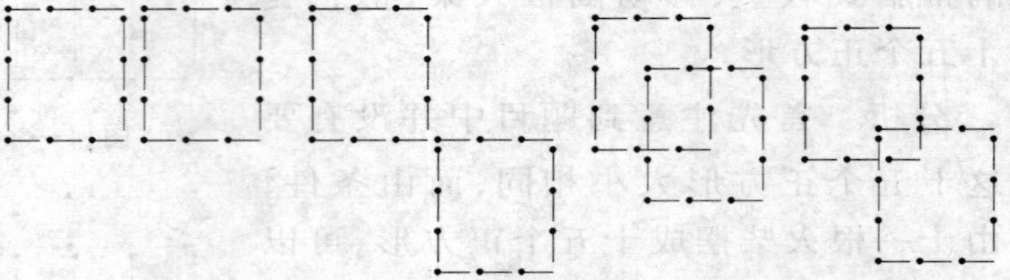

图14—10

考虑到题目要求移四根火柴，若移成图 14－10 中(1)(2)(4)的形状，移动的火柴都要超过四根，而 14－10 中图(3)则是由图 14－9 通过移动四根火柴得到的.

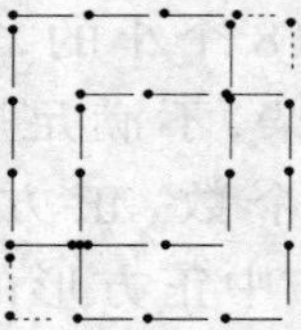

图14—11

解：本题的摆法如图 14－11，其中虚线是移走的部分.

【例 7】 用 18 根火柴棍（如图 14－12）摆成九个大小相同的三角形，从这个图中每次拿走 1 根火柴，使它减少一个三角形，最后使它留下大小相同的五个三角形，该怎样拿法？

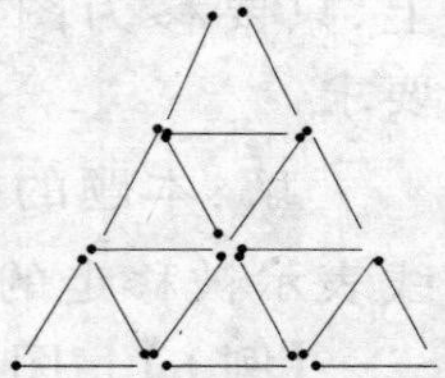

图14—12

分析 由题目，原来有九个三角形，最后要剩下五个三角形，说明一共移走四根火柴，一般，第一次拿走哪根火柴都可以减少三角形的个数，但要每次减少一个三角形，则只能拿掉只做为一个三角形的边的火柴棍.在图 14－12 中,应该是构成图形的最外边九根火柴的中一根,为保证每次只减少一个三角形,可按图14－13的步骤一一拿掉.

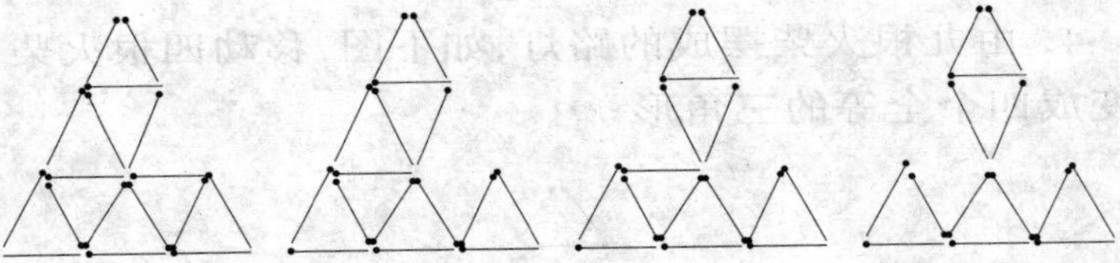

　　(1)　　　　　(2)　　　　　(3)　　　　　(4)

图14－13

　　解:本题拿法如图 14－13,按(1)→(2)→(3)→(4)的步骤每次拿掉一根火柴即可.

 习题十四

　　1. 在下面火柴棍摆成的算式中,移动两根火柴,使算式成立.

　　①1472－1442＋1－12＝11412

　　②721－1427＋124＝172

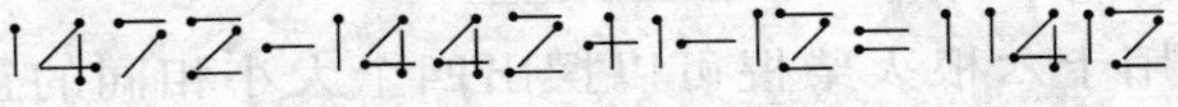

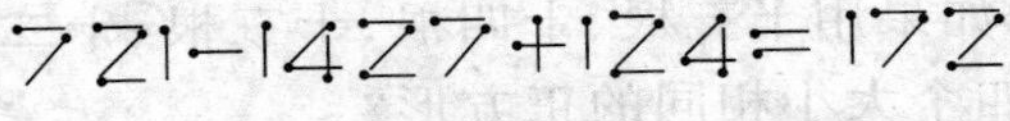

　　2. 在下面火柴棍摆成的算式中,移动两根火柴,使算式变为等式.

　　①2411＋122－1222－14

　　②1777×7－4747－227－47

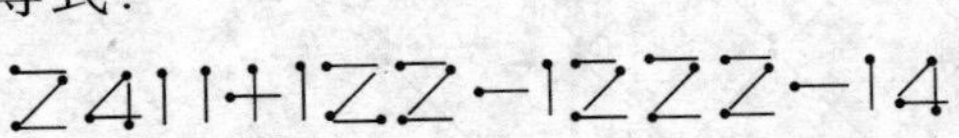

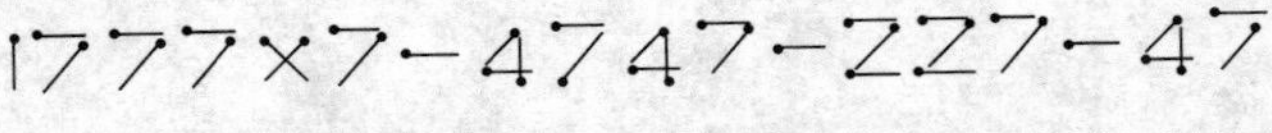

　　3. 由十根火柴摆成两只高脚杯,如下图.移动六根火柴,使它变成一座房子.

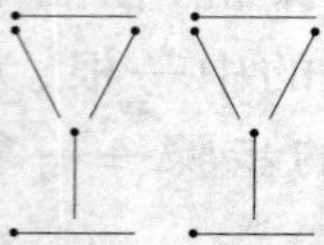

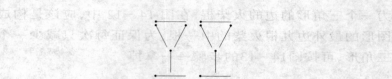

4．由九根火柴摆成的路灯，如下图．移动四根火柴，把它变成四个全等的三角形．

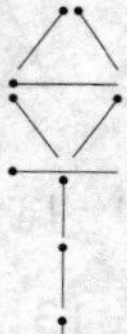

5．在下图所示的火柴摆成的图形中，移动三根火柴，得到三个相同的正方形．

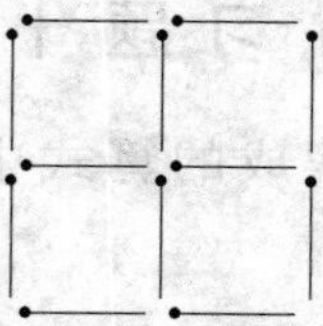

6．用十六根火柴棍可以摆出四个大小相同的正方形，如下图．试问：如果用十五根、十四根、十三根、十二根火柴棍，能否摆成四个大小相同的正方形？

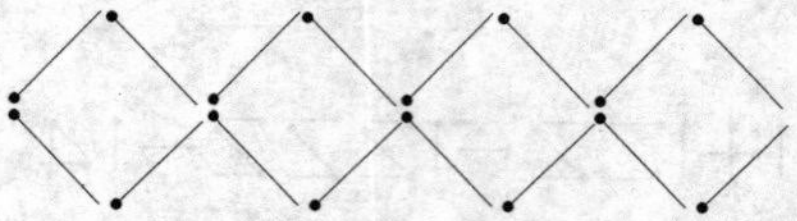

习题十四解答

1.

① 1472−1+42+11−112=1412

② 721+427+24=1172

2.

① 241+122−222=141

② 777×7−4747−221=471

3. 如(下图)

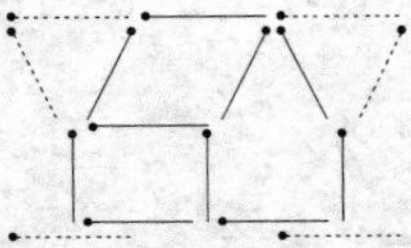

4. 如(下图)

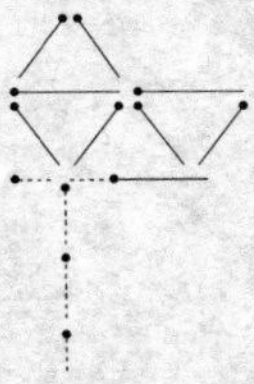

5. 如(下图)

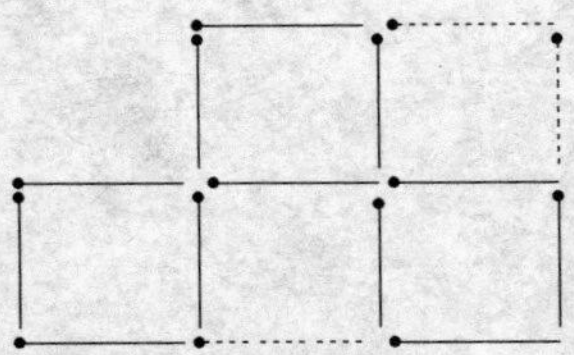

6．如(下图)

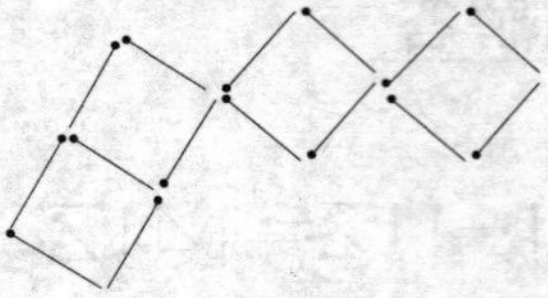

(15根)

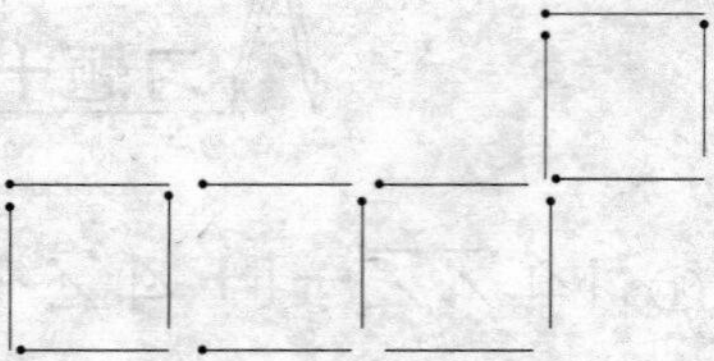

(14根)

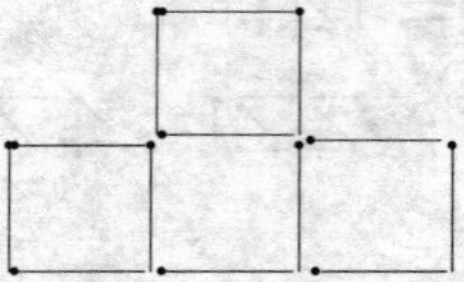

(13根)

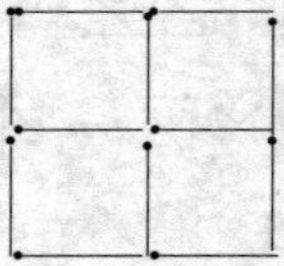

(12根)

第15讲　综合练习题

一、填空

1．计算：49 + 53 + 47 + 48 + 54 + 51 + 52 + 46

2．计算：1993 + 1992 − 1991 − 1990 + 1989 + 1988 − 1987 − 1986 + … + 5 + 4 − 3 − 2 + 1

3．把 1、2、3、4、5、6 这 6 个数字分别填入下面算式的 6 个方格内，能得到的两个三位数的和的最小值是（　）.

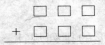

$$\begin{array}{r} \square\ \square\ \square \\ +\ \square\ \square\ \square \\ \hline \end{array}$$

4．仔细观察下列各组数的排列规律，并在空格处填入合适的数.

① 2，4，8，14，22，32，44，（　），74

② 2，5，10，17，26，37，50，（　），82

5．火柴棍摆成的算式：4 + Z = 7 这个等式显然是错误的，请你移动一根火柴，使得等式成立，则正确的等式是（　）.

6．右图是由 5 个大小不同的正方形叠放而成的，如果最大的正方形的边长是 4，求右图中最小的正方形（阴影部分）的周长.

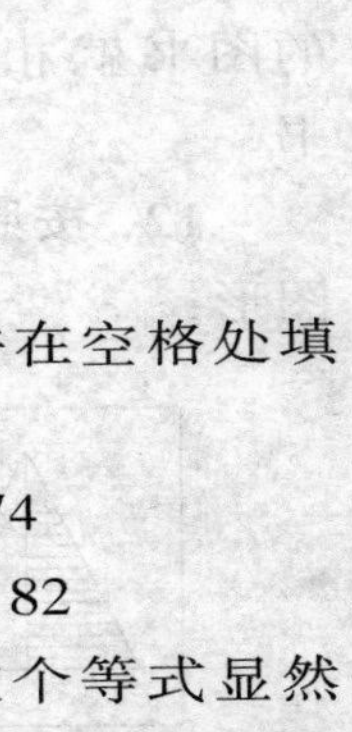

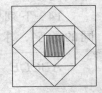

7. 有下面两组卡片：

(A) 3 5 7 (B) 2 4 6

现从 (A)(B)两组卡片中各取一张，用 S 表示这两张卡片上的数字的和，求不同的 S 共有多少个.

8. 求三个连续奇数的乘积的个位数字最小是多少.

9. $\underbrace{100\times100\times\cdots\times100}_{10个100相乘}-12$ 所得结果的各位数字之和是________.

10. 三年级（1）班和（2）班共有少先队员 66 人，已知（1）班的少先队员人数是（2）班的少先队员人数的一半，则（1）班有少先队员______人.

11. 甲、乙两个图书馆共有图书 11 万册，如果甲馆的图书增加 1 万册，乙馆的图书减少 2 万册，则两馆的图书就相等了，那么，甲馆实际上有__4__万册图书.

12. 按照下列图形的排列规律、在空格处填上合适的图形.

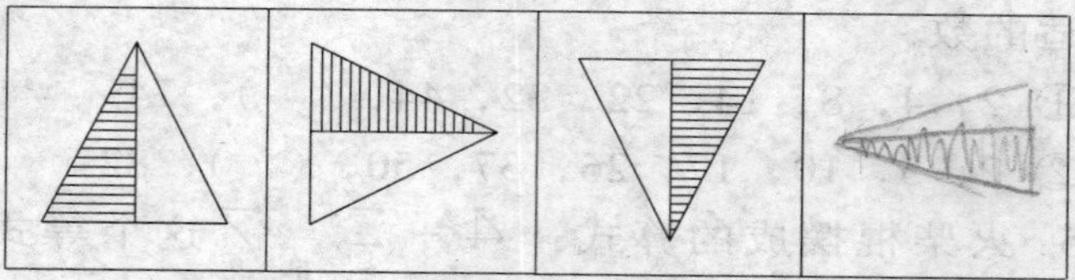

13. 200 到 600 之间有__176__个奇数具有 3 个各不相同的数字.

14. 下列竖式中的 A、B、C、D、E 分别代表 1～9 中不同的数字，求出它们使竖式成立的值. 则：

$\overline{ABCDE}=$__42857__.

$$\begin{array}{r} 1\ A\ B\ C\ D\ E \\ \times \quad\quad\quad\quad 3 \\ \hline A\ B\ C\ D\ E\ 1 \end{array}$$

15. 下图是某个城市的街道平面图，图中的横线和竖线分别表示街道，横线和竖线的交点表示道路的交叉处，小明家住在 A 处，学校在 B 处，若小明从家到学校总走最短的路，则小明共有______种不同的走法.

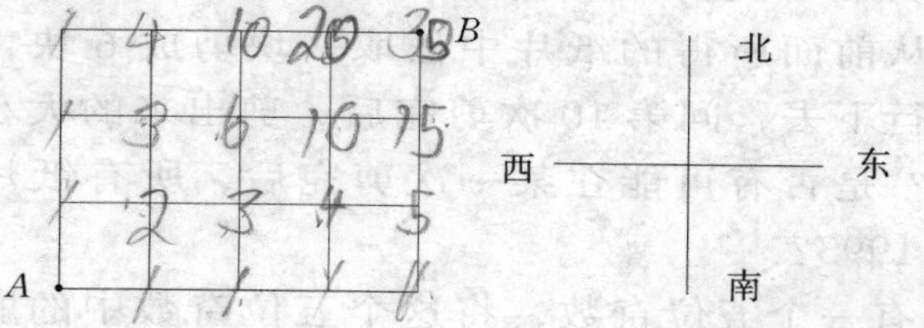

16. 下图中，任意五个相邻方格中的数字之和都相等，则在第四个方格中应填______.

1				2		3							7				0

17. 建筑工人计划修 9 条笔直的公路，并在被公路分割开的每个区域内各修一幢楼房，则最多可以修______幢楼.

18. 两个自然数之和为 350，把其中一个数的最后一位数字去掉，它就与另一个数相同，则这两个数中较大的一个数是______.

19. 某阅览室有不同的文科类图书 60 本，不同的理科类图书 100 本，如果两类图书都最多只能借一本，则共有______种不同的借法.

20. 初二（4）班的同学要分组去参加集体劳动，按 7 人一组，还剩 1 人；按 6 人一组也还剩 1 人，已知这个班的人数不超过 50 人，则这个班应有学生______人.

二、解答题

1. 五个连续自然数的和分别能被 2、3、4、5、6 整除，求满足此条件的最小的一组数.

2. 小明与同学做游戏，第一次他把一张纸剪成 6 块；第二次从第一次所得的纸片中任取一块又剪成 6 块；第三次再从前面所得的纸片中任取一块剪成 6 块，这样类似地进行下去，问第 10 次剪完后，剪出来的大小纸片共多少块？是否有可能在某一次剪完后，所有纸片的个数正好是 1993？

3. 有一个五位奇数，将这个五位奇数中的所有 2 都换成 5，所有 5 也都换成 2，其他数保持不变，得到一个新的五位数，若新五位数的一半仍比原五位数大 1，那么原五位数是多少？

习题解答

一、1. 400.

原式 $=(49+51)+(53+47)+(48+52)+(54+46)$
$=400$.

2. 1993.

原式 $=(1993+1992-1991-1990)+(1989+1988-1986)+\cdots+(5+4-3-2)+1$
$=\underbrace{4+4+\cdots+4}_{498个4}+1=1993$

3. 381.

要使两个三位数的和最小，必须要求每个三位数都尽可能小，因此，它们的百位数字分别是 1、2；十位数字分别是 3、4；个位数字分别是 5、6；则和为 381.

4. ① 58；② 65.

数列①的规律是：$a_n=a_{n-1}+2\times(n-1)$，因此，空格处填 $a_8=44+2\times7=58$；

数列②的规律是 $a_n=n\times n+1$，因此，空格处填 $a_8=8\times8+1=65$.

5. 4－2＝2

6. 4.

7. 5.

最大的 S 为 $7+6=13$，最小的 S 为 $3+2=5$，且因为 (A)组为 3 个连续奇数，(B)组为 3 个连续偶数. 所以，513 之间的每个奇数都可被 S 取到，因此共有 5 个不同的 S 值.

8. 3.

要求乘积的个位数字，只要求各个因数的个位数字的乘积即可. 三个连续奇数的个位数只可能是 1、3、5；或 3、5、7；或 5、7、9；或 7、9、1；或 9、1、3. 因此个位数最小为 3.

9. 178.

原式 $=1\underbrace{00\cdots0}_{20个0}-12=\underbrace{99\cdots9}_{18个9}88$，因此，各位数字之和为 $9\times18+8\times2=178$.

10. 22.

$66\div(2+1)=22$（人）.

11. 4.

实际上甲馆比乙馆少 3 万册图书，因此甲馆有图书

$(11-3)\div 2=4$（万册）.

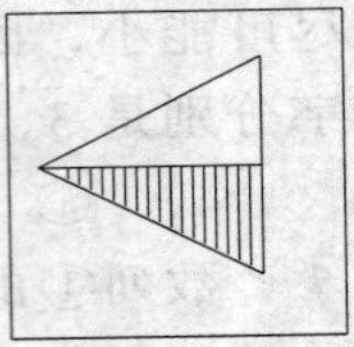

12. 图形的排列规律是：每个图形都是由它前面的一个图形顺时针旋转 90° 而得到的.

13. 144.

若个位数字为 1，则百位数字可从 2、3、4、5，中任选一个，共四种选法，对应于百位数字的每种选法，十位数字只要不同于个位数字和百位数字即可. 因此有 8 种选法；这样的三位数有 $4\times 8=32$ 个；若个位数字为 9 或 7 时，同上，考虑可知满足条件的三位数也都是 $4\times 8=32$ 个；若个位数字为 3 时，百位数字只有 3 种选法；2、4，或 5，对应于百位数字的每种选法，十位数字都有 8 种选法，则这种情况下满足条件的三位数有 $3\times 8=24$ 个；若个位数字为 5 时，同样也有满足条件的三位数共 24 个. 因此，所有满足题目条件的三位数的个数为 $32\times 3+24\times 2=144$ 个.

14. 42857.

从竖式的最后一位看起，可知 $E=7$，依次可得 $D=5$，$C=8$，$B=2$，$A=4$.

15. 35.

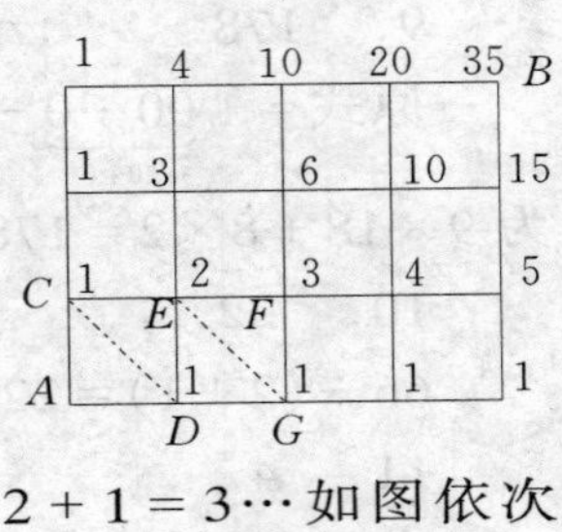

走最短的路，要求小明只能向东或向北走，从图可知：小明从 A 到 C，到 D 都只有一种选法. 因此，小明到 E 的走法数就等于小明到 D 的走法数加上到 C 的走法数，即 $1+1=2$；到 F 的走法数就等于到 E 的走法数加上到 G 的走法数，即 $2+1=3\cdots$ 如图依次

类推，可知到 B 的走法有 35 种.

16．7.

因为任意 5 个相邻方格中的数字之和都相等，所以方格中的数字每 5 个方格为一个循环，即第 6 个、第 11 个、第 16 个方格中的数都等于第 1 个方格中的数；第 4 个方格中的数就等于第 9 个、第 14 个方格中的数，应为 7.

17．46.

在九条公路把平面分成的每个部分里，依题意只可建一幢宿舍楼，因此，这实际上是九条直线最多把平面分成多少部分的问题．因为一条直线把平面分成 2 部分，两条直线最多把平面分面 $2+2=4$ 部分，三条直线最多把平面分为 $2+2+3=7$ 部分…九条直线最多把平面分成的部分数等于 $2+2+3+4+5+6+7+8+9=46$，所以最多可建 46 幢宿舍楼.

18．319.

设较大的数为 $\overline{abc}$，则较小的数为 $\overline{ab}$，所以 $\overline{abc}+\overline{ab}=100a+10b+c+10a+b=110a+11b+c$，又因为 $\overline{abc}+\overline{ab}=350$，所以 $110a+11b+c=350$，由 $11\mid(110a+11b)$ 可知：$11\mid(350-c)$，所以 $c=9$，则 $10a+b=31$，所以 $b=1$，$a=3$，则较大的数为 319.

19．6160.

只借文科类图书，有 60 种借法；只借理科类图书，有 100 种借法；若两类都借，则有 $60\times100=6000$ 种借法，因此共有 $6000+100+60=6160$（种）不同的借法.

20．43.

因为学生的人数除以 6 和除以 7 都余 1，所以，这个数减去 1 后一定既是 6 的倍数，也是 7 的倍数，即它一定是 42 的倍数加 1，又因为这个数小于 50，所以只能为 43.

二、

1. 解：能被 2、3、4、5、6 整除的最小自然数为 60，因此，题中 5 个连续自然数的和一定是 60 的倍数，又因为 60 可以写成 $10+11+12+13+14$，所以满足条件的最小的一组数为：10、11、12、13、14.

2. 解：第一次剪完后，纸片块数为 $6=1+5$，第二次剪完后，纸片块数为 $11=1+5\times2$，第三次剪完后，纸片块数为 $16=1+5\times3\cdots$因此，第十次剪完后，纸片块数为 $1+5\times10=51$. 同时，观察上面的几个数字 6、11、16…51 可知，它们除以 5 都余 1，而 $1993\div5=398\cdots3$. 因此，不可能在某一次剪完后，所有纸片的块数正好是 1993.

3. 解：首先，原数的万位数字显然是 2，新数的万位数字则只能是 5；其次原数的千位数字必大于 4（否则乘 2 后不进位），但百位数字乘 2 后至多进 1 到千位，这样千位数字只能为 9，依次类推得到原数的前四位数字为 2、9、9、9. 又个位数字只能为 1、3、5、7、9，经检验，原数的个位数字为 5，于是得出所求的原五位奇数为 29995.

下册

第1讲 从数表中找规律

在前面学习了数列找规律的基础上，这一讲将从数表的角度出发，继续研究数列的规律性.

【例 1】 下图是按一定的规律排列的数学三角形，请你按规律填上空缺的数字.

1
2 4
3 6 9
4 8 12 16
5 10 15 ( ) 25
6 12 18 ( ) 30 36

分析与解答 这个数字三角形的每一行都是等差数列（第一行除外），因此，第 5 行中的括号内填 20，第 6 行中的括号内填 24.

【例 2】 用数字摆成下面的三角形，请你仔细观察后回答下面的问题：

1
1 1
1 2 1
1 3 3 1
1 4 6 4 1
…

① 这个三角阵的排列有何规律？

② 根据找出的规律写出三角阵的第 6 行、第 7 行.

③ 推断第 20 行的各数之和是多少？

分析与解答 ① 首先可以看出，这个三角阵的两边全由 1 组成；其次，这个三角阵中，第一行由 1 个数组成，第 2 行有两个数…第几行就由几个数组成；最后，也是最重要的一点是：三角阵中的每一个数（两边上的数 1 除外），都等于上一行中与它相邻的两数之和．如：$2=1+1$，$3=2+1$，$4=3+1$，$6=3+3$.

② 根据由①得出的规律，可以发现，这个三角阵中第 6 行的数为 1，5，10，10，5，1；第 7 行的数为 1，6，15，20，15，6，1.

③ 要求第 20 行的各数之和，我们不妨先来看看开始的几行数.

第1行	$1=1$	
第2行	$1+1=2^1$	行数－1
第3行	$1+2+1=2^2$	
第4行	$1+3+3+1=2^3$	
第5行	$1+4+6+4+1=2^4$	
第6行	$1+5+10+10+5+1=2^5$	

至此，我们可以推断，第 20 行各数之和为 2^{19}.

注：其中，2^n 表示 n 个 2 相乘，即 $\underbrace{2\times2\times\cdots\times2}_{n\text{个}2}$，其中 n 为自然数.

〔本题中的数表就是著名的杨辉三角，这个数表在组合论中将得到广泛的应用〕

【例 3】 将自然数中的偶数 2，4，6，8，10…按下表排成5列，问2000出现在哪一列？

A	B	C	D	E
	2	4	6	8
16	14	12	10	
	18	20	22	24
32	30	28	26	
	34	36	38	40
48	46	44	42	
	50 …			

分析与解答　方法1：考虑到数表中的数呈 S 形排列，我们不妨把每两行分为一组，每组8个数，则按照组中数字从小到大的顺序，它们所在的列分别为 B、C、D、E、D、C、B、A. 因此，我们只要考察2000是第几组中的第几个数就可以了，因为2000是自然数中的第1000个偶数，而 $1000\div8=125$，即2000是第125组中的最后一个数，所以，2000位于数表中的第250行的 A 列.

方法2：仔细观察数表，可以发现：A 列中的数都是16的倍数，B 列中数除以16余2或者14，C 列中的数除以16余4或12，D 列的数除以16余6或10，E 列中的数除以16余8. 这就是说，数表中数的排列与除以16所得的余数有关，我们只要考察2000除以16所得的余数就可以了，因为 $2000\div16=125$，所以2000位于 A 列.

学习的目的不仅仅是为了会做一道题，而是要学会思考问题的方法. 一道题做完了，我们还应该仔细思考一下，哪种方法更简洁，题目主要考察的问题是什么…这样学习才能举一反三，不断进步.

就例3而言，如果把偶数改为奇数，2000改为1993，其他条件不变，你能很快得到结果吗？

【例 4】　按图所示的顺序数数，问当数到 1500 时，应数到第几列？1993 呢？

①	②	③	④	⑤
1	2	3	4	5
9	8	7	6	
	10	11	12	13
17	16	15	14	
	18	19	20	21
25	24	23	22	
	26	27	28	29
33	32	31	30	
	34	…		

分析与解答　方法 1：同例 3 的考虑，把数表中的每两行分为一组，则第一组有 9 个数，其余各组都只有 8 个数.

$(1500-9)\div 8=186\cdots 3$

$(1993-9)\div 8=248$

所以，1500 位于第 188 组的第 3 个数，1993 位于第 249 组的最后一个数，即 1500 位于第④列，1993 位于第①列.

方法 2：考虑除以 8 所得的余数. 第①列除以 8 余 1，第②列除以 8 余 2 或是 8 的倍数，第③列除以 8 余 3 或 7，第④列除以 8 余 4 或 6，第⑤列除以 8 余 5；而 $1500\div 8=187\cdots 4$，$1993\div 8=249\cdots 1$，则 1993 位于第①列，1500 位于第④列.

【例 5】　从 1 开始的自然数按下图所示的规则排列，并用一个平行四边形框出九个数，能否使这九个数的和等于①1993；②1143；③1989. 若能办到，请写出平行四边形框内的最大数和最小数；若不能办到，说明理由.

1	2	3	4	5	6	7	8
9	10	11	12	13	14	15	16
17	18	19	20	21	22	23	24
25	26	27	28	29	30	31	32
33	34	35	36	37	38	39	40

…

分析与解答　我们先来看这九个数的和有什么规律. 仔细观察,容易发现:12 + 28 = 2 × 20,13 + 27 = 2 × 20,14 + 26 = 2 × 20,19 + 21 = 2 × 20,即:20 是框中九个数的平均数. 因此,框中九个数的和等于 20 与 9 的乘积. 事实上,由于数表排列的规律性,对于任意由这样的平行四边形框出的九个数来说,都有这样的规律,即这九个数的和等于平行四边形正中间的数乘以 9.

① 因为 1993 不是 9 的倍数，所以不可能找到这样的平行四边形，使其中九个数的和等于 1993.

② 1143 ÷ 9 = 127，127 ÷ 8 = 15…7. 这就是说，如果 1143 是符合条件的九个数的和，则正中间的数一定是 127，而 127 位于数表中从右边数的第 2 列. 但从题中的图容易看出，平行四边形正中间的数不能位于第 1 行，也不能位于从左数的第 1 列、第 2 列、第 7 列和第 8 列，因此，不可能构成以 127 为中心的平行四边形.

③ 1989 ÷ 9 = 221，221 ÷ 8 = 27…5，即 1989 是 9 的倍数，且数 221 位于数表中从左起的第 5 列，故可以找到九个数之和为 1989 的平行四边形，如图：

213	214	215
220	221	222
227	228	229

其中最大的数是 229，最小的数是 213.

习　题　一

1．观察下面已给出的数表，并按规律填空：

1

3　5

7　9　11

13　15　17　19

21　23　（ ）　27　29

31　33　35　（ ）　39　41

2．下面一张数表里数的排列存在着某种规律，请你找出规律之后，按照规律填空．

2	5	6	7	11
8	10	（ ）	4	18
6	10	12	9	20

3．下图是自然数列排成的数表，按照这个规律，1993 在哪一列？

A	*B*	*C*	*D*	*E*	*F*
	1		2		3
6		5		4	
	7		8		9
12		11		10	
	13		14		15
18		17		16	
	19 …				

4．从 1 开始的自然数如下排列，则第 2 行中的第 7 个数是多少？

1	2	6	7	15	16	…
3	5	8	14	17	…	
4	9	13	18	…		
10	12	…				
11	…					
…						

习题一解答

1．第 5 行的括号中填 25；第 6 行的括号中填 37.

2．这个数表的规律是：第二行的数等于相应的第三行的数与第一行的数的差的 2 倍．即：$8=2\times(6-2)$，$10=2\times(10-5)$，$4=2\times(9-7)$，$18=2\times(20-11)$．因此，括号内填 12.

3．　1993 应排在 B 列.

4．参看下表：

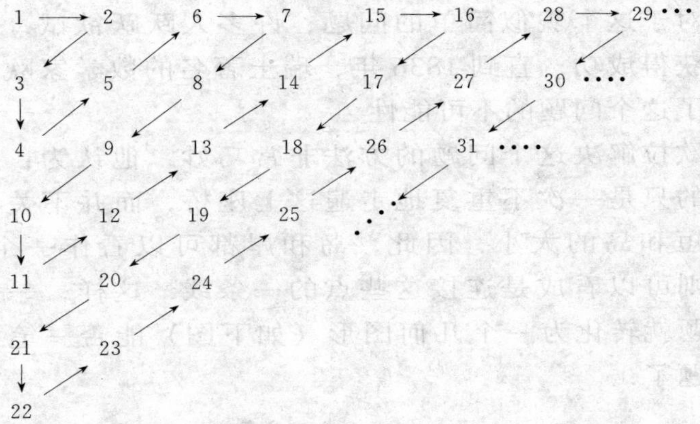

第 2 行的第 7 个数为 30.

第2讲 从哥尼斯堡七桥问题谈起

故事发生在18世纪的哥尼斯堡城．流经那里的一条河中有两个小岛，还有七座桥把这两个小岛与河岸联系起来，那里风景优美，游人众多．在这美丽的地方，人们议论着一个有趣的问题：一个游人怎样才能不重复地一次走遍七座桥，最后又回到出发点呢？

对于这个貌似简单的问题，许多人跃跃欲试，但都没有获得成功．直到1836年，瑞士著名的数学家欧拉才证明了这个问题的不可能性．

欧拉解决这个问题的方法非常巧妙．他认为：人们关心的只是一次不重复地走遍这七座桥，而并不关心桥的长短和岛的大小，因此，岛和岸都可以看作一个点，而桥则可以看成是连接这些点的一条线．这样，一个实际问题就转化为一个几何图形（如下图）能否一笔画出的问题了．

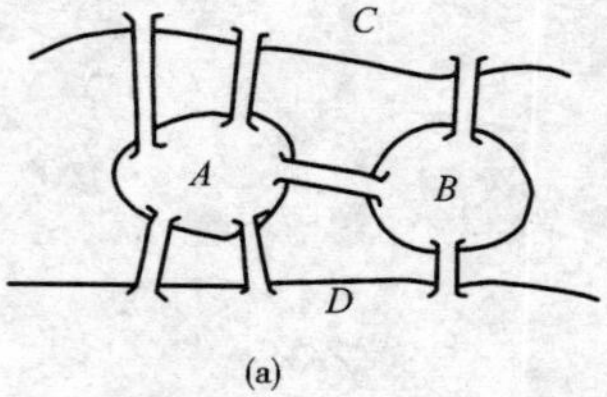

(a)

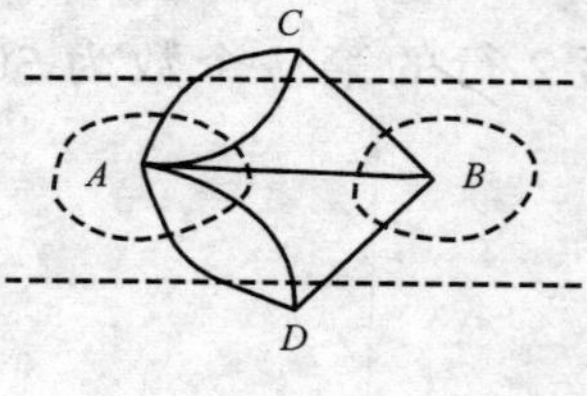

(b)

那么，什么叫一笔画？什么样的图可以一笔画出？欧拉又是如何彻底证明七桥问题的不可能性呢？下面，我们就来介绍这一方面的简单知识．

数学中，我们把由有限个点和连接这些点的线（线段或弧）所组成的图形叫做图（如图（a））；图中的点叫做图的结点；连接两结点的线叫做图的边．如图（b）中，有三个结点：E、F、G，四条边：线段 EG、FG 以及连接 E、F 的两段弧．从图（a）、（b）中可以看出，任意两点之间都有一条通路（即可以从其中一点出发，沿着图的边走到另一点，如 A 到 I 的通路为 $A\to H\to I$ 或 $A\to D\to I\cdots$），这样的图，我们称为连通图；而下图中（c）的一些结点之间却不存在通路（如 M 与 N），像这样的图就不是连通图．

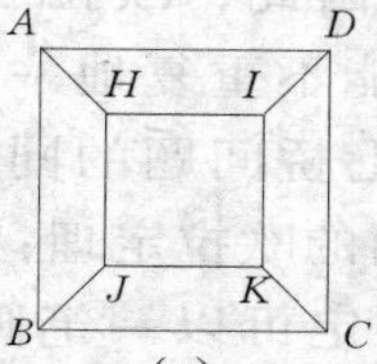

(a)

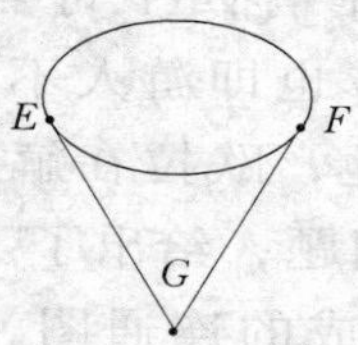

(b)

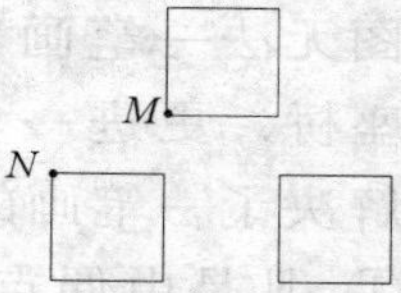

(c)

所谓图的一笔画，指的就是：从图的一点出发，笔不离纸，遍历每条边恰好一次，即每条边都只画一次，不准重复．从上图中容易看出：能一笔画出的图首先必须是连通图．但是否所有的连通图都可以一笔画出呢？下面，我们就来探求解决这个问题的方法．

为了叙述的方便，我们把与奇数条边相连的结点叫做奇点，把与偶数条边相连的点称为偶点．如上图（a）中的八个结点全是奇点，上图（b）中 E、F 为奇点，G 为偶点．

容易知道，上图（b）可以一笔画出，即从奇点 E 出

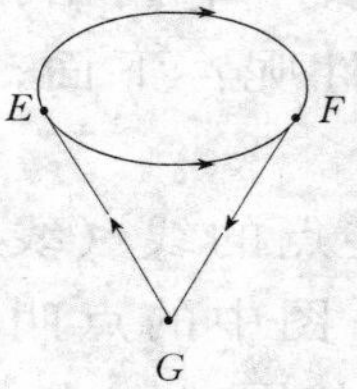

发，沿箭头所指方向，经过 F、G、E，最后到达奇点 F；同理，从奇点 F 出发也可以一笔画出，最后到达奇点 E．而从偶点 G 出发，却不能一笔画出．这是为什么呢？

事实上，这并不是偶然现象．假定某个图可以一笔画成，且它的结点 X 既不是起点，也不是终点，而是中间点，那么 X 一定是一个偶点．这是因为无论何时通过一条边到达 X，由于不能重复，必须从另一条边离开 X．这样与 X 连结的边一定成对出现，所以 X 必为偶点，也就是说：奇点在一笔画中只能作为起或终点．由此可以看出，在一个可以一笔画出的图中，奇点的个数最多只有两个．

在七桥问题的图中有四个奇点，因此，欧拉断言：这个图无法一笔画出，也即游人不可能不重复地一次走遍七座桥．更进一步地，欧拉在解决七桥问题的同时彻底地解决了一笔画的问题，给出了下面的欧拉定理：

① 凡是由偶点组成的连通图，一定可以一笔画成；画时可以任一偶点为起点，最后一定能以这个点为终点画完此图．

② 凡是只有两个奇点（其余均为偶点）的连通图，一定可以一笔画完；画时必须以一个奇点为起点，另一个奇点为终点．

③ 其他情况的图，都不能一笔画出．

下面我们就来研究一笔画问题的具体应用：

【例 1】 观察下面的图形，说明哪些图可以一笔画完，哪些不能，为什么？对于可以一笔画的图形，指明画法．

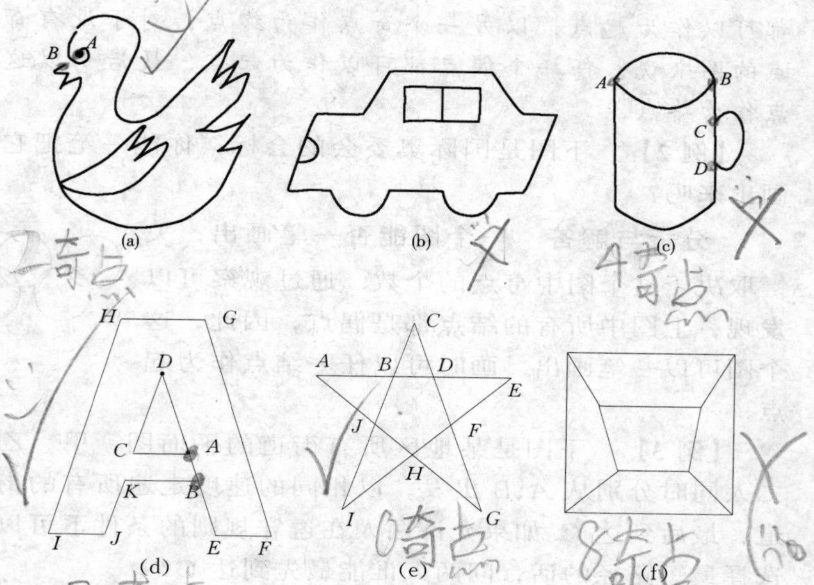

分析与解答　(a)图：可以一笔画，因为只有两个奇点 A、B；画法为 $A\to$头部$\to$翅膀$\to$尾部$\to$翅膀$\to$嘴.

(b)图：不能一笔画，因为此图不是连通图.

(c)图：不能一笔画，因图中有四个奇点：A、B、C、D.

(d)图：可以一笔画，因为只有两个奇点；画法为：$A\to C\to D\to A\to B\to E\to F\to G\to H\to I\to J\to K\to B$.

(e)图：可以一笔画，因为没有奇点；画法可以是：$A\to B\to C\to D\to E\to F\to G\to H\to I\to J\to B\to D\to F\to H\to J\to A$.

(f)图：不能一笔画出，因为图中有八个奇点.

注意：在上面能够一笔画出的图中，画法并不是惟一的．事实上，对于有两个奇点的图来说，任一个奇点都可以作为起点，以另一个奇点作为终点；对于没有奇点的图来说，任一个偶点都可以作为起点，最后仍以这点作为终点.

【例 2】 下图是国际奥委会的会标，你能一笔把它画出来吗？

分析与解答 一个图能否一笔画出，关键取决于这个图中奇点的个数. 通过观察可以发现，上图中所有的结点都是偶点，因此，这个图可以一笔画出. 画时可以任一结点作为起点.

【例 3】 下图是某地区所有街道的平面图. 甲、乙二人同时分别从 A、B 出发，以相同的速度走遍所有的街道，最后到达 C. 如果允许两人在遵守规则的条件下可以选择最短路径的话，问两人谁能最先到达 C？

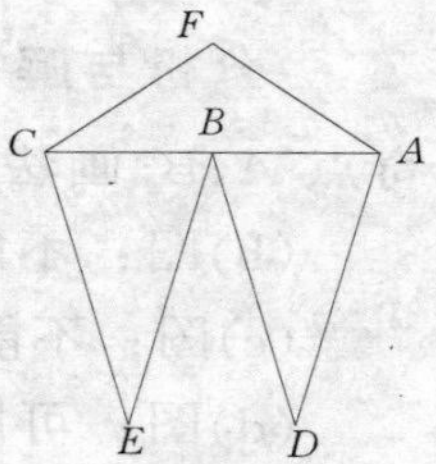

分析与解答 本题要求二人都必须走遍所有的街道最后到达 C，而且两人的速度相同. 因此，谁走的路程少，谁便可以先到达 C. 容易知道，在题目的要求下，每个人所走的路程都至少是所有街道路程的总和. 仔细观察上图，可以发现图中有两个奇点：A 和 C. 这就是说，此图可以以 A、C 两点分别作为起点和终点而一笔画成. 也就是说，甲可以从 A 出发，不重复地走遍所有的街道，最后到达 C；而从 B 出发的乙则不行. 因此，甲所走的路程正好等于所有街道路程的总和，而乙所走的路程则必定大于这个总和，这样甲先到达 C.

【例 4】 下图是某展览厅的平面图，它由五个展室组成，任两展室之间都有门相通，整个展览厅还有一个进口和一个出口，问游人能否一次不重复地穿过所有的门，并且从入口进，从出口出？

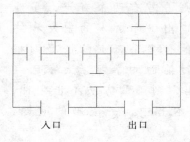

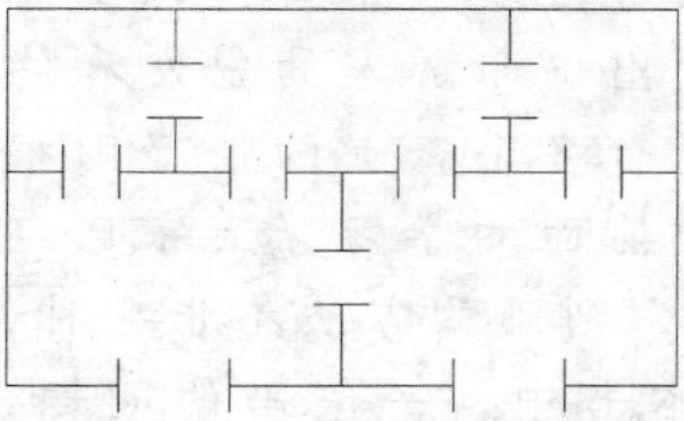

分析与解答　这种应用题，表面看起来不易解决，事实上，只要认真分析，就可以发现：我们并不关心展室的大小以及路程的远近，关心的只是能否一次不重复地走遍所有的门，与七桥问题较为类似．因此，仿照七桥问题的解法，我们可以把每个展室看作一个结点，整个展厅的外部也看作一个点，两室之间有门相通，可以看作两点之间有边相连．这样，展厅的平面图就转化成了我们数学中的图，一个实际问题也就转化为这个图（如下图）能否一笔画成的问题了，即能否从A出发，一笔画完此图，最后再回到A．

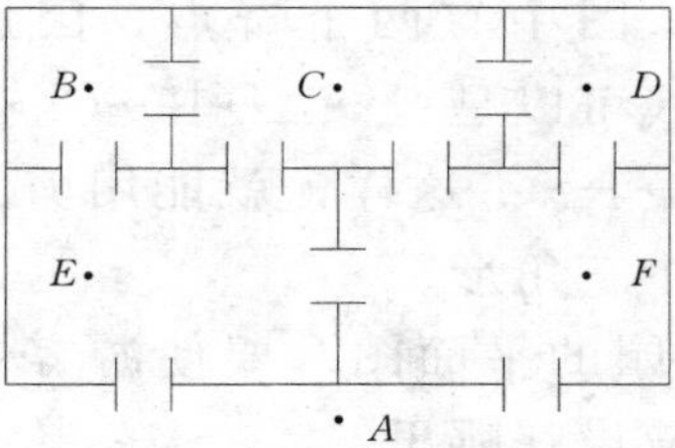

(a)

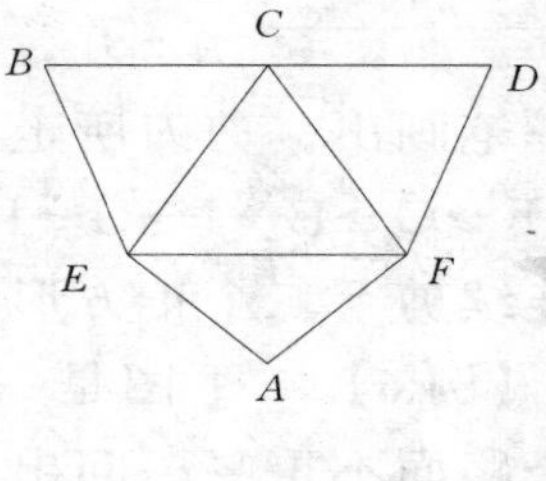

(b)

图（b）中，所有的结点都是偶点，因此，一定可以以A作为起点和终点而一笔画完此图．也即游人可以从入口进，一次不重复地穿过所有的门，最后从出口出来．

下面仅给出一种参观路线：

A→E→B→C→E→F→C→D→F→A.

注意：本题中，必须以A分别作为起点和终点. 这就要求图中必须没有奇点，否则，若有两个奇点，虽能一笔画出，但与从入口入、出口出（即游人的出发和终止点都在展厅外）有矛盾，其他有多个奇点的情况则根本不可能一笔画出. 另外，通过前面的学习，大家已经知道：一个图如果能够一笔画出，则画的方法不止一种，但各种方法大同小异. 因此，本书中，一笔画的问题，一般我们只给出一种画法.

【例5】 一张纸上画有如下图所示的图，你能否用剪刀一次连续剪下图中的三个正方形和两个三角形？

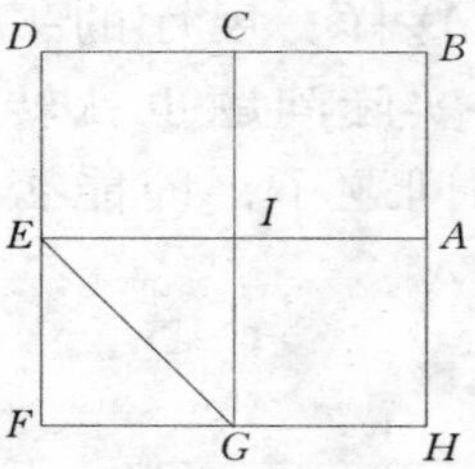

分析与解答 一次连续剪下图中的三个正方形和两个三角形，必须要求剪刀连续剪过图中所有的线. 即上述问题实质上是这个图能否一笔画出的问题.

显然，图中有两个奇点，因此可以一笔画出，剪刀所走的路线可以是：→A→B→C→D→E→F→G→E→I→G→H→A→I→C. 这样，就能用剪刀一次连续剪下三个正方形和两个三角形.

【例6】 下图是一个公园的平面图. 要使游客走遍每条路而不重复，问出入口应设在哪里？

分析与解答 本题实际上是这个图以哪两点为起点和终点一笔画出的问题. 观察左图，可以发现仅有两个奇点：H与B点. 因此，出入口应分别设在H点与B点.

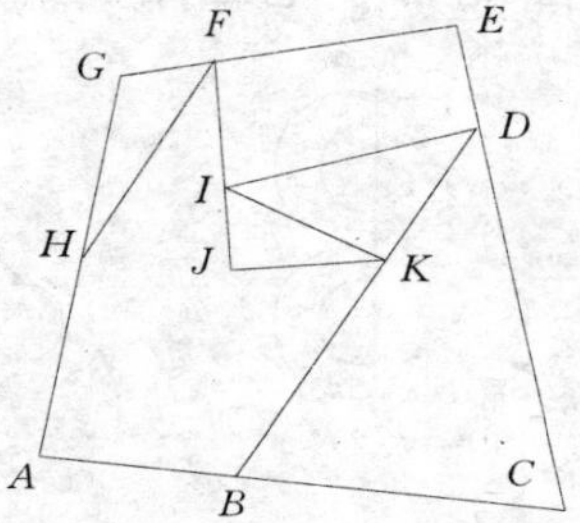

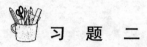

习　题　二

1. 请将图中的小黑点按 1, 2, 3, 4, 5…的顺序，用线连接起来，看看是什么？

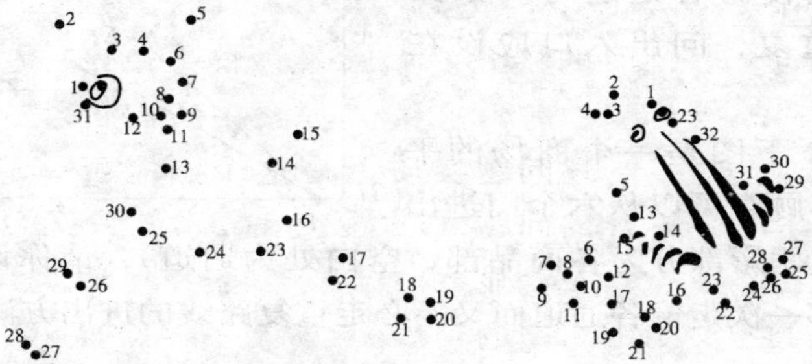

2. 请一笔画出下列各图.

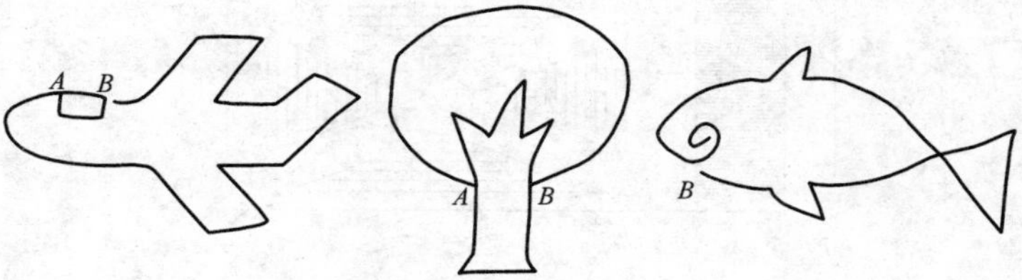

(1)　　(2)　　(3)

3. 判断下列各图能否一笔画出，并说明理由.

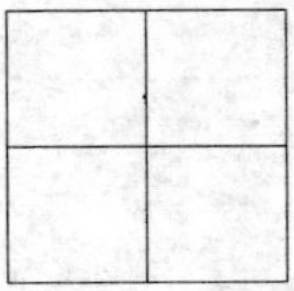
(1)

(2)

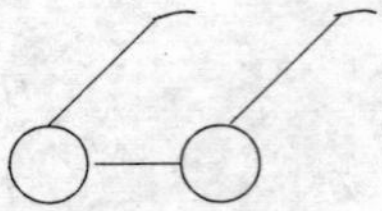
(3)

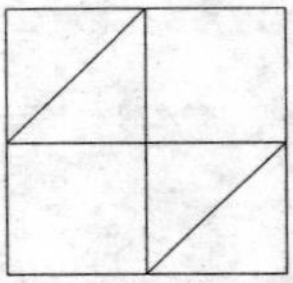
(4)

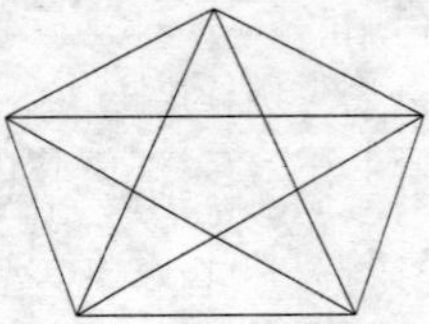
(5)

4. 下图是一公园的平面图，要使游客走遍每一条路且不重复，问出入口应设在哪里？

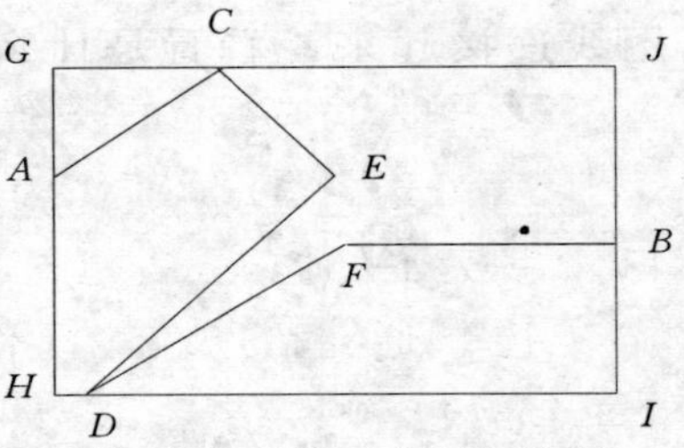

5. 下图是一个商场的平面图，顾客可以从六个门进出商场（阴影部分为各商品部，空白处为通道），请你设计一种能够一次走遍各通道而又不必走重复路线的进出方法.

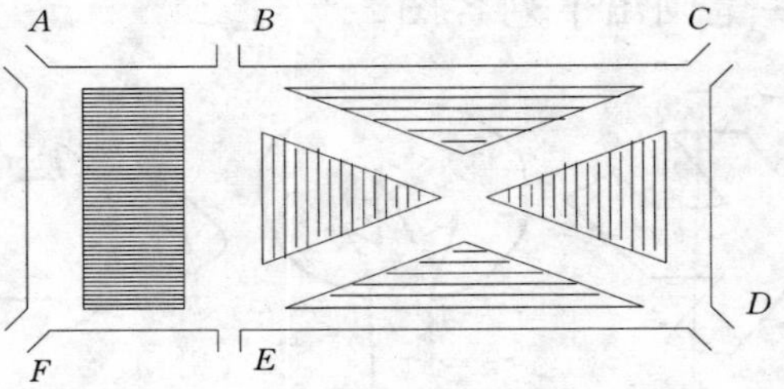

习题二解答

1. 左图是鹿，右图是青蛙.

2. 图（1）（2）都可从 A 开始，最后到 B,或从 B 开始画，最后到 A. 图(3)则可以从眼睛开始，沿线画至点 B.

3. 前面图中，(1)(2)(3) 均不能一笔画出，这是因为：图（1）中有四个奇点，

图（2）有四个奇点，

图（3）有六个奇点.

图（4）和图（5）均可一笔画出，这是因为图（4）和图（5）都没有奇点. 画时可以从任一点开始.

4. 出入口应分别设在两个奇点处，即 A、B 处.

5. 可选 C、D 分别作为入口和出口. 事实上，本题是把每条通道看作是边，通道的交点看作是结点(每个门也作为结点)，于是问题就转化为右图能否一笔画出的问题. 显然以 D、C 分别作为起点和终点可一笔画完此图. 如右图，顾客的行进路线可以是：D→C→O→E→F→A→B→E→D→O→B→C.

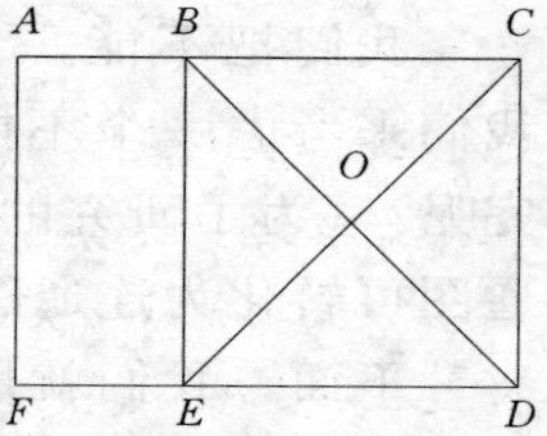

第3讲 多笔画及应用问题

上一讲中，我们主要研究了利用奇偶点来判别一笔画，学习了利用一笔画来研究一些简单的实际问题．然而，实际生活中，许多问题的图并不能一笔画出，也就是说，一笔画理论不能直接用来解决这些问题．因此，在一笔画的基础上，我们有必要对这一类的问题作一些深入研究．

一、多笔画

我们把不能一笔画成的图，归纳为多笔画．首先，我们来考虑一个不能一笔画成的图，至少用几笔才能画完呢？（为了研究的方便，我们仍然只研究连通图，非连通图可转化为连通图．）

下面，我们就用简单熟悉的图来研究这个问题．通过前面的学习我们已经知道：当奇点个数不是0或2时，图不能一笔画出．因此，我们可以猜想：奇点个数是研究多笔画问题的关键．

观察下面的图形，并列出奇点的个数与笔画数（至少几笔画完此图）的关系表格．

为了表示得清楚一些，我们把图中第一笔画出的部分用实线表示，第二笔画出的部分用虚线表示，第三笔画出的部分用点线表示，其余部分请大家自己画出．

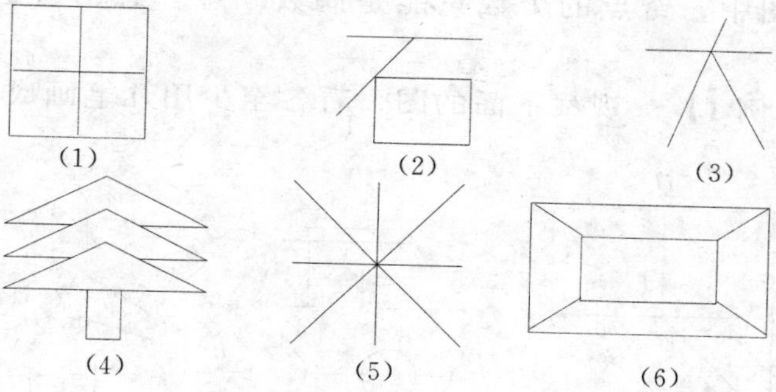

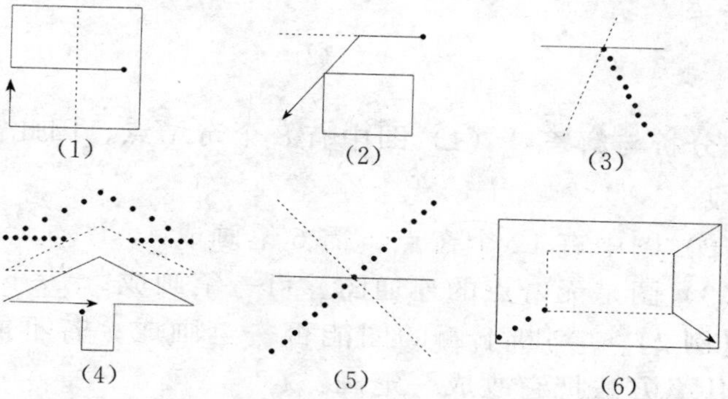

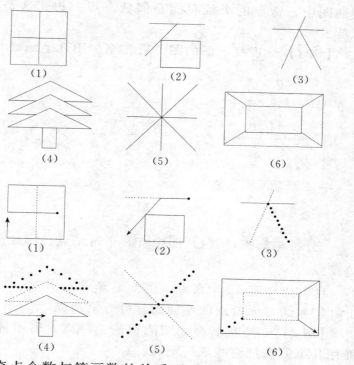

奇点个数与笔画数的关系可列表如下：

图	(1)	(2)	(3)	(4)	(5)	(6)
奇点数	4	4	6	6	8	8
笔画数	2	2	3	3	4	4

容易看出，笔画数恰等于奇点个数的一半．事实上，对于任意的连通图来说，如果有 $2n$ 个奇点（n 为自然数），那么这个图一定可以用 n 笔画成．公式如下：

奇点数 ÷ 2 = 笔画数，　　即 $2n \div 2 = n$.

细心的同学可能会问：$2n$ 是表示一个偶数，但假若有奇数个奇点怎么办？实际上，这种情况不可能出现，连通图中，奇点的个数只能是偶数．想一想，这是为什么呢？

【例 1】 观察下面的图，看各至少用几笔画成？

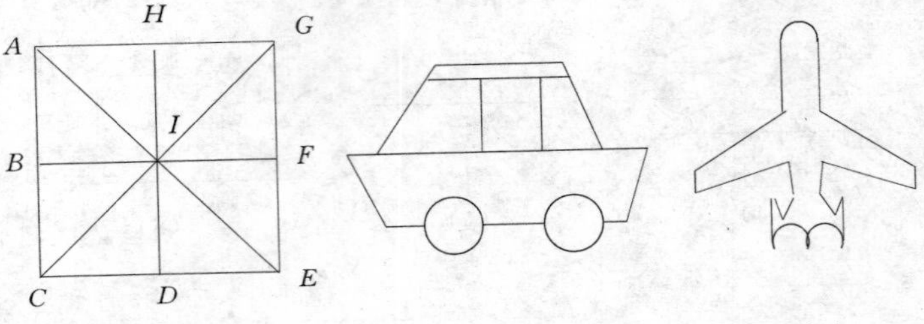

（1）　　（2）　　（3）

分析与解答 （1）图中有 8 个奇结点，因此需用 4 笔画成．

（2）图中有 12 个奇点，需 6 笔画成．

（3）图是无奇点的连通图，可一笔画成．

【例 2】 判断下面的图能否一笔画成；若不能，你能用什么方法把它改成一笔画？

分析与解答 图中共有 4 个奇点，因此，显然无法一笔画成．要想改为一笔画，关键在于减少奇点的数目（把奇点的个数减少到 0 或 2），具体方法有两种：

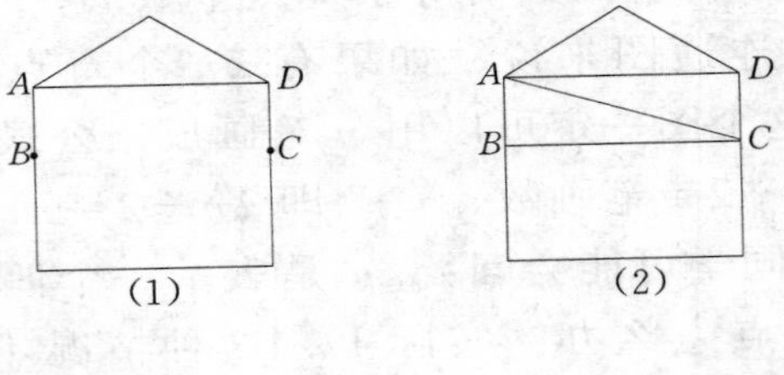

（1）　　（2）

① 去边．即将多余的两奇点间的边去掉．这种方法只适用于多余的两奇点间有边相连的情况，如对下图就不适用．

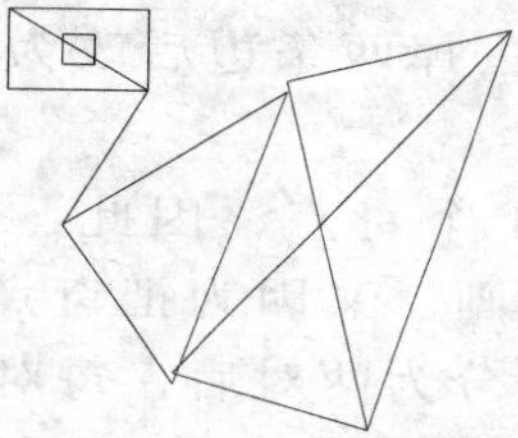

本题中，可去掉连结奇点 B、C 的边 BC.

② 添边．即在多余的两奇点间添上一条边．本题中，可以在奇点 A、C 间添上边 AC. 添边的方法适用于任意多笔画的图．

改为一笔画时，具体实现的方案很多，如本题中，我们可以通过上述两种方法把奇点个数减少到 0.

小结：对于有 $2n$(n 为大于 1 的自然数）个奇点的连通图来说，改为一笔画的方法一般是：在多余的 $n-1$ (或 n) 对奇点间，各添上一条边；如果这 $n-1$ 对（或 n 对）奇点间都有边相连，也可以在这 $n-1$(或 n) 对间各去掉一条边．

【例 3】　将下图改为一笔画．

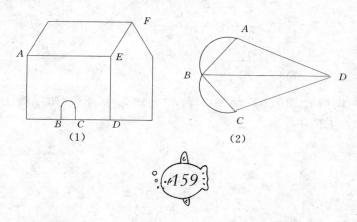

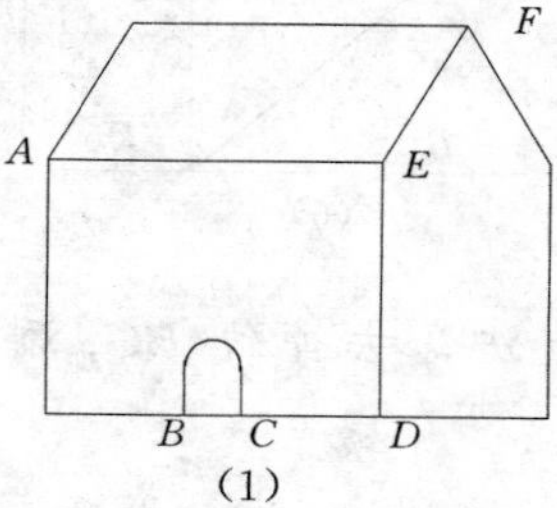

(1)

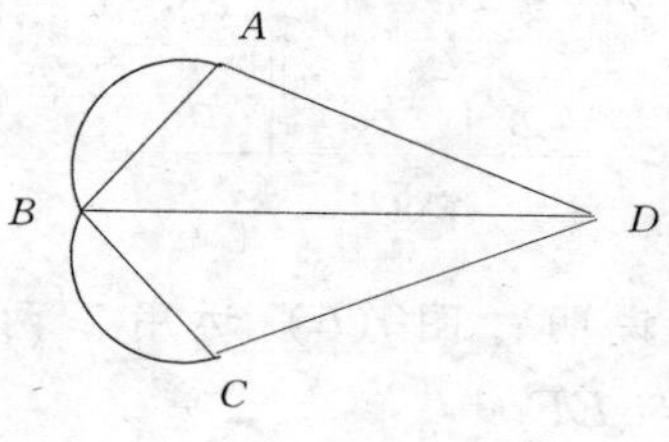

(2)

分析与解答 图（1）中有 6 个奇点，因此可添上两条（或 3 条）边后可改为一笔画；又因为这个图中，把这 6 个奇点任意分为 3 对后，最多只有两对奇点间有边相连，因此，可去掉两条边后改为一笔画，举例如图（3）～（6）.

图（2）中有 4 个奇点，因此，可添上 2 条（或 1 条）边后改为一笔画；又因为把奇点按 A 与 B, C 与 D（或 A 与 D, B 与 C）分为两对后，每对间均有边相连，因此，可去掉两条（或 1 条）边后改为一笔画. 举例如图（7）～（8）.

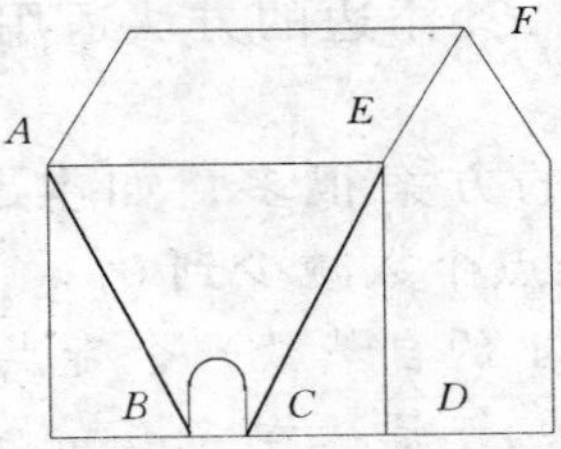

（3）

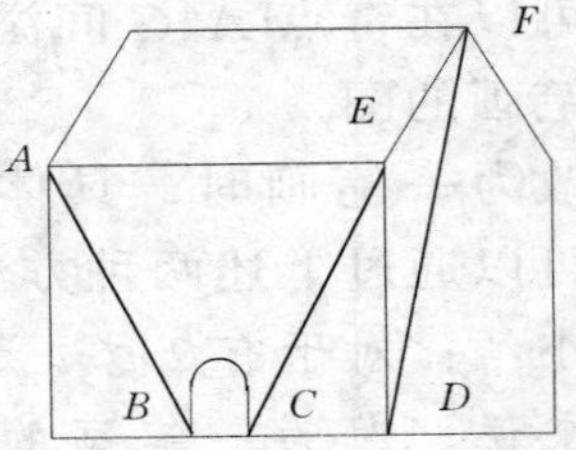

（4）

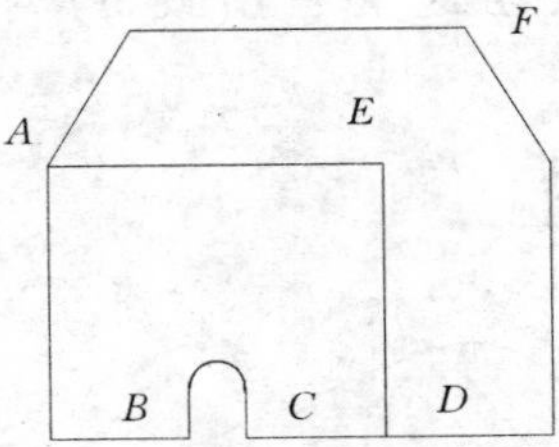

（5）

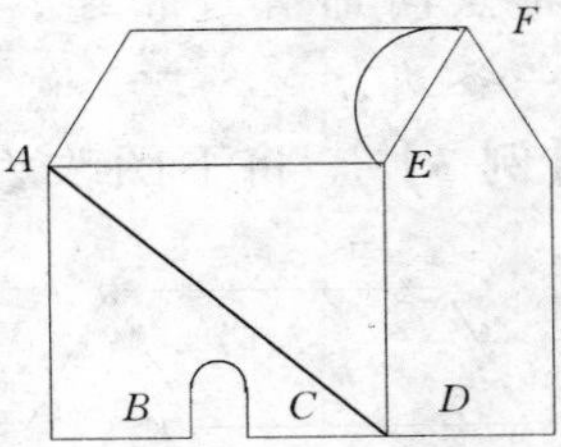

（6）

说明：图（6）运用了两种方法，去掉边 BC，添上边 AD 与 EF.

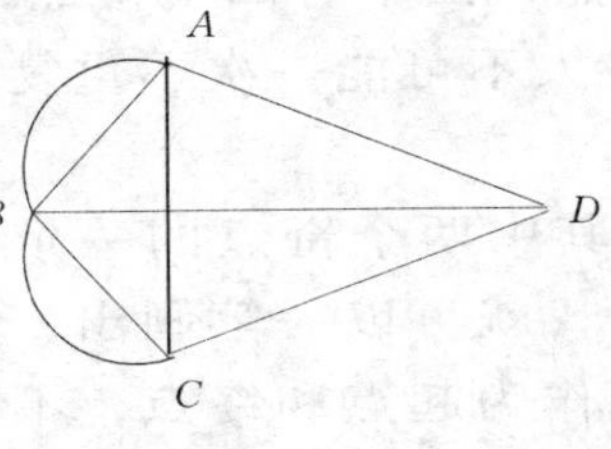

(7)

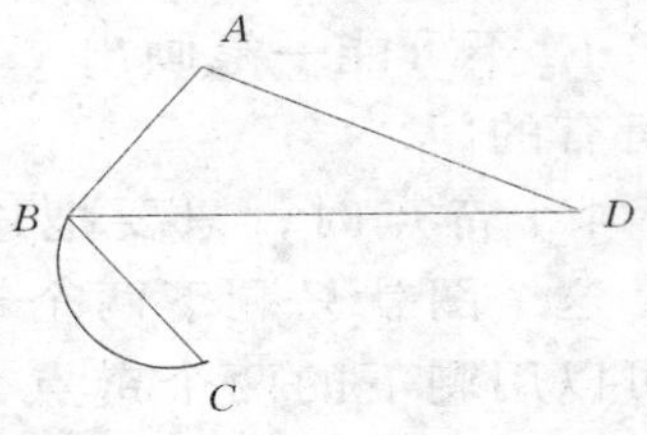

(8)

二、应用问题

在学习了一笔画与多笔画的理论以后，我们来看看这些理论在实际问题中的应用.

【例 4】　下图是某少年宫的平面图，共有五个大厅，相邻两厅之间都有门相通（D 与 E 两厅除外），并且有一个入口和一个出口. 问游人能否从入口入，一次不重复地穿过所有的门？如果可以，请指明穿行路线；如果不能，请你想一想，关闭哪扇门后就可以办到？

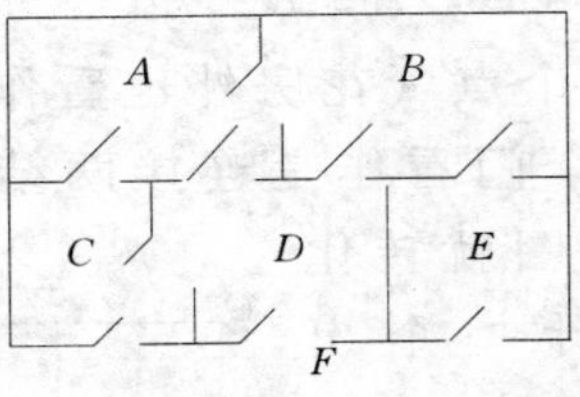

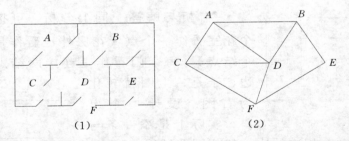

(1)

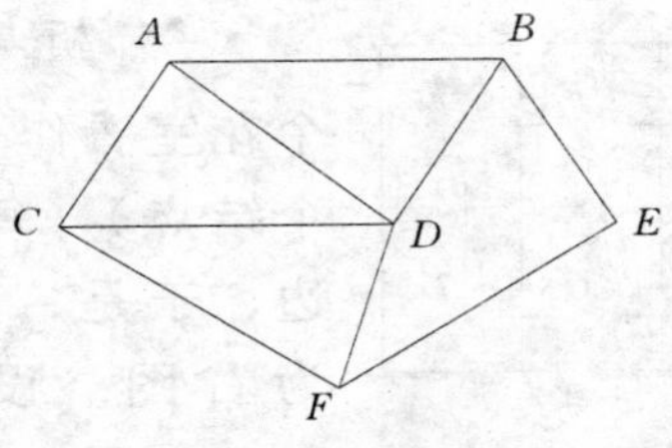

(2)

分析与解答　类似于上一节中的问题，我们把每个厅看作一个结点（室外也看作一个结点），两厅之间有门相通可看作两结点之间有线相连，于是问题转化为图

（2）能否一笔画完的问题．显然，图中有四个奇点：A、B、C、F，不可能一笔画出，即游人不可能一次不重复地穿过所有的门．

4个奇点时，只要把连接其中两个奇点的一条边去掉，这个图就只剩下两个奇点，就可以一笔画出，即游人可以用剩下的两个奇点分别作为起点和终点，不重复地穿过所有的门．关掉一扇门实际上就是去掉一条边．因此，我们可以考虑去掉边 AC 或 AB．但是，值得注意的是：游人必须从入口进入，也即结点 F 必须作为起点，而本题中有4个奇点且只允许去掉一条边，因此 F 必须是奇点，也即不能去掉与 F 相连的边．

通过上面的分析，我们知道：只要关闭 A、C 之间的门，或 A、B 之间的门，游人就可以从入口（边 FC 或 FD 或 FE）入，一次不重复地穿过所有的门．

【例5】 下图是某个花房的平面图，它由六间展室组成，每相邻两室间有一门相通．请你设计一个出口，使参观者能够从入口处 A 进去，一次不重复地经过所有的门，最后由出口走出花房．

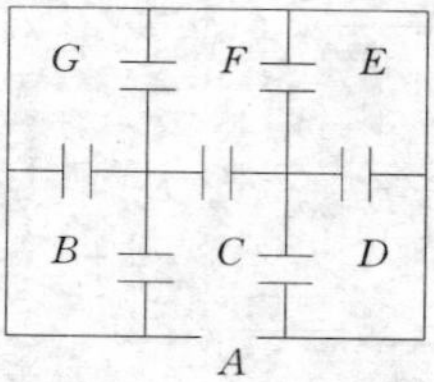

分析与解答 同上分析，可把每个花室看作一个点（花房外也看作是一个结点），每个门看作是连接两结点的边，于是，上图就转化为右图．设计一个出口，实际上是添一条与结点 A 相连的边，使新图能够以 A 为起点和终点一笔画出，也就是说，新图中，所有的点都必须是偶点．观察右图，发现只有 A、F 两个

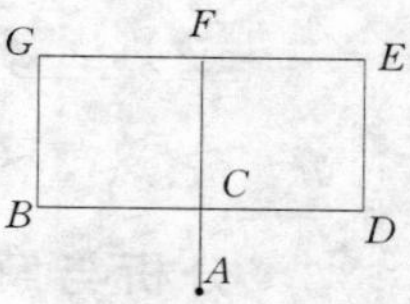

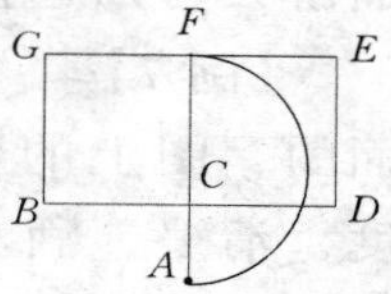

奇点，所以，应把边添在 A 与 F 之间(如右图)，即：把出口开在花室 F 处.

例 4 与例 5 都是把多笔画改为一笔画的实际应用.

【例 6】　下图中的每条线都表示一条街道，线上的数字表示这条街道的里数. 邮递员从邮局出发，要走遍各条街道，最后回到邮局. 问：邮递员怎样走，路线最合理？

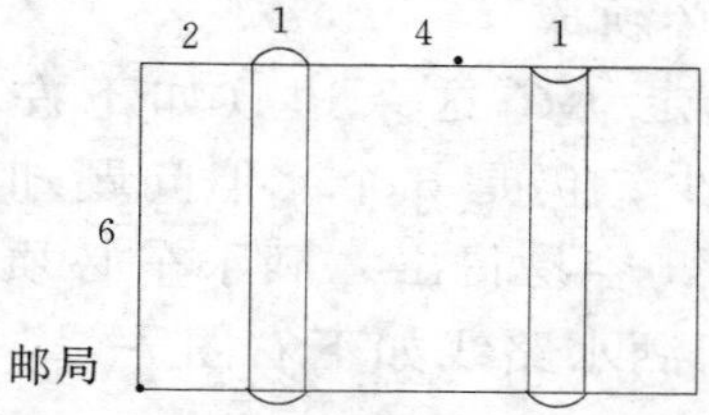

分析与解答　邮递员走的路程最短时，路线最合理. 利用一笔画的知识分析可得：因为邮递员从邮局作为起点和终点，所以没有奇点是最理想的，但实际上图中却有 8 个奇点，邮递员必须重复走某些路线. 根据多笔画改为一笔画的方法得知：重复走的路线的两个端点应为奇点. 重复的总路程应该尽可能短.

我们把需重复走的路线，用虚线添在图中，通过分析与计算可知：当邮递员所走的路线如右图时，重复的路程最短，全程共走了 $56+4=60$ (里). 其中 56 为所有街道的总长，4 为所重复走的路程.

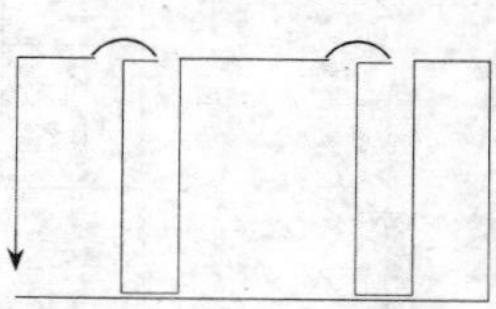

本题属于最短邮递路线问题. 解决这样的题目时，有两点值得注意：①在所给图中，每条边都有具体的长度，这与前面其他问题中不考虑长度是不同的；②邮递路线中，邮递员必须以邮局作为起点和终点，即在最后能一笔画出的图中，所有的点都必须是偶点. 这也与前

面游人可以选择进出口的问题不同.

【例 7】 右图是某地区街道的平面图，图上的数字表示那条街道的长度. 清晨，洒水车从 A 出发，要洒遍所有的街道，最后再回到 A. 问：如何设计洒水路线最合理？

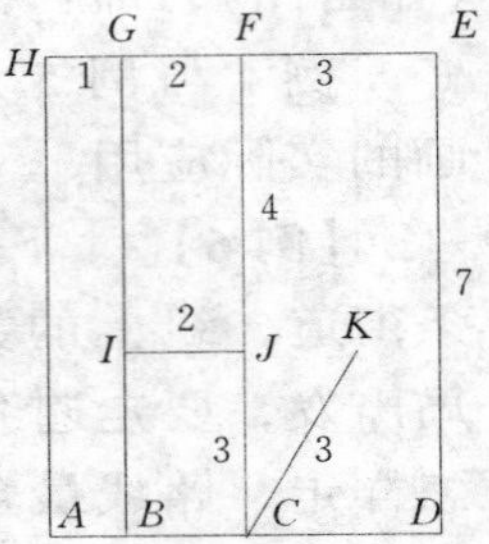

分析与解答 这又是一个最短路线的问题. 通过分析可以知道：在洒水路线中，K 是中间点，因此必须成为偶点，这样洒水车必须重复走 KC 这条边（如下左图）. 至此，奇点的个数并未减少，仍是 6 个，但问题却转化为例 6 的类型. 类似于例 6，容易得出，洒水车必须重复走的路线有：GF、IJ、BC. 即洒水路线如下右图.

全程 $45+3+6=54$（里）.

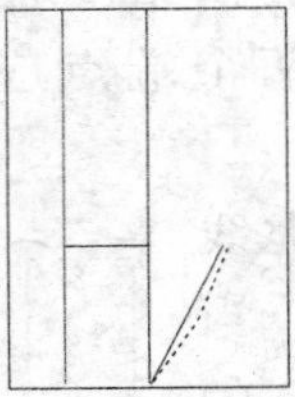

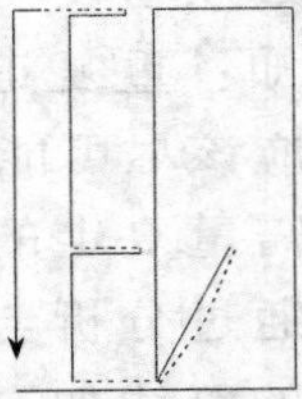

习　题　三

1. 下列各图至少要用几笔画完？

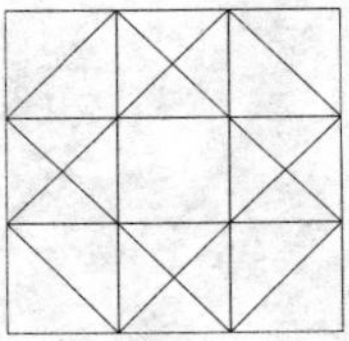
(1)

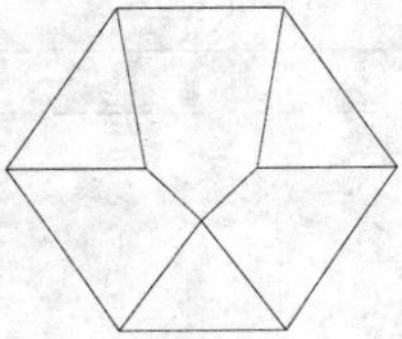
(2)

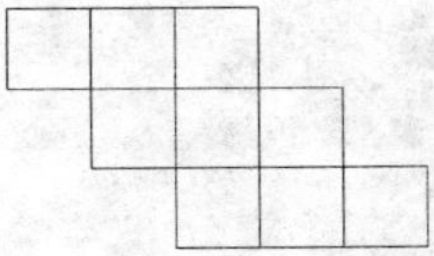
(3)

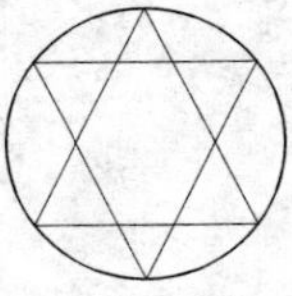
(4)

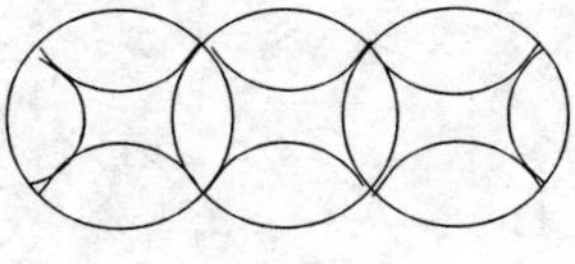
(5)

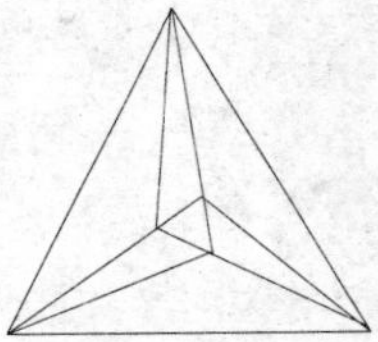
(6)

2. 游人在林间小路（如下图）上散步，问能否一次不重复地走遍所有的路后回到出发点？如不能，应选择怎样的路线才能使全程最短，其最短路程是多少？

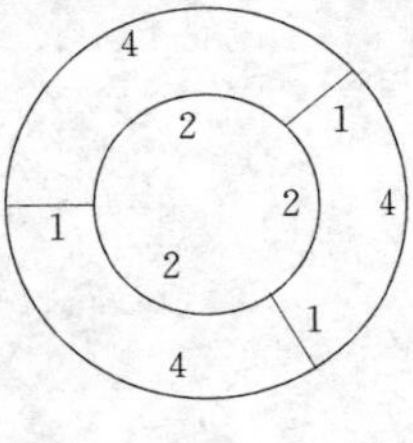

3. 一辆清洁车清扫街道，每段街道长 1 公里，清洁车由 A 出发，走遍所有的街道再回到 A. 怎样走路程最短，全程多少公里？

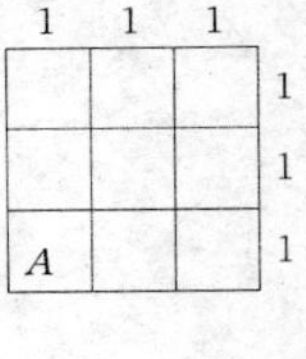

4. 一个邮递员的投递范围如下页图，图

上的数字表示各段街道的长度．请你设计一条最短的投递路线，并求出全程是多少？

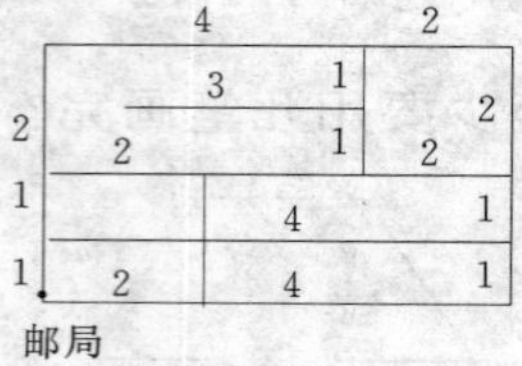

习题三解答

1．（1）4笔；（2）4笔；（3）2笔；（4）1笔；（5）1笔；（6）1笔．

2．游人不能一次不重复地走遍所有路后返回出发点，他必须至少重复三段路（即三段长为1的小路）才能使全程最短．其最短程为24，如下左图．

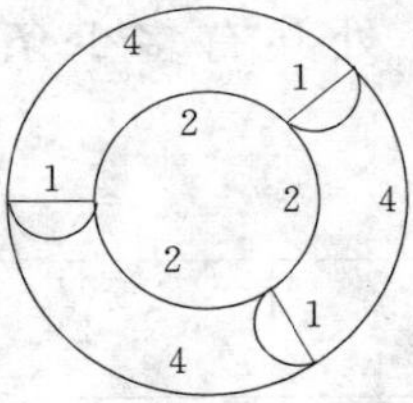

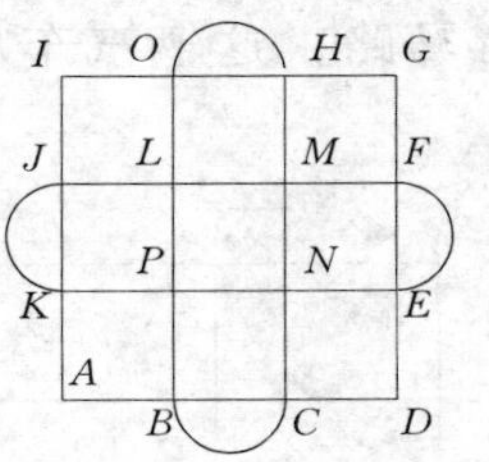

3．清洁车走的路径为：*ABCNPBCDEFMNEFGHOLMHOIJKPLJKA*．即：清洁车必须至少重复走4段1公里的街道，如上右图．最短路线全程为28公里．

4．邮递员的投递路线如下图，即：路线为：*ABCDEDOBOMNLKLGLNEFGHIMOJIJA*．最短路线的全程为$39+9=48$．

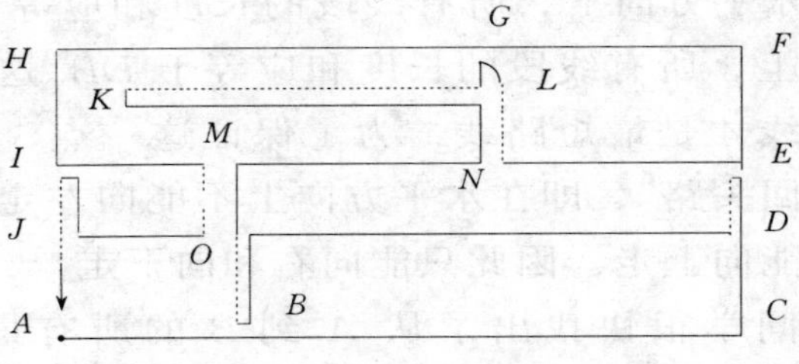

第4讲 最短路线问题

在日常工作、生活和娱乐中，经常会遇到有关行程路线的问题．在这一讲里，我们主要解决的问题是如何确定从某处到另一处最短路线的条数．

【例1】 下图4－1中的线段表示的是汽车所能经过的所有马路，这辆汽车从 A 走到 B 处共有多少条最短路线？

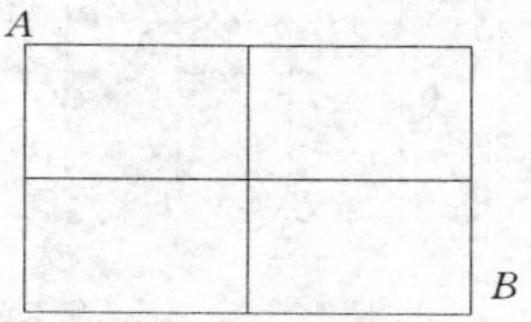

图4－1

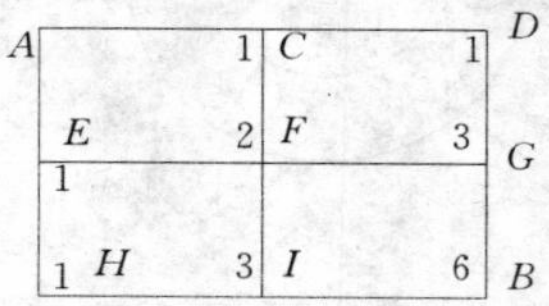

图4－2

分析 为了叙述方便，我们在各交叉点都标上字母．如图4－2．在这里，首先我们应该明确从 A 到 B 的最短路线到底有多长？从 A 点走到 B 点，不论怎样走，最短也要走长方形 $AHBD$ 的一个长与一个宽，即 $AD+DB$．因此，在水平方向上，所有线段的长度和应等于 AD；在竖直方向上，所有线段的长度和应等于 DB．这样我们走的这条路线才是最短路线．为了保证这一点，我们就不应该走“回头路”，即在水平方向上不能向左走，在竖直方向上不能向上走．因此只能向右和向下走．

有些同学很快找出了从 A 到 B 的所有最短路线，

即：

$A\to C\to D\to G\to B$　　$A\to C\to F\to G\to B$

$A\to C\to F\to I\to B$　　$A\to E\to F\to G\to B$

$A\to E\to F\to I\to B$　　$A\to E\to H\to I\to B$

通过验证，我们确信这六条路线都是从 A 到 B 的最短路线. 如果按照上述方法找，它的缺点是不能保证找出所有的最短路线，即不能保证“不漏”. 当然如果图形更复杂些，做到“不重”也是很困难的.

现在观察这种题是否有规律可循.

1. 看 C 点：由 A、由 F 和由 D 都可以到达 C, 而由 $F\to C$ 是由下向上走，由 $D\to C$ 是由右向左走，这两条路线不管以后怎样走都不可能是最短路线. 因此，从 A 到 C 只有一条路线.

同样道理：从 A 到 D、从 A 到 E、从 A 到 H 也都只有一条路线.

我们把数字“1”分别标在 C、D、E、H 这四个点上，如图 4－2.

2. 看 F 点：从上向下走是 $C\to F$, 从左向右走是 $E\to F$, 那么从 A 点出发到 F, 可以是 $A\to C\to F$, 也可以是 $A\to E\to F$, 共有两种走法. 我们在图 4－2 中的 F 点标上数字“2”. $2=1+1$. 第一个“1”是从 $A\to C$ 的一种走法；第二个“1”是从 $A\to E$ 的一种走法.

3. 看 G 点：从上向下走是 $D\to G$, 从左向右走是 $F\to G$, 那么从 $A\to G$ 可以这样走：$A\to C\to D\to G$, $\left.\begin{matrix}A\to C\\ A\to E\end{matrix}\right> \to F\to G$, 共有三种走法. 我们在 G 点标上数字“3”. $3=2+1$,“2”是从 $A\to F$ 的两种走法,“1”是从 $A\to D$ 的一种走法.

4. 看 I 点：从上向下走是 $F\to I$, 从左向右走是 $H\to I$, 那么从出发点 $A\to I$ 可以这样走：

$A\to C$ / $A\to E$ $>\to F\to I$，$A\to E\to H\to I$, 共有三种走法，在 I 点标上“3”. $3=2+1$. “2”是从 $A\to F$ 的两种走法；“1”是从 $A\to H$ 的一种走法.

5. 看 B 点：从上向下走是 $G\to B$, 从左向右走是 $I\to B$, 那么从出发点 $A\to B$ 可以这样走：

$A\to C\to D$ / $A\to C\to F$ / $A\to E\to F$ $>\to G\to B$　　$A\to C\to F$ / $A\to E\to F$ / $A\to E\to H$ $>\to I\to B$

共有六种走法. $6=3+3$, 第一个“3”是从 $A\to G$ 共有三种走法，第二个“3”是从 $A\to I$ 共有三种走法. 在 B 点标上“6”.

我们观察图 4－2 发现每一个小格右下角上标的数正好是这个小格右上角与左下角的数的和，这个和就是从出发点 A 到这点的所有最短路线的条数. 这样，我们可以通过计算来确定从 $A\to B$ 的最短路线的条数，而且能够保证“不重”也“不漏”.

解：由上面的分析可以得到如下的规律：每个格右上角与左下角所标的数字和即为这格右下角应标的数字. 我们称这种方法为对角线法，也叫标号法.

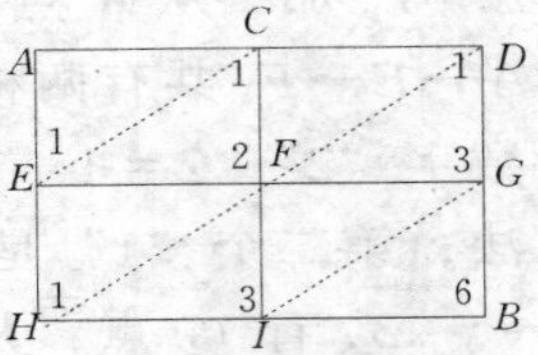

图4—3

根据这种“对角线法”，B 点标 6，那么从 A 到 B 就有 6 条不同的最短路线（见图 4－3）.

答：从 A 到 B 共有 6 条不同的最短路线.

【例 2】　图 4－4 是一个街道的平面图，纵横各有 5

条路，某人从 A 到 B 处（只能从北向南及从西向东），共有多少种不同的走法？

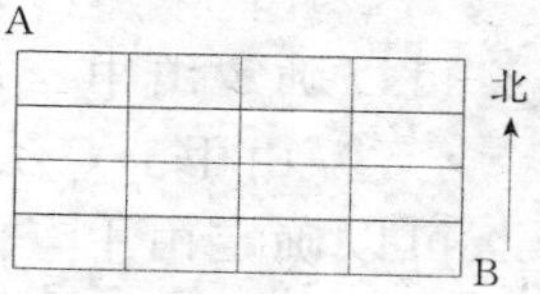

图4—4

分析　因为 B 点在 A 点的东南方向，题目要求我们只能从北向南及从西向东，也就是要求我们走最短路线.

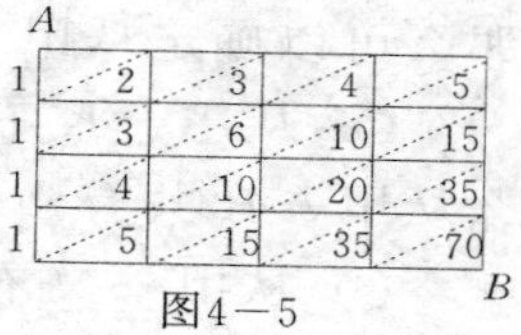

图4—5

解：如图 4－5 所示.

答：从 A 到 B 共有 70 种不同的走法.

【例 3】　如图 4－6，从甲地到乙地最近的道路有几条？

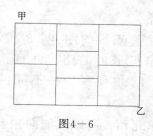

图4—6

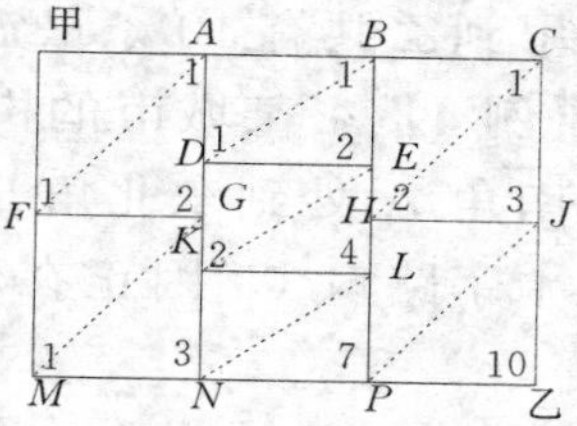

图4—7

分析　要求从甲地到乙地最近的道路有几条，也就是求从甲地到乙地的最短路线有几条．把各交叉点标上字母，如图 4－7．这道题的图形与例 1、例 2 的图形又有所区别，因此，在解题时要格外注意是由哪两点的数之和来确定另一点的.

① 由甲→A 有 1 种走法，由甲→F 有 1 种走法，那么就可以确定从甲→G 共有 $1+1=2$（种）走法.

② 由甲→B 有 1 种走法，由甲→D 有 1 种走法，那么可以确定由甲→E 共有 $1+1=2$（种）走法.

③ 由甲→C 有 1 种走法，由甲→H 有 2 种走法，那么可以确定由甲→J 共有 $1+2=3$（种）走法.

④ 由甲→G 有 2 种走法，由甲→M 有 1 种走法，那么可以确定从甲→N 共有 $2+1=3$（种）走法.

⑤ 从甲→K 有 2 种走法，从甲→E 有 2 种走法，那么从甲→L 共有 $2+2=4$（种）走法.

⑥ 从甲→N 有 3 种走法，从甲→L 有 4 种走法，那么可以确定从甲→P 共有 $3+4=7$（种）走法.

⑦ 从甲→J 有 3 种走法，从甲→P 有 7 种走法，那么从甲→乙共有 $3+7=10$（种）走法.

解： 在图 4－7 中各交叉点标上数，乙处标上 10，则从甲到乙共有 10 条最近的道路.

【例 4】 某城市的街道非常整齐，如图 4－8 所示，从西南角 A 处到东北角 B 处要求走最近的路，并且不能通过十字路口 C(因正在修路). 问共有多少种不同的走法？

分析 因为 B 点在 A 点的东北角，所以只能向东和向北走. 为了叙述方便，在各交叉点标上字母，如图 4－9.

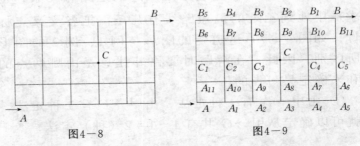

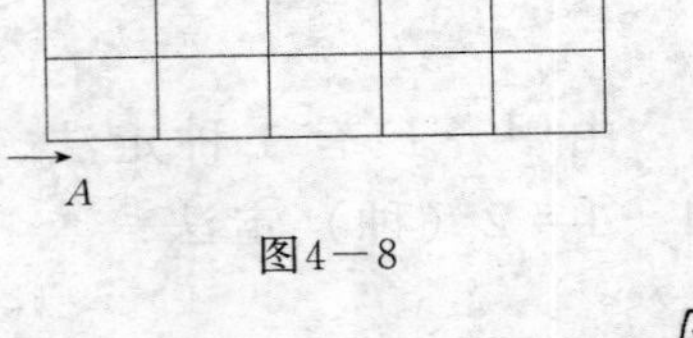

图4－8

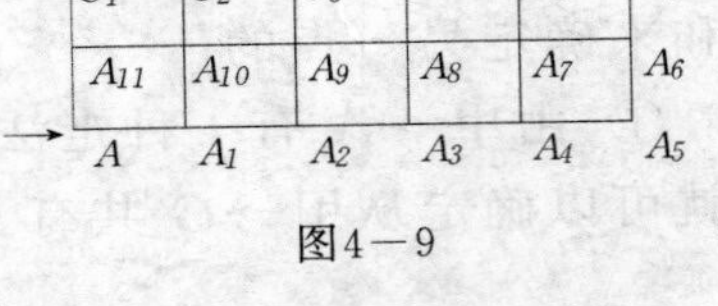

图4－9

① 从 $A\to A_1$ 有 1 种走法，$A\to A_{11}$ 有 1 种走法，那么可以确定从 $A\to A_{10}$ 共有 $1+1=2$（种）走法.

② 从 $A\to A_2$ 有 1 种走法，$A\to A_{10}$ 有 2 种走法，那么可以确定从 $A\to A_9$ 共有 $1+2=3$（种）走法.

③ 从 $A\to A_3$ 有 1 种走法，$A\to A_9$ 有 3 种走法，那么可以确定从 $A\to A_8$ 共有 $1+3=4$（种）走法.

④ 从 $A\to A_4$ 有 1 种走法，$A\to A_8$ 有 4 种走法，那么可以确定 $A\to A_7$ 共有 $1+4=5$（种）走法.

⑤ 从 $A\to A_5$ 有 1 种走法，$A\to A_7$ 有 5 种走法，那么可以确定 $A\to A_6$ 共有 $1+5=6$（种）走法.

⑥ 从 $A\to C_1$ 有 1 种走法，$A\to A_{10}$ 有 2 种走法，那么可以确定从 $A\to C_2$ 共有 $1+2=3$（种）走法.

⑦ 从 $A\to C_2$ 有 3 种走法，$A\to A_9$ 有 3 种走法，那么可以确定 $A\to C_3$ 共有 $3+3=6$（种）走法.

⑧ 从 $A\to C_4$ 可以是 $A\to C\to C_4$,也可以是 $A\to A_7\to C_4$，因为 C 处正在修路，所以 $A\to C\to C_4$ 行不通，只能由 $A_7\to C_4$,由于 $A\to A_7$ 有 5 种走法，所以 $A\to C_4$ 也有 5 种走法,从 $A\to A_6$ 有 6 种走法，所以从 $A\to C_5$ 共有 $5+6=11$（种）走法.

⑨ 从 $A\to B_6$ 有 1 种走法，$A\to C_2$ 有 3 种走法，那么可以确定从 $A\to B_7$ 共有 $1+3=4$（种）走法.

⑩ 从 $A\to B_7$ 有 4 种走法，$A\to C_3$ 有 6 种走法，那么可以确定从 $A\to B_8$ 共有 $4+6=10$（种）走法.

⑪ 从 $A\to B_9$ 可以是 $A\to B_8\to B_9$,也可以是 $A\to C\to B_9$，因为 C 处正在修路，所以 $A\to C\to B_9$ 行不通，只能由 $B_8\to B_9$,由于 $A\to B_8$ 有 10 种走法，所以 $A\to B_9$ 也有 10 种走法. 从 $A\to C_4$ 有 5 种走法，所以从 $A\to B_{10}$ 共有

$10+5=15$（种）走法.

⑫ 从 $A\to C_5$ 有 11 种走法，$A\to B_{10}$ 有 15 种走法，那么从 $A\to B_{11}$ 共有 $15+11=26$（种）走法.

⑬ 从 $A\to B_5$ 有 1 种走法，$A\to B_7$ 有 4 种走法，那么可以确定从 $A\to B_4$ 共有 $1+4=5$（种）走法.

⑭ 从 $A\to B_4$ 有 5 种走法，$A\to B_8$ 有 10 种走法，那么可以确定从 $A\to B_3$ 共有 $5+10=15$（种）走法.

⑮ 从 $A\to B_3$ 有 15 种走法，$A\to B_9$ 有 10 种走法，那么可以确定从 $A\to B_2$ 共有 $15+10=25$（种）走法.

⑯ 从 $A\to B_2$ 有 25 种走法，$A\to B_{10}$ 有 15 种走法，那么可以确定从 $A\to B_1$ 共有 $25+15=40$（种）走法.

⑰ 从 $A\to B_1$ 有 40 种走法，$A\to B_{11}$ 有 26 种走法，那么可以确定从 $A\to B$ 共有 $40+26=66$（种）走法.

解：如图 4－10 所示.

答：从 A 到 B 共有 66 种不同的走法.

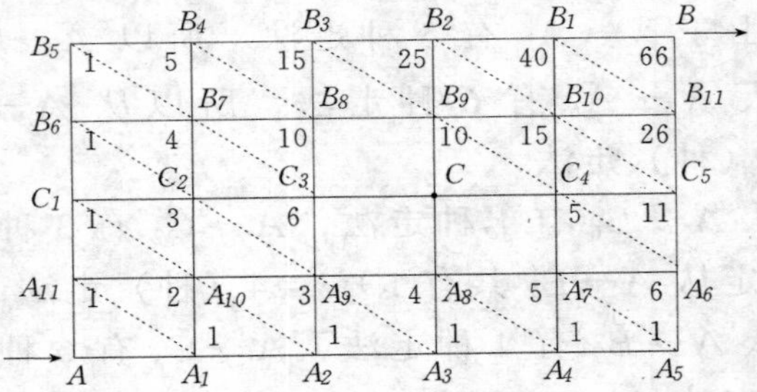

图4－10

习　题　四

1. 如果沿图 4－11 中的线段，以最短的路程，从 A 点出发到 B 点，共有多少种不同的走法？

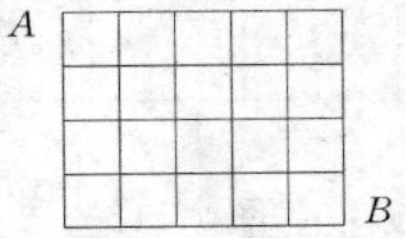

图4—11

2. 从学校到少年宫有 4 条东西向的马路和 3 条南北向的马路相通．如图 4－12，李楠从学校出发，步行到少年宫（只许向东和向南行进），最多有多少种不同的行走路线？

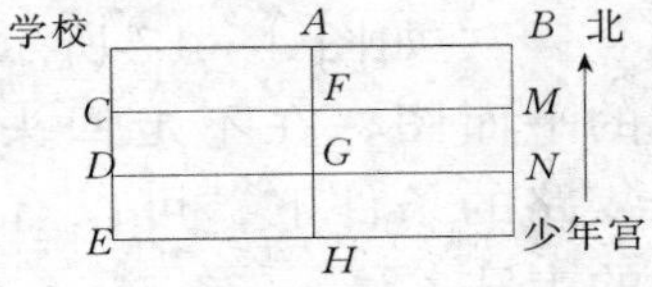

图4—12

3. 如图 4－13，从 P 到 Q 共有多少种不同的最短路线？

4. 如图 4－14 所示为某城市的街道图，若从 A 走到 B(只能由北向南、由西向东)，则共有多少种不同的走法？

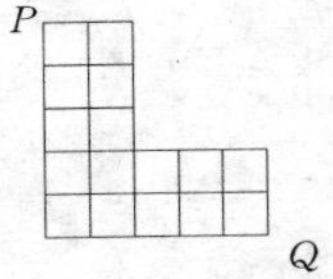

图4—13

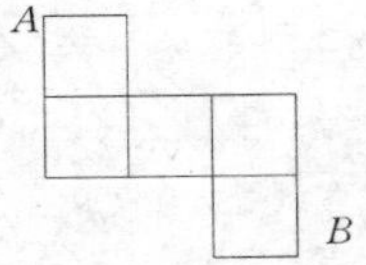

图4—14

5. 如图 4－15 所示，从甲地到乙地，最近的道路有几条？

6. 图 4－16 为某城市的街道示意图，C 处正在挖下水道，不能通车，从 A 到 B 处的最短路线共有多少条？

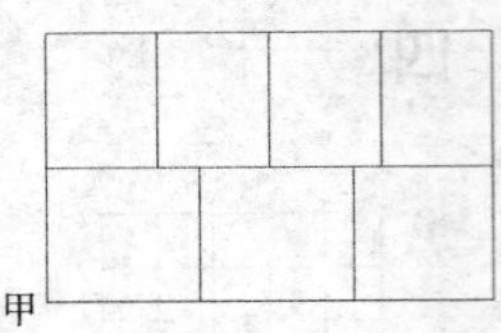

图4—15

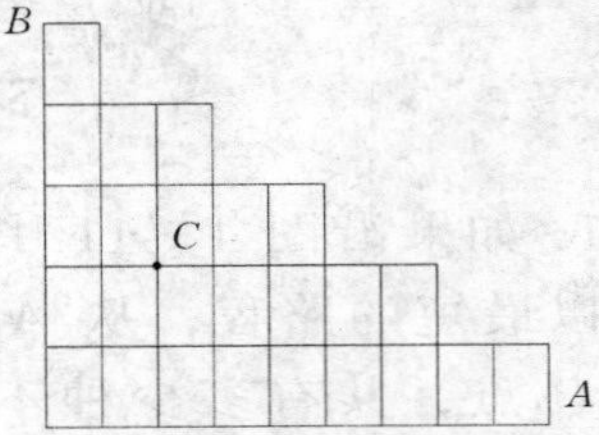

图4—16

7. 如图 4－17 所示是一个街道的平面图，在不走回头路、不走重复路的条件下，可以有多少种不同的走法？

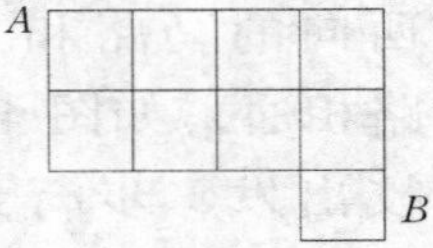

图4—17

8. 图 4－18 是某城市的主要公路示意图，今在 C、D、E、F、G、H 路口修建立交桥，车辆不能通行，那么从 A 到 B 的最近路线共有几条？

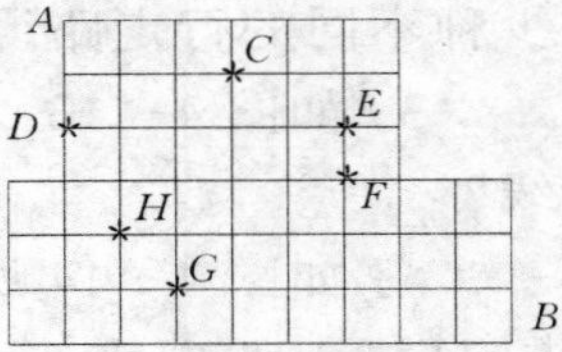

图4—18

习题四解答

1．解：

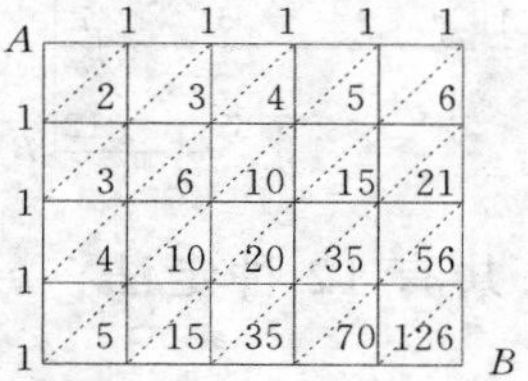

答：从 A 到 B 共有 126 种走法.

2．解：

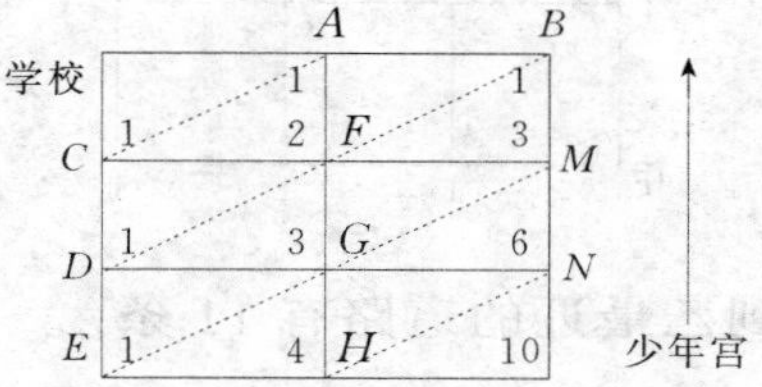

答：从学校到少年宫最多有 10 种不同的行走路线.

3．解：

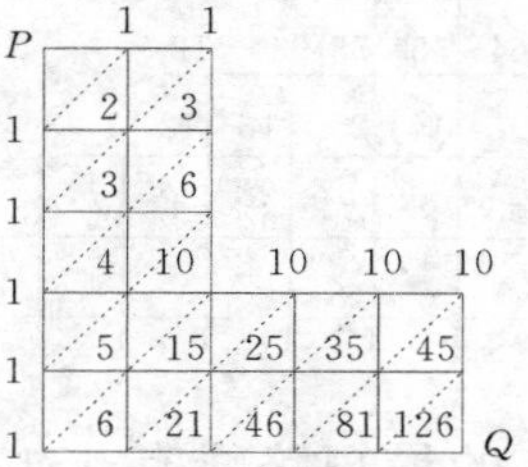

答：从 P 到 Q 共有 126 条不同的最短路线.

4．解：

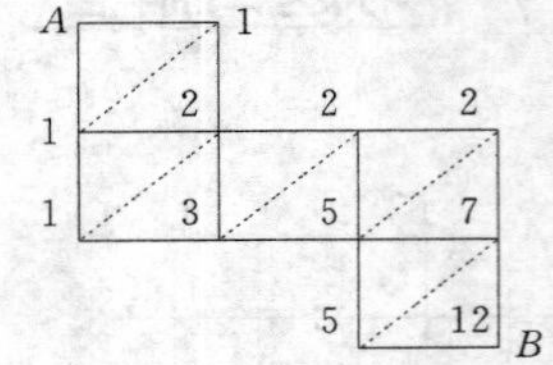

答：从 A 到 B 共有 12 种走法.

5．解：

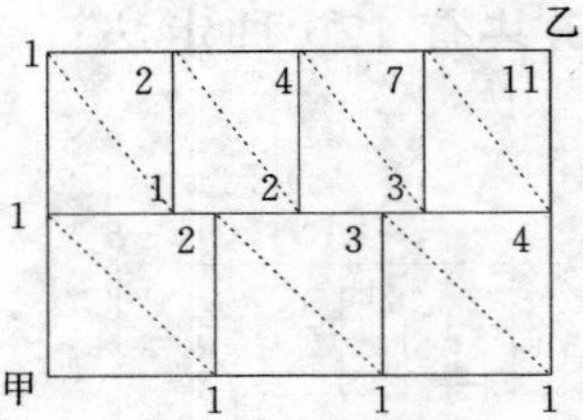

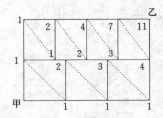

答：从甲到乙最近的道路有 11 条.

6．解：

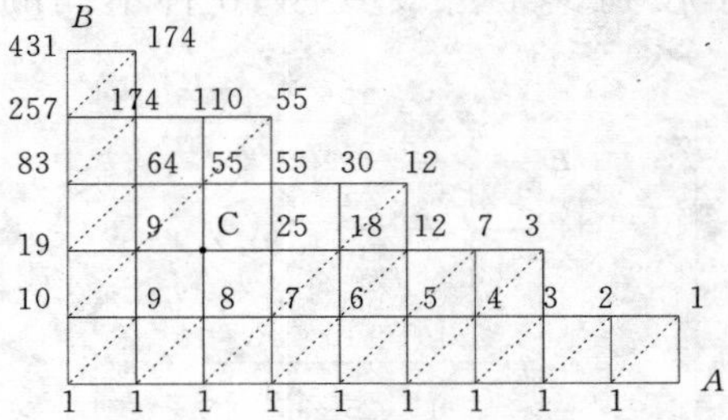

答：从 A 到 B 的最短路线有 431 条.

7．解：

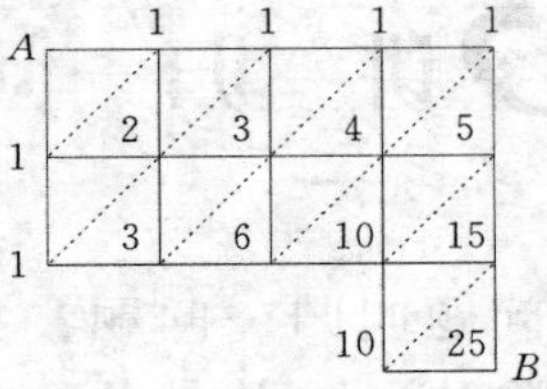

答：从 A 到 B 有 25 种不同的走法．

8．解：

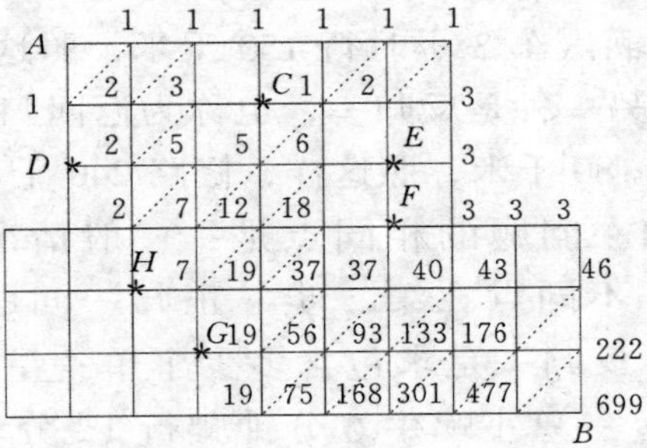

答：从 A 到 B 最短的路线有 699 条．

第5讲　归一问题

为什么把有的问题叫归一问题？我国珠算除法中有一种方法，称为归除法．除数是几，就称几归；除数是8，就称为8归．而归一的意思，就是用除法求出单一量，这大概就是归一说法的来历吧！

归一问题有两种基本类型．一种是正归一，也称为直进归一．如：一辆汽车3小时行150千米，照这样，7小时行驶多少千米？另一种是反归一，也称为返回归一．如：修路队6小时修路180千米，照这样，修路240千米需几小时？

正、反归一问题的相同点是：一般情况下第一步先求出单一量；不同点在第二步．正归一问题是求几个单一量是多少，反归一是求包含多少个单一量．

【例1】　一只小蜗牛6分钟爬行12分米，照这样速度1小时爬行多少米？

分析　为了求出蜗牛1小时爬多少米，必须先求出1分钟爬多少分米，即蜗牛的速度，然后以这个数目为依据按要求算出结果．

解：① 小蜗牛每分钟爬行多少分米？$12\div6=2$(分米)

② 1小时爬几米？1小时$=60$分．

$2\times60=120$（分米）$=12$（米）

答：小蜗牛1小时爬行12米．

还可以这样想：先求出题目中的两个同类量（如时间与时间）的倍数（即60分是6分的几倍），然后用1

倍数（6 分钟爬行 12 分米）乘以倍数，使问题得解.

解：1 小时 = 60 分钟

$12\times(60\div6)=12\times10=120$（分米）= 12（米）

或 $12\div(6\div60)=12\div0.1=120$（分米）= 12（米）

答：小蜗牛 1 小时爬行 12 米.

【例 2】　一个粮食加工厂要磨面粉 20000 千克. 3 小时磨了 6000 千克. 照这样计算，磨完剩下的面粉还要几小时？

方法 1：

分析　通过 3 小时磨 6000 千克，可以求出 1 小时磨粉数量. 问题求磨完剩下的要几小时，所以剩下的量除以 1 小时磨的数量，得到问题所求.

解：$(20000-6000)\div(6000\div3)=7$（小时）

答：磨完剩下的面粉还要 7 小时.

方法 2：用比例关系解.

解：设磨剩下的面粉还要 x 小时.

$$\frac{20000-6000}{x}=\frac{6000}{3}$$

$$6000x=3\times14000$$

$$x=7\text{（小时）}$$

答：磨完剩下的面粉还要 7 小时.

【例 3】　学校买来一些足球和篮球. 已知买 3 个足球和 5 个篮球共花了 281 元；买 3 个足球和 7 个篮球共花了 355 元. 现在要买 5 个足球、4 个篮球共花多少元？

分析　要求 5 个足球和 4 个篮球共花多少元，关键在于先求出每个足球和每个篮球各多少元. 根据已知条件分析出第一次和第二次买的足球个数相等，而篮球相差 $7-5=2$（个），总价差 $355-281=74$（元）．74 元正好是两个篮球的价钱，从而可以求出一个篮球的价钱，一个足球的价钱也可以随之求出，使问题得解．

解：① 一个篮球的价钱：$(355-281)\div(7-5)$

$=37$ 元

② 一个足球的价钱：$(281-37\times5)\div3=32$（元）

③ 共花多少元？$32\times5+37\times4=308$（元）

答：买 5 个足球，4 个篮球共花 308 元．

【例 4】　一个长方体的水槽可容水 480 吨．水槽装有一个进水管和一个排水管．单开进水管 8 小时可以把空池注满；单开排水管 6 小时可把满池水排空．两管齐开需多少小时把满池水排空？

分析　要求两管齐开需要多少小时把满池水排光，关键在于先求出进水速度和排水速度．当两管齐开时要把满池水排空，排水速度必须大于进水速度，即单位时间内排出的水等于进水与排水速度差．解决了这个问题，又知道总水量，就可以求出排空满池水所需时间．

解：① 进水速度：$480\div8=60$（吨/小时）

② 排水速度：$480\div6=80$（吨/小时）

③ 排空全池水所需的时间：$480\div(80-60)=24$（小时）

列综合算式：

$480\div(480\div6-480\div8)=24$（小时）

答：两管齐开需 24 小时把满池水排空．

【例 5】　7 辆“黄河牌”卡车 6 趟运走 336 吨沙土．现有沙土 560 吨，要求 5 趟运完，求需要增加同样的卡

车多少辆？

方法 1：

分析　要想求增加同样卡车多少辆，先要求出一共需要卡车多少辆；要求 5 趟运完 560 吨沙土，每趟需多少辆卡车，应该知道一辆卡车一次能运多少吨沙土.

解：① 一辆卡车一次能运多少吨沙土？

336÷6÷7＝56÷7＝8（吨）

② 560 吨沙土，5 趟运完，每趟必须运走几吨？

560÷5＝112（吨）

③ 需要增加同样的卡车多少辆？

112÷8－7＝7（辆）

列综合算式：

560÷5÷（336÷6÷7）－7＝7（辆）

答：需增加同样的卡车 7 辆.

方法 2：

在求一辆卡车一次能运沙土的吨数时，可以列出两种不同情况的算式：①336÷6÷7，②336÷7÷6．算式①先除以 6，先求出 7 辆卡车 1 次运的吨数，再除以 7 求出每辆卡车的载重量；算式②，先除以 7，求出一辆卡车 6 次运的吨数，再除以 6，求出每辆卡车的载重量.

在求 560 吨沙土 5 次运完需要多少辆卡车时，有以下几种不同的计算方法：

① 560÷5÷8＝112÷8＝14(辆)

└→ 所需的卡车一趟运走的吨数

② 560÷8÷5＝70÷5＝14(辆)

└→（运走560吨沙土需要的车次）

③　$560 \div (8 \times 5) = 560 \div 40 = 14$(辆)

└→ 一辆卡车5次运走40吨

求出一共用车 14 辆后，再求增加的辆数就容易了．

【例 6】　某车间要加工一批零件，原计划由 18 人，每天工作 8 小时，7.5 天完成任务．由于缩短工期，要求 4 天完成任务，可是又要增加 6 人．求每天加班工作几小时？

分析　我们把 1 个工人工作 1 小时，作为 1 个工时．根据已知条件，加工这批零件，原计划需要多少“工时”呢？求出“工时”数，使我们知道了工作总量．有了工作总量，以它为标准，不管人数增加或减少，工期延长或缩短，仍然按照原来的工作效率，只要能够达到加工零件所需“工时”总数，再求出要加班的工时数，问题就解决了．

解：① 原计划加工这批零件需要的“工时”：

$8 \times 18 \times 7.5 = 1080$（工时）

② 增加 6 人后每天工作几小时？

$1080 \div (18 + 6) \div 4 = 11.25$(小时)

③ 每天加班工作几小时？　$11.25 - 8 = 3.25$（小时）

答：每天要加班工作 3.25 小时．

【例 7】　甲、乙两个打字员 4 小时共打字 3600 个．现在二人同时工作，在相同时间内，甲打字 2450 个，乙打字 2050 个．求甲、乙二人每小时各打字多少个？

分析　已知条件告诉我们：“在相同时间内甲打字 2450 个，乙打字 2050 个．”既然知道了“时间相同”，问题就容易解决了．题目里还告诉我们：“甲、乙二人 4 小

时共打字 3600 个.”这样可以先求出“甲乙二人每小时打字个数之和”，就可求出所用时间了.

解：① 甲、乙二人每小时共打字多少个？

$3600 \div 4 = 900$（个）

②“相同时间”是几小时？

$(2450 + 2050) \div 900 = 5$(小时)

③ 甲打字员每小时打字的个数：

$2450 \div 5 = 490$（个）

④ 乙打字员每小时打字的个数：

$2050 \div 5 = 410$（个）

答：甲打字员每小时打字 490 个，乙打字员每小时打字 410 个.

还可以这样想：这道题的已知条件可以分两层. 第一层，甲乙二人 4 小时共打字 3600 个；第二层，在相同时间内甲打字 2450 个，乙打字 2050 个. 由这两个条件可以求出在相同的时间内，甲乙二人共打字 $2450 + 2050 = 4500$（个）；打字 3600 个用 4 小时，打字 4500 个用几小时呢？先求出 4500 是 3600 的几倍，也一定是 4 小时的几倍，即“相同时间”.

解：①“相同时间”是几小时？

$4 \times [(2450 + 2050) \div 3600] = 5$(小时)

② 甲每小时打字多少个？

$2450 \div 5 = 490$（个）

③ 乙每小时打字多少个？

$2050 \div 5 = 410$（个）

答：甲每小时打字 490 个，乙每小时打字 410 个.

习　题　五

1. 花果山上桃树多，6 只小猴分 180 棵．现有小猴 72 只，如数分后还余 90 棵，请算出桃树有几棵？

2.　5 箱蜜蜂一年可以酿 75 千克蜂蜜，照这样计算，酿 300 千克蜂蜜要增加几箱蜜蜂？

3.　4 辆汽车行驶 300 千米需要汽油 240 公升．现有 5 辆汽车同时运货到相距 800 千米的地方，汽油只有 1000 公升，问是否够用？

4.　5 台拖拉机 24 天耕地 12000 公亩．要 18 天耕完 54000 公亩土地，需要增加同样拖拉机多少台？

习题五解答

1.　$180 \div 6 \times 72 + 90 = 2250$（棵）

或：$180 \times (72 \div 6) + 90 = 2250$(棵)

答：桃树共有 2250 棵．

2.　$300 \div (75 \div 5) - 5 = 15$(箱)

或 $5 \times [(300 - 75) \div 75] = 5 \times 3 = 15$(箱)

答：要增加 15 箱蜜蜂．

3. 提示：要想得知 1000 公升汽油是否够用，先算一算行 800 千米需要的汽油，然后进行比较．如果大于 1000 公升，说明不够用；小于或等于 1000 公升，说明够用．

$240 \div 4 \div 300 \times 5 \times 800 = 800$（公升）

800 公升＜1000 公升，说明够用．

答：1000 公升汽油够用．

4. 提示：先求出 1 台拖拉机 1 天耕地公亩数，然后求出 18 天耕 54000 公亩需要拖拉机台数，再求增加台数.

54000÷18÷(12000÷24÷5)－5＝25(台)

↓

这一步还可以用以下方法计算

↓

① 12000÷5÷24

② 12000÷(5×24)

└→ 24天需要的总台数

③ 12000÷(24×5)

└→ 5台需要的总天数

答：需要增加 25 台拖拉机.

第6讲　平均数问题

求平均数问题是小学学习阶段经常接触的一类典型应用题，如“求一个班级学生的平均年龄、平均身高、平均分数……”.

平均数问题包括算术平均数、加权平均数、连续数和求平均数、调和平均数和基准数求平均数.

解答这类应用题时，主要是弄清楚总数、份数、一份数三量之间的关系，根据总数除以它相对应的份数，求出一份数，即平均数.

一、算术平均数

【例1】　用4个同样的杯子装水，水面高度分别是4厘米、5厘米、7厘米和8厘米，这4个杯子水面平均高度是多少厘米？

分析　求4个杯子水面的平均高度，就相当于把4个杯子里的水合在一起，再平均倒入4个杯子里，看每个杯子里水面的高度.

解：$(4+5+7+8)\div 4=6$（厘米）

答：这4个杯子水面平均高度是6厘米.

【例2】　蔡琛在期末考试中，政治、语文、数学、英语、生物五科的平均分是89分．政治、数学两科的平均分是91.5分．语文、英语两科的平均分是84分．政治、英语两科的平均分是 86 分，而且英语比语文多 10 分. 问蔡琛这次考试的各科成绩应是多少分？

分析　解题关键是根据语文、英语两科平均分是 84 分求出两科的总分，又知道两科的分数差是 10 分，用和差问题的解法求出语文、英语各得多少分后，就可以求出其他各科成绩.

解：① 英语：$(84\times2+10)\div2=89$（分）

② 语文：$89-10=79$（分）

③ 政治：$86\times2-89=83$（分）

④ 数学：$91.5\times2-83=100$（分）

⑤ 生物：$89\times5-(89+79+83+100)=94$（分）

答：蔡琛这次考试英语、语文、政治、数学、生物的成绩分别是 89 分、79 分、83 分、100 分、94 分.

二、加权平均数

【例 3】　果品店把 2 千克酥糖，3 千克水果糖，5 千克奶糖混合成什锦糖. 已知酥糖每千克 4.40 元，水果糖每千克 4.20 元，奶糖每千克 7.20 元. 问：什锦糖每千克多少元？

分析　要求混合后的什锦糖每千克的价钱，必须知道混合后的总钱数和与总钱数相对应的总千克数.

解：① 什锦糖的总价：

$4.40\times2+4.20\times3+7.20\times5=57.4$（元）

② 什锦糖的总千克数：$2+3+5=10$（千克）

③ 什锦糖的单价：$57.4\div10=5.74$（元）

答: 混合后的什锦糖每千克 5.74 元.

我们把上述这种平均数问题叫做“加权平均数”. 例 3 中的 5.74 元叫做 4.40 元、4.20 元、7.20 元的加权平均数. 2 千克、3 千克、5 千克这三个数很重要，对什锦糖的单价产生不同影响，有权衡轻重的作用，所以这样的数叫做“权数”.

【例 4】 甲乙两块棉田，平均亩产籽棉 185 斤. 甲棉田有 5 亩，平均亩产籽棉 203 斤；乙棉田平均亩产籽棉 170 斤，乙棉田有多少亩？

分析 此题是已知两个数的加权平均数、两个数和其中一个数的权数，求另一个数的权数的问题. 甲棉田平均亩产籽棉 203 斤比甲乙棉田平均亩产多 18 斤，5 亩共多出 90 斤. 乙棉田平均亩产比甲乙棉田平均亩产少 15 斤，乙少的部分用甲多的部分补足，也就是看 90 斤里面包含几个 15 斤，从而求出的是乙棉田的亩数，即“权数”.

解: ① 甲棉田 5 亩比甲乙平均亩产多多少斤？

$(203-185)\times 5=90$(斤)

② 乙棉田有几亩？

$90\div(185-170)=6$(亩)

答: 乙棉田有 6 亩.

三、连续数平均问题

我们学过的连续数有“连续自然数”、“连续奇数”、“连续偶数”. 已知几个连续数的和求出这几个数，也叫平均问题.

【例 5】 已知八个连续奇数的和是 144，求这八个连续奇数.

分析 已知偶数个奇数的和是 144. 连续数的个数为偶数时，它的特点是首项与末项之和等于第二项与倒数第二项之和，等于第三项与倒数第三项之和……即每两个数分为一组，八个数分成 4 组，每一组两个数的和是 $144\div4=36$. 这样可以确定出中间的两个数，再依次求出其他各数.

解: ① 每组数之和：$144\div4=36$

② 中间两个数中较大的一个：$(36+2)\div2=19$

③ 中间两个数中较小的一个：$19-2=17$

∴ 这八个连续奇数为 11、13、15、17、19、21、23 和 25.

答: 这八个连续奇数分别为：11、13、15、17、19、21、23 和 25.

四、调和平均数

【例 6】 一个运动员进行爬山训练. 从 A 地出发，上山路长 11 千米，每小时行 4.4 千米. 爬到山顶后，沿原路下山，下山每小时行 5.5 千米. 求这位运动员上山、下山的平均速度.

分析 这道题目是行程问题中关于求上、下山平均速度的问题. 解题时应区分平均速度和速度的平均数这两个不同的概念. 速度的平均数＝（上山速度＋下山速度）÷2，而平均速度＝上、下山的总路程÷上、下山所用的时间和.

解: ① 上山时间：$11 \div 4.4 = 2.5$（小时）

② 下山时间：$11 \div 5.5 = 2$（小时）

③ 上、下山平均速度:$11 \times 2 \div (2.5 + 2) = 4\frac{8}{9}$（千米）

答: 上、下山的平均速度是每小时 $4\frac{8}{9}$千米.

我们把 $4\frac{8}{9}$千米叫做 4.4 千米和 5.5 千米的调和平均数.

五、基准数平均数

【例 7】　中关村三小有 15 名同学参加跳绳比赛，他们每分钟跳绳的个数分别为 93、94、85、92、86、88、94、91、88、89、92、86、93、90、89，求每个人平均每分钟跳绳多少个?

分析　从他们每人跳绳的个数可以看出，每人跳绳的个数很接近，所以可以选择其中一个数 90 做为基准数，再找出每个加数与这个基准数的差. 大于基准数的差作为加数，如 $93 = 90 + 3$，3 作为加数；小于基准数的差作为减数，如 $87 = 90 - 3$，3 作为减数. 把这些差累计起来，用和数的项数乘以基准数，加上累计差，再除以和数的个数就可以算出结果.

解: ① 跳绳总个数.

$93 + 94 + 85 + 92 + 86 + 88 + 94 + 91 + 88 + 89 +$

$92 + 86 + 93 + 90 + 89$

$= 90 \times 15 + (3 + 4 + 2 + 4 + 1 + 2 + 3) - (5 + 4 + 2 + 2 +$

1 + 4 + 1)

= 1350 + 19 − 19

= 1350（个）

② 每人平均每分钟跳多少个？

1350 ÷ 15 = 90（个）

答： 每人平均每分钟跳 90 个.

习　题　六

1. 某次数学考试，甲乙的成绩和是 184 分，乙丙的成绩和是 187 分，丙丁的成绩和是 188 分，甲比丁多 1 分，问甲、乙、丙、丁各多少分？

2. 求 1962、1973、1981、1994、2005 的平均数.

3. 缝纫机厂第一季度平均每月生产缝纫机 750 台，第二季度生产的是第一季度生产的 2 倍多 66 台，下半年平均月生产 1200 台，求这个厂一年的平均月产量.

4. 甲种糖每千克 8.8 元，乙种糖每千克 7.2 元，用甲种糖 5 千克和多少乙种糖混合，才能使每千克糖的价钱为 8.2 元？

5. 7 个连续偶数的和是 1988，求这 7 个连续偶数.

6. 6 个学生的年龄正好是连续自然数，他们的年龄和与小明爸爸的年龄相同，7 个人年龄一共是 126 岁，求这 6 个学生各几岁？

7. 食堂买来 5 只羊，每次取出两只合称一次重量，得到十种不同的重量（千克）：

47、50、51、52、53、54、55、57、58、59. 问这五只羊各重多少千克？

习题六解答

1. ∵ $\text{甲}+\text{乙}=184$ (1)

$\text{乙}+\text{丙}=187$ (2)

$\text{丙}+\text{丁}=188$ (3)

(2) − (1) $\text{丙}-\text{甲}=3$ (4)

(3) − (4) $\text{丁}+\text{甲}=185$

∴ $\text{甲}=(185+1)\div 2=93$（分）

$\text{丁}=93-1=92$（分）

$\text{乙}=184-93=91$（分）

$\text{丙}=187-91=96$（分）

答：甲、乙、丙、丁的成绩分别为 93 分、91 分、96 分、和 92 分.

2. $1962+1973+1981+1994+2005$

$=1981\times 5+(13+24)-(8+19)$

$=9915.$

$9915\div 5=1983.$

3. ① 上半年总产量：

$750\times 3+750\times 3\times 2+66=6816$（台）

② 下半年总产量：$1200\times 6=7200$（台）

③ 平均月产量：$(6816+7200)\div 12=1168$（台）

答：平均月产量是 1168 台.

4. $(8.8-8.2)\times 5\div(8.2-7.2)=3$（千克）

答：与乙种糖 3 千克混合.

5. 分析　已知奇数个偶数的和，可以用和除以个数求出中间数，再求出其他各偶数.

中间数：$1988 \div 7 = 284$

其他六个数分别为 278、280、282、284、286、288、290.

答：这 7 个偶数分别为：278、280、282、284、286、288、290.

6. 分析　6 个孩子年龄和与小明爸爸年龄相同，说明小明爸爸年龄是 126 岁的一半，是 63 岁. 其他 6 个学生的年龄和也是 63 岁. $63 \div 3 = 21$（岁），$21 = 10 + 11$ 为中间两个数，所以其他四人年龄依次为 8、9、12、13 岁.

答：这六个学生的年龄分别为:8、9、10、11、12、13 岁.

7. 解：设 5 只羊的重量从轻到重依次为 A_1、A_2、A_3、A_4、A_5. $A_1 + A_2 = 47$，$A_1 + A_3 = 50 \cdots\cdots A_3 + A_5 = 58$，$A_4 + A_5 = 59$. 10 次称重 5 只羊各称过 4 次，所以它们的重量和应是：

$$A_1 + A_2 + A_3 + A_4 + A_5$$
$$= (47 + 50 + 51 + 52 + 53 + 54 + 55 + 57 + 58 + 59) \div 4 = 134$$

$A_3 = 134 - (A_1 + A_2) - (A_4 + A_5) = 28$

$A_1 = 50 - 28 = 22$　　　$A_2 = 47 - 22 = 25$

$A_5 = 58 - 28 = 30$　　　$A_4 = 59 - 30 = 29$

答：这 5 只羊的重量分别为 22 千克、25 千克、28 千克、29 千克、30 千克.

第7讲 和倍问题

和倍问题是已知大小两个数的和与它们的倍数关系，求大小两个数的应用题. 为了帮助我们理解题意，弄清两种量彼此间的关系，常采用画线段图的方法来表示两种量间的这种关系，以便于找到解题的途径.

【例 1】 甲班和乙班共有图书 160 本. 甲班的图书本数是乙班的 3 倍，甲班和乙班各有图书多少本？

分析 设乙班的图书本数为 1 份，则甲班图书为乙班的 3 倍，那么甲班和乙班图书本数的和相当于乙班图书本数的 4 倍. 还可以理解为 4 份的数量是 160 本，求出 1 份的数量也就求出了乙班的图书本数，然后再求甲班的图书本数. 用下图表示它们的关系：

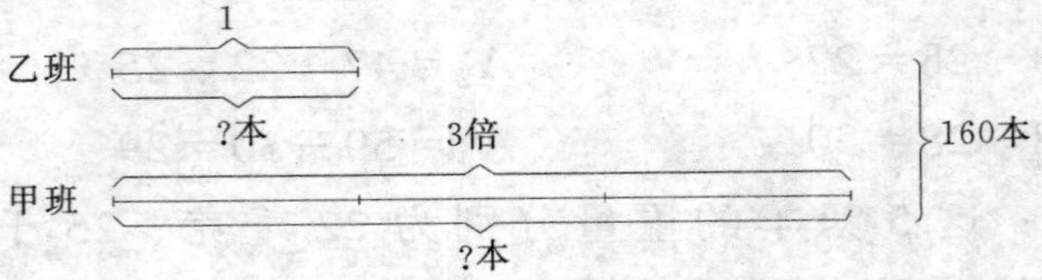

解： 乙班：160÷(3+1)=40（本）

甲班：40×3=120（本）

或 160−40=120（本）

答： 甲班有图书 120 本，乙班有图书 40 本.

这道应用题解答完了，怎样验算呢？

可把求出的甲班本数和乙班本数相加，看和是不是

160本；再把甲班的本数除以乙班本数，看是不是等于3倍. 如果与条件相符，表明这题作对了. 注意验算决不是把原式再算一遍.

验算：120 + 40 = 160（本）

120 ÷ 40 = 3（倍）.

【例2】 甲班有图书120本，乙班有图书30本，甲班给乙班多少本，甲班的图书是乙班图书的2倍？

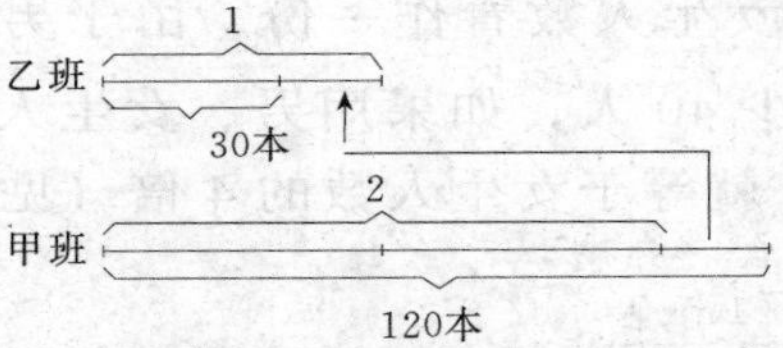

分析 解这题的关键是找出哪个量是变量，哪个量是不变量. 从已知条件中得出，不管甲班给乙班多少本书，还是乙班从甲班得到多少本书，甲、乙两班图书总和是不变的量. 最后要求甲班图书是乙班图书的2倍，那么甲、乙两班图书总和相当于乙班现有图书的3倍. 依据解和倍问题的方法，先求出乙班现有图书多少本，再与原有图书本数相比较，可以求出甲班给乙班多少本书（见上图）.

解：① 甲、乙两班共有图书的本数是：

30 + 120 = 150（本）

② 甲班给乙班若干本图书后，甲、乙两班共有的倍数是：

2 + 1 = 3（倍）

③ 乙班现有的图书本数是：150 ÷ 3 = 50（本）

④ 甲班给乙班图书本数是：50 − 30 = 20（本）

综合算式：

$(30+120)\div(2+1)=50$（本）

$50-30=20$（本）

答： 甲班给乙班20本图书后，甲班图书是乙班图书的2倍.

验算：$(120-20)\div(30+20)=2$（倍）

$(120-20)+(30+20)=150$（本）.

【例3】 光明小学有学生760人，其中男生比女生的3倍少40人，男、女生各有多少人？

分析 把女生人数看作一份，由于男生人数比女生人数的3倍还少40人，如果用男、女生人数总和760人再加上40人，就等于女生人数的4倍（见下图）.

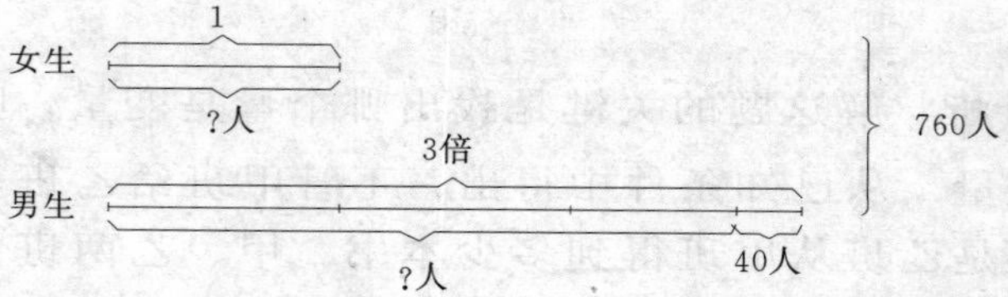

解： ① 女生人数：$(760+40)\div(3+1)=200$（人）

② 男生人数：$200\times3-40=560$（人）

或 $760-200=560$（人）

答： 男生有560人，女生有200人.

验算：$560+200=760$（人）

$(560+40)\div200=3$（倍）.

【例4】 果园里有桃树、梨树、苹果树共552棵.桃树比梨树的2倍多12棵，苹果树比梨树少20棵，求桃树、梨树和苹果树各有多少棵？

分析 下图可以看出桃树比梨树的2倍多12棵，苹果树比梨树少20棵，都是同梨树相比较、以梨树的棵数为标准、作为 1 份数容易解答．又知三种树的总数是 552 棵．如果给苹果树增加 20 棵，那么就和梨树同样多了；再从桃树里减少 12 棵，那么就相当于梨树的 2 倍了，而总棵树则变为 552＋20－12＝560（棵），相当于梨树棵数的 4 倍．

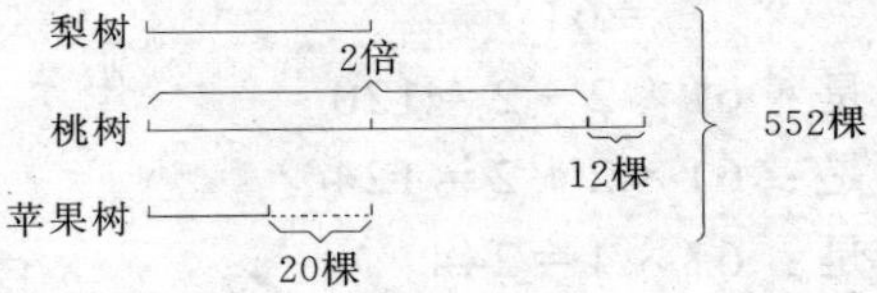

解： ① 梨树的棵数：

（552＋20－12）÷（1＋1＋2）

＝560÷4＝140（棵）

② 桃树的棵数：140×2＋12＝292（棵）

③ 苹果树的棵数：140－20＝120（棵）

答： 桃树、梨树、苹果树分别是292 棵、140 棵和 120 棵．

【例 5】 549 是甲、乙、丙、丁 4 个数的和．如果甲数加上 2，乙数减少 2，丙数乘以 2，丁数除以 2 以后，则 4 个数相等．求 4 个数各是多少？

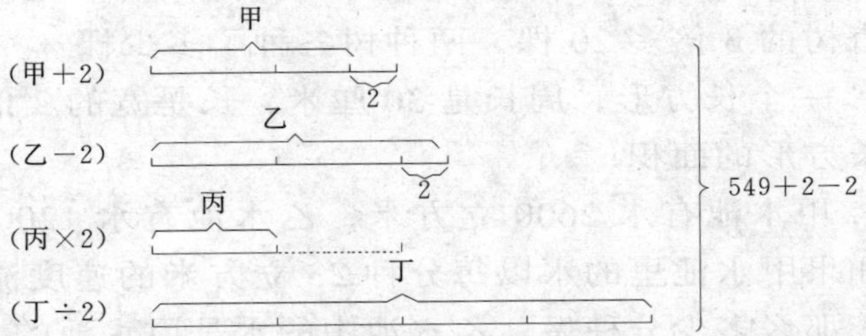

分析 上图可以看出，丙数最小．由于丙数乘以 2 和丁数除以 2 相等，也就是丙数的 2 倍和丁数的一半相等，即丁数相当于丙数的 4 倍．乙减 2 之后是丙的 2 倍，

甲加上2之后也是丙的2倍．根据这些倍数关系，可以先求出丙数，再分别求出其他各数．

解：① 丙数是：$(549+2-2)\div(2+2+1+4)$

$=549\div9$

$=61$

② 甲数是：$61\times2-2=120$

③ 乙数是：$61\times2+2=124$

④ 丁数是：$61\times4=244$

验算：$120+124+61+244=549$

$120+2=122$　　$124-2=122$

$61\times2=122$　　$244\div2=122$

答：甲、乙、丙、丁分别是120、124、61、244．

习　题　七

1．小明和小强共有图书120本，小强的图书本数是小明的2倍，他们两人各有图书多少本？

2．果园里一共种340棵桃树和杏树，其中桃树的棵数比杏树的3倍多20棵，两种树各种了多少棵？

3．一个长方形，周长是30厘米，长是宽的2倍，求这个长方形的面积．

4．甲水池有水2600立方米，乙水池有水1200立方米，如果甲水池里的水以每分种23立方米的速度流入乙水池，那么多少分种后，乙水池中的水是甲水池的4倍？

5．甲桶里有油470千克，乙桶里有油190千克，甲桶的油倒入乙桶多少千克，才能使甲桶油是乙桶油的2倍？

6．有3条绳子，共长95米，第一条比第二条长7

米，第二条比第三条长 8 米，问 3 条绳子各长多少米？

习题七解答

1.① 小明的本数：$120\div(2+1)=40$（本）.

② 小强的本数：$40\times2=80$（本）.

2.① 杏树的棵数：$(340-20)\div(3+1)=80$（棵）.

② 桃树的棵数：$80\times3+20=260$（棵）.

3.① 长方形的宽：$(30\div2)\div(2+1)=5$(厘米).

② 长方形的长：$5\times2=10$（厘米）.

③ 长方形的面积：$10\times5=50$（平方厘米）.

4.① 甲、乙两水池共有水：

$2600+1200=3800$（立方米）

② 甲水池剩下的水：

$3800\div(4+1)=760$（立方米）

③ 甲水池流入乙水池中的水：

$2600-760=1840$（立方米）

④ 经过的时间（分钟）：　$1840\div23=80$（分钟）.

5.① 甲、乙两桶油总重量：

$470+190=660$（千克）：

② 当甲桶油是乙桶油 2 倍时，乙桶油是：

$660\div(2+1)=220$(千克)：

③ 由甲桶倒入乙桶中的油：$220-190=30$（千克）.

6.① 变化后的绳子总长　$95-7+8=96$（米）.

② 第二条绳长：$96\div(1+1+1)=32$(米).

③ 第一条绳长：$32+7=39$（米）.

④ 第三条绳长：$32-8=24$（米）.

第8讲　差倍问题

前面讲了应用线段图分析“和倍”应用题，这种方法使分析的问题具体、形象，使我们能比较顺利地解答此类应用题．下面我们再来研究与“和倍”问题有相似之处的“差倍”应用题．

“差倍问题”就是已知两个数的差和它们的倍数关系，求这两个数．

差倍问题的解题思路与和倍问题一样，先要在题目中找到1倍量，再画图确定解题方法．被除数的数量和除数的倍数关系要相对应，相除后得到的结果是一倍量，然后求出另一个数，最后再写出验算和答题．

【例1】　甲班的图书本数比乙班多80本，甲班的图书本数是乙班的3倍，甲班和乙班各有图书多少本？

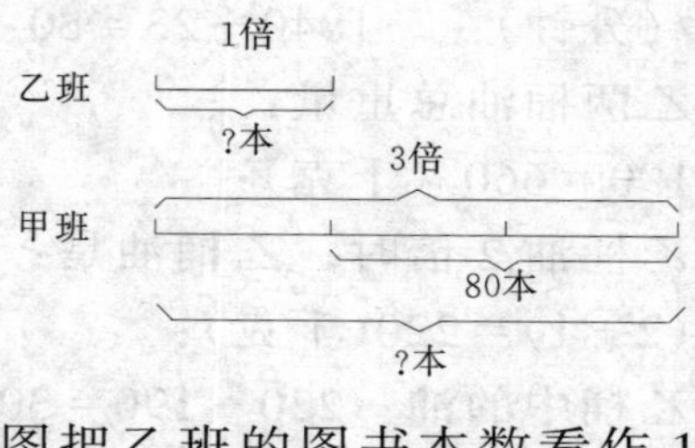

分析　上图把乙班的图书本数看作1倍，甲班的图书本数是乙班的3倍，那么甲班的图书本数比乙班多2倍．又知“甲班的图书比乙班多80本”，即2倍与80本相对应，可以理解为2倍是80本，这样可以算出1倍是

多少本．最后就可以求出甲、乙班各有图书多少本．

解： ① 乙班的本数：$80\div(3-1)=40$（本）

② 甲班的本数：$40\times3=120$（本）

或 $40+80=120$（本）．

验算：$120-40=80$（本）

$120\div40=3$（倍）

答： 甲班有图书 120 本，乙班有图书 40 本．

【例 2】　菜站运来的白菜是萝卜的 3 倍，卖出白菜 1800 千克，萝卜 300 千克，剩下的两种蔬菜的重量相等，菜站运来的白菜和萝卜各是多少千克？

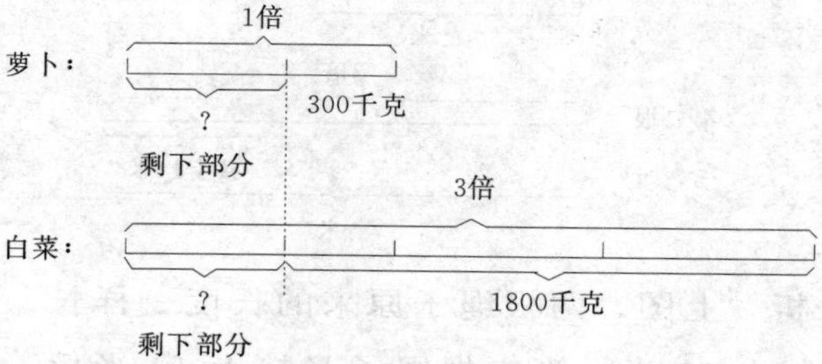

分析　这样想：根据“菜站运来的白菜是萝卜的 3 倍”应把运来的萝卜的重量看作 1 倍；“卖出白菜 1800 千克，萝卜 300 千克后，剩下两种蔬菜的重量正好相等”，说明运来的白菜比萝卜多 $1800-300=1500$（千克）．从上图中清楚地看到这个重量相当于萝卜重量的 $3-1=2$（倍），这样就可以先求出运来的萝卜是多少千克，再求运来的白菜是多少千克．

解： ① 运来萝卜：$(1800-300)\div(3-1)=750$（千克）

② 运来白菜：$750\times 3=2250$（千克）

验算：

$2250-1800=450$（千克）　　（白菜剩下部分）

$750-300=450$（千克）　　（萝卜剩下部分）

答：菜站运来白菜 2250 千克，萝卜 750 千克.

【例 3】　有两根同样长的绳子，第一根截去 12 米，第二根接上 14 米，这时第二根长度是第一根长的 3 倍，两根绳子原来各长多少米？

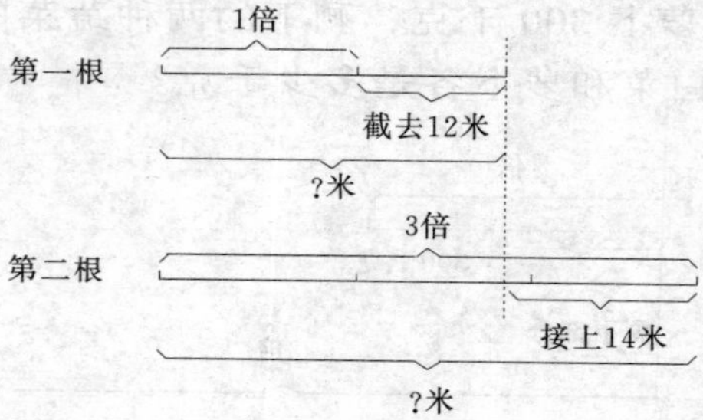

分析　上图，两根绳子原来的长度一样长，但是从第一根截去 12 米，第二根绳子又接上 14 米后，第二根的长度是第一根的 3 倍. 应该把变化后的第一根长度看作 1 倍，而 $12+14=26$（米），正好相当于第一根绳子剩下的长度的 2 倍. 所以，当从第一根截去 12 米后剩下的长度可以求出来了，那么第一根、第二根原有长度也就可以求出来了.

解：① 第一根截去 12 米剩下的长度：

$(12+14)\div(3-1)=13$(米)

② 两根绳子原来的长度：$13+12=25$（米）

答：两根绳子原来各长 25 米.

自己进行验算，看答案是否正确．另外还可以想想，有无其他方法求两根绳子原来各有多长．

小结：解答这类题的关键是要找出两个数量的差与两个数量的倍数的差的对应关系．用除法求出 1 倍数，也就是较小的数，再求几倍数．

解题规律：

差 ÷ 倍数的差 = 1 倍数（较小数）

1 倍数 × 几倍 = 几倍的数（较大的数）

或：较小的数 + 差 = 较大的数．

【例 4】　三（1）班与三（2）班原有图书数一样多．后来，三（1）班又买来新书 74 本，三（2）班从本班原书中拿出 96 本送给一年级小同学，这时，三（1）班图书是三（2）班的 3 倍，求两班原有图书各多少本？

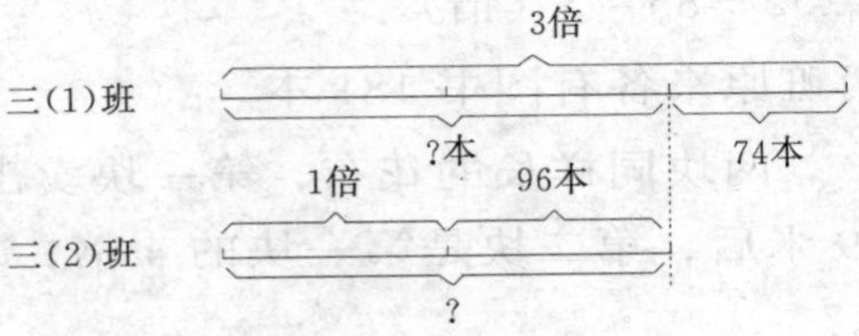

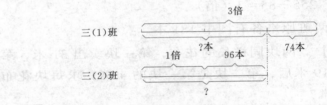

分析　两个班原有图书一样多．后来三(1)班又买新书 74 本，即增加了 74 本；三(2)班从本班原有图书中取出 96 本送给一年级同学，则图书减少了 96 本．结果是一个班增加，另一个班减少，这样两个班图书就相差 96 + 74 = 170（本），也就是三(1)班比三(2)班多了 170 本图书．又知三(1)班现有图书是三(2)班图书的 3 倍，可见这 170 本图书就相当于三(2)班所剩图书的 3 − 1 = 2 倍，三(2)班所剩图书本数就可以求出来了，随之原有图书本数也就求出来了（见上图）．

解：① 后来三（1）班比三（2）班图书多多少本？

74 + 96 = 170（本）

② 三（2）班剩下的图书是多少本？

170 ÷ (3 − 1) = 85（本）

③ 三（2）班原有图书多少本？

85 + 96 = 181（本）　　（两个班原有图书一样多）

综合算式：

(74 + 96) ÷ (3 − 1) + 96

= 170 ÷ 2 + 96

= 85 + 96

= 181（本）

验算：181 + 74 = 255（本）

181 − 96 = 85（本）

255 ÷ 85 = 3（倍）

答：两班原来各有图书 181 本.

【例 5】 两块同样长的花布，第一块卖出 31 米，第二块卖出 19 米后，第二块是第一块的 4 倍，求每块花布原有多少米？

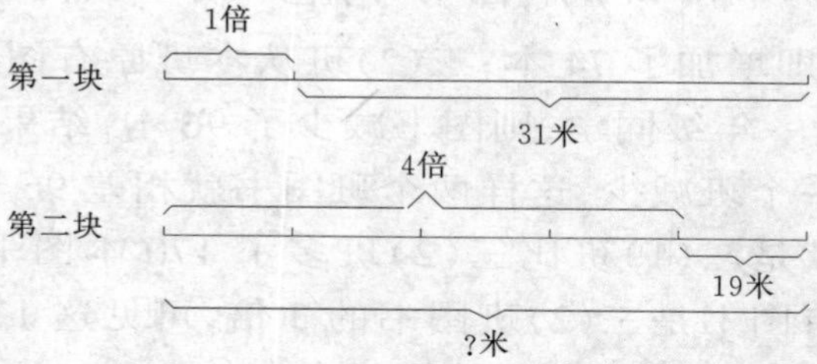

分析 已知两块花布同样长，由于第一块卖出的多，第二块卖出的少，因此第一块剩下的少，第二块剩下的

多．所剩的布第二块比第一块多 $31-19=12$（米）．又知第二块所剩下的布是第一块的 4 倍，那么第二块比第一块多出的 12 米正好相当于所剩布的（$4-1$）倍，这样，第一块所剩布的长度即可求出（见上图）．

解：① 第二块布比第一块布多剩多少米？

$31-19=12$（米）

② 第一块布剩下多少米？

$12\div(4-1)=4$（米）

③ 第一块布原有多少米？

$4+31=35$（米）　　（两块布原有长度相等）

综合列式：

$(31-19)\div(4-1)+31$

$=12\div3+31$

$=4+31$

$=35$（米）

验算：$35-31=4$（米）

$35-19=16$（米）

$16\div4=4$（倍）

答：每块布原有 35 米长．

习 题 八

1．一只大象的体重比一头牛重 4500 千克，又知大象的重量是一头牛的 10 倍，一只大象和一头牛的重量各是多少千克？

2．果园里的桃树比杏树多 90 棵，桃树的棵数是杏树的 3 倍，桃树和杏树各有多少棵？

3．有两块布，第一块长 74 米，第二块长 50 米，两块布各剪去同样长的一块布后，剩下的第一块米数是第二块的 3 倍，问每块布各剪去多少米？

4．甲、乙两校教师的人数相等，由于工作需要，从甲校调 30 人到乙校去，这时乙校教师人数正好是甲校教师人数的 3 倍，求甲、乙两校原有教师各多少人？

5．两筐重量相同的苹果，从甲筐取出 7 千克，乙筐加入 19 千克，这时乙筐是甲筐苹果的 3 倍，问两筐原有苹果多少千克？

6．甲、乙两个数，如果甲数加上 320 就等于乙数了．如果乙数加上 460 就等于甲数的 3 倍，两个数各是多少？

7．有两块同样长的布，第一块卖出 25 米，第二块卖出 14 米，剩下的布第二块是第一块的 2 倍，求每块布原有多少米？

习题八解答

1．一头牛重量是：$4500\div(10-1)=500$（千克）
一只大象重量：$500\times10=5000$（千克）．

2．杏树棵数：$90\div(3-1)=45$（棵）
桃树棵数：$45\times3=135$（棵）．

3．把第二块布剩下的米数看作 1 倍数：

$(74-50)\div(3-1)=12$（米）

剪去的米数：$50-12=38$（米）．

4．把甲校调走 30 人后的甲校人数看作 1 倍：

$(30\times2)\div(3-1)=30$（人）

甲、乙两校原有教师各　$30+30=60$（人）．

5．甲筐重量：$(19+7)\div(3-1)=13$（千克）

乙筐重量：$13\times3=39$

原有重量：$13+7=20$（千克）．

6．甲数：$(320+460)\div2=390$

乙数：$390+320=710$．

7．$(25-14)\div(2-1)+25$

$=11\div1+25$

$=11+25$

$=36$（米）．

第9讲 和差问题

和差问题是已知大小两个数的和与两个数的差，求大小两个数各是多少的应用题.

为了解答这种应用题，首先要弄清两个数相差多少的不同叙述方式. 有些题目明确给了两个数的差，而有些应用题把两个数的差“暗藏”起来，我们管暗藏的差叫“暗差”.

例：“把姐姐的铅笔拿出3支后，姐姐、弟弟的铅笔支数就同样多.”这说明姐姐的铅笔比弟弟多3支，也说明姐姐和弟弟铅笔相差3支.

再例：“把姐姐的铅笔给弟弟3支后，两人铅笔支数就同样多.”如果认为姐姐的铅笔比弟弟多3支（差是3)，那就错了. 实际上姐姐比弟弟多2个3支. 姐姐给弟弟3支后，自己留下3支，再加上他们原有的铅笔数，他们的铅笔支数才可能一样多. 这里$3\times2=6$支，就是暗差.

“把姐姐的铅笔给弟弟3支后还比弟弟多1支”，这就说明姐姐的铅笔支数比弟弟多$3\times2+1=7$（支).

【例1】 两筐水果共重150千克，第一筐比第二筐多8千克，两筐水果各多少千克?

分析 这样想：假设第二筐和第一筐重量相等时，两筐共重$150+8=158$（千克)；假设第一筐重量和第二筐相等时，两筐共重$150-8=142$（千克).

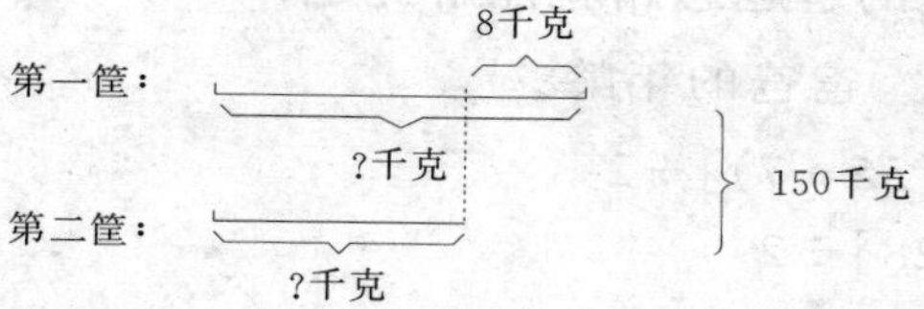

解法 1：① 第二筐重多少千克？

$(150-8)\div 2=71$（千克）

② 第一筐重多少千克？

$71+8=79$（千克）

或 $150-71=79$（千克）

解法 2：① 第一筐重多少千克？

$(150+8)\div 2=79$（千克）

② 第二筐重多少千克？

$79-8=71$（千克）

或 $150-79=71$（千克）

答： 第一筐重 79 千克，第二筐重 71 千克.

【例 2】　今年小强 7 岁，爸爸 35 岁，当两人年龄和是 58 岁时，两人年龄各多少岁？

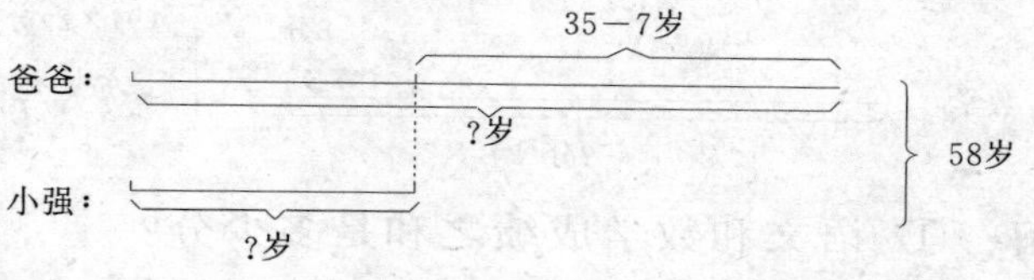

分析　题中没有给出小强和爸爸年龄之差，但是已知两人今年的年龄，那么今年两人的年龄差是 $35-7=28$（岁）. 不论过多少年，两人的年龄差是保持不变的. 所以，当两人年龄和为 58 岁时他们年龄差仍是 28 岁. 根

据和差问题的解题思路就能解此题．

解：① 爸爸的年龄：

$[58+(35-7)]\div 2$

$=[58+28]\div 2$

$=86\div 2$

$=43$（岁）

② 小强的年龄：

$58-43=15$（岁）

答：当父子两人的年龄和是 58 岁时，小强 15 岁，他爸爸 43 岁．

【例 3】 小明期末考试时语文和数学的平均分数是 94 分，数学比语文多 8 分，问语文和数学各得了几分？

分析 解和差问题的关键就是求得和与差，这道题中数学与语文成绩之差是 8 分，但是数学和语文成绩之和没有直接告诉我们．可是，条件中给出了两科的平均成绩是 94 分，这就可以求得这两科的总成绩．

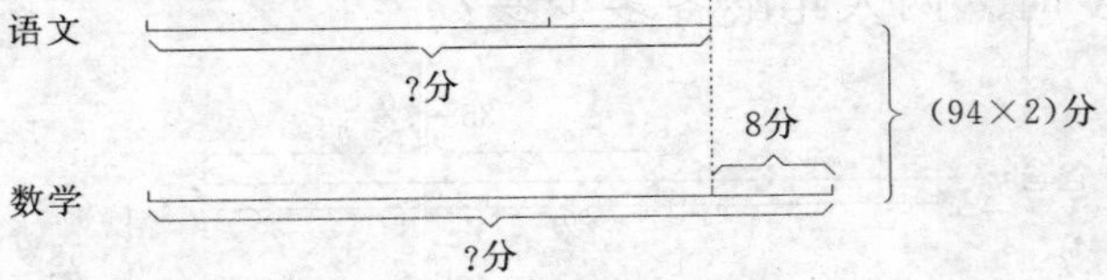

解：① 语文和数学成绩之和是多少分？

$94\times 2=188$（分）

② 数学得多少分？

$(188+8)\div 2=196\div 2=98$（分）

③ 语文得多少分？

$(188-8)\div 2=180\div 2=90$（分）

或 98－8＝90（分）

答: 小明期末考试语文得 90 分，数学得 98 分.

【例 4】　甲乙两校共有学生 864 人，为了照顾学生就近入学，从甲校调入乙校 32 名同学，这样甲校学生还比乙校多 48 人，问甲、乙两校原来各有学生多少人？

分析　这样想：甲、乙两校学生人数的和是 864 人，根据由甲校调入乙校 32 人，这样甲校比乙校还多 48 人可以知道，甲校比乙校多 32×2＋48＝112（人）. 112 是两校人数差.

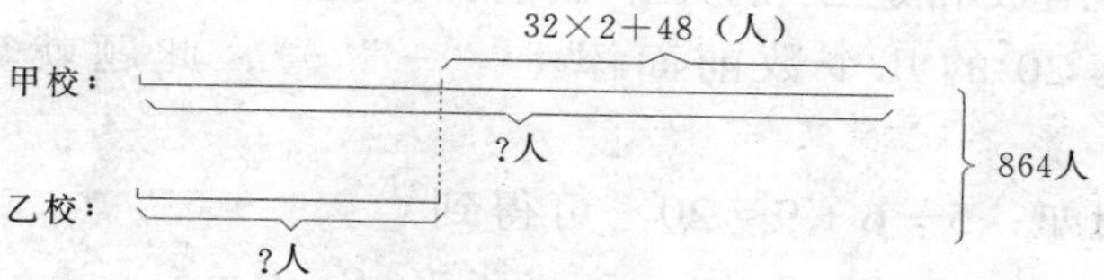

解: ① 乙校原有的学生：

$(864-32\times2-48)\div2=376$(人)

② 甲校原有学生：

$864-376=488$（人）

答: 甲校原有学生 488 人，乙校原有学生 376 人.

小结：从以上 4 个例题可以看出题目给的条件虽然不同，但是解题思路和解题方法是一致的. 和差问题的一般解题规律是：

（和＋差）÷2＝较大数　　　较大数－差＝较小数

或（和－差）÷2＝较小数　　较小数＋差＝较大数

也可以求出一个数后，用和减去这个数得到另一个数.

下面我们用和差问题的思路来解答一个数学问题.

【例 5】 在每两个数字之间填上适当的加或减符号使算式成立.

1　2　3　4　5　6　7　8　9＝5

分析 这样想：从 1 至 9 这几个数字相加是不会得到 5 的，只能从一部分数字相加再减去一部分字后差是 5，也就是说 1 到 9 的和是 45，而两部分的差是 5，先要求出这两部分数字，利用和差问题的方法便可以求出.

$(45-5)\div 2=20$，　　$20+5=25$

可求出其中几个数的和是 25，而另外几个数的和是 20. 在组成和是 25 的几个数前面添上“+”号，而在组成和是 20 的几个数前面添上“-”号，此题就算出来了.

例如：$5+6+9=20$　可得到.

$1+2+3+4-5-6+7+8-9=5$

又如：$5+7+8=20$　可得到.

$1+2+3+4-5+6-7-8+9=5$

又如：$3+4+6+7=20$　可得到.

$1+2-3-4+5-6-7+8+9=5$

同学们，这道题你还有其他解法吗？试试看！

习　题　九

1. 果园里有桃树和梨树共 150 棵，桃树比梨树多 20 棵，两种果树各有多少棵？

2. 甲、乙两桶油共重 30 千克，如果把甲桶中 6 千克油倒入乙桶，那么两桶油重量相等，问甲、乙两桶原有多少油？

3. 用锡和铝制成 500 千克的合金，铝的重量比锡多 100 千克，锡和铝各是多少千克？

4. 某工厂去年与今年的平均产值为 96 万元，今年比去年多 10 万元，今年与去年的产值各是多少万元？

5. 甲、乙两个学校共有学生 1245 人，如果从甲校调 20 人去乙校后，甲校比乙校还多 5 人，两校原有学生各多少人？

6. 三个物体平均重量是 31 千克，甲物体比乙、丙两个物体重量之和轻 1 千克，乙物体比丙物体重量的 2 倍还重 2 千克，三个物体各重多少千克？

7. 甲、乙两个工程队共有 1980 人，甲队为了支援乙队，抽出 285 人加入乙队，这时乙队人数还比甲队少 24 人，求甲、乙两队原有工人多少人？

8. 四年级有 3 个班，如果把甲班的 1 名学生调整到乙班，两班人数相等；如果把乙班 1 名学生调到丙班，丙班比乙班多 2 人，问甲班和丙班哪班人数多？多几人？

习题九解答

1. 桃树的棵树：(150 + 20) ÷ 2 = 85（棵）
梨树的棵树：150 − 85 = 65（棵）

答：有桃树 85 棵，梨树 65 棵.

2. 甲桶油重：(30 + 6 × 2) ÷ 2 = 21（千克）
乙桶油重：30 − 21 = 9（千克）

答：甲桶油重 21 千克，乙桶油重 9 千克.

3. 锡的重量：(500 − 100) ÷ 2 = 200（千克）
铝的重量：500 − 200 = 300（千克）

答：锡重量是 300 千克，铝的重量是 200 千克.

4. 今年的产值：(96×2＋10)÷2＝101(万元)

去年的产值:101－10＝91(万元)

答：今年的产值是 101 万元，去年的产值是 91 万元.

5. 乙校原有人数：

[1245－(20×2＋5)]÷2＝600(人)

甲校原有人数：1245－600＝645（人）

答：甲校原有学生 645 人，乙校原有学生 600 人.

6. 三个物体的总重量：31×3＝93（千克）

甲物体的重量：(93－1)÷2＝46(千克)

丙物体的重量：(93－46－2)÷(2＋1)＝15(千克)

乙物体的重量：93－46－15＝32（千克）

答：甲、乙、丙三个物体的重量分别为 46 千克、32 千克、15 千克.

7. 甲队原有人数：

(285×2＋24＋1980)÷2＝1287(人)

乙队原有人数：1287－594＝693（人）

答：甲队原有 1287 人，乙队原有 693 人.

8. 解（略），答：甲班比丙班人数多，多 2 名学生.

第10讲 年龄问题

年龄问题是小学数学中常见的一类问题．例如：已知两个人或若干个人的年龄，求他们年龄之间的某种数量关系等等．年龄问题又往往是和倍、差倍、和差等问题的综合．它有一定的难度，因此解题时需抓住其特点．

年龄问题的主要特点是：大小年龄差是个不变的量，而年龄的倍数却年年不同．我们可以抓住差不变这个特点，再根据大小年龄之间的倍数关系与年龄之和等条件，解答这类应用题．

解答年龄问题的一般方法是：

几年后年龄＝大小年龄差÷倍数差－小年龄，

几年前年龄＝小年龄－大小年龄差÷倍数差．

【例 1】 爸爸妈妈现在的年龄和是 72 岁；五年后，爸爸比妈妈大 6 岁．今年爸爸妈妈二人各多少岁？

分析 五年后，爸比妈大 6 岁，即爸妈的年龄差是 6 岁．它是一个不变量．所以爸爸、妈妈现在的年龄差仍然是 6 岁．这样原问题就归结成“已知爸爸、妈妈的年龄和是 72 岁，他们的年龄差是 6 岁，求二人各是几岁”的和差问题．

解： ① 爸爸年龄：$(72+6)\div 2=39$（岁）

② 妈妈的年龄：$39-6=33$（岁）

答： 爸爸的年龄是 39 岁，妈妈的年龄是 33 岁．

【例 2】 在一个家庭里，现在所有成员的年龄加在一起是 73 岁．家庭成员中有父亲、母亲、一个女儿和一个儿子．父亲比母亲大 3 岁，女儿比儿子大 2 岁．四年前家庭里所有的人的年龄总和是 58 岁．现在家里的每个成员各是多少岁？

分析 根据四年前家庭里所有的人的年龄总和是 58 岁，可以求出到现在每个人长 4 岁以后的实际年龄和是 $58+4\times4=74$（岁）．

但现在实际的年龄总和只有 73 岁，可见家庭成员中最小的一个儿子今年只有 3 岁．女儿比儿子大 2 岁，女儿是 $3+2=5$（岁）．现在父母的年龄和是 $73-3-5=65$（岁）．又知父母年龄差是 3 岁，可以求出父母现在的年龄．

解： ① 从四年前到现在全家人的年龄和应为：

$58+4\times4=74$（岁）

② 儿子现在几岁？$4-(74-73)=3$(岁)

③ 女儿现在几岁？$3+2=5$(岁)

④ 父亲现在年龄：$(73-3-5+3)\div2=34$(岁)

⑤ 母亲现在年龄：$34-3=31$（岁）

答： 父亲现在 34 岁，母亲 31 岁，女儿 5 岁，儿子 3 岁．

【例 3】 父亲现年 50 岁，女儿现年 14 岁．问：几年前父亲年龄是女儿的 5 倍？

分析 父女年龄差是 $50-14=36$（岁）．不论是几年前还是几年后，这个差是不变的．当父亲的年龄恰好是女儿年龄的 5 倍时，父亲仍比女儿大 36 岁．这 36 岁是父亲比女儿多的 $5-1=4$（倍）所对应的年龄．

解： $(50-14)\div(5-1)=9$(岁)

当时女儿 9 岁，$14-9=5$（年），也就是 5 年前．

答： 5 年前，父亲年龄是女儿的 5 倍.

【例 4】　6 年前，母亲的年龄是儿子的 5 倍. 6 年后母子年龄和是 78 岁. 问：母亲今年多少岁？

分析　6 年后母子年龄和是 78 岁，可以求出母子今年年龄和是 $78-6\times2=66$（岁）. 6 年前母子年龄和是 $66-6\times2=54$（岁）. 又根据 6 年前母子年龄和与母亲年龄是儿子的 5 倍，可以求出 6 年前母亲年龄，再求出母亲今年的年龄.

解： ① 母子今年年龄和：$78-6\times2=66$（岁）

② 母子 6 年前年龄和：$66-6\times2=54$（岁）

③ 母亲 6 年前的年龄：$54\div(5+1)\times5=45$(岁)

④ 母亲今年的年龄：$45+6=51$（岁）

答： 母亲今年是 51 岁.

【例 5】　10 年前吴昊的年龄是他儿子年龄的 7 倍. 15 年后，吴昊的年龄是他儿子的 2 倍. 现在父子俩人的年龄各是多少岁？

分析　根据 15 年后吴昊的年龄是他儿子年龄的 2 倍，得出父子年龄差等于儿子当时的年龄. 因此年龄差等于 10 年前儿子的年龄加上 25 岁.

10 年前吴昊的年龄是他儿子年龄的 7 倍，父子年龄差相当于儿子当时年龄的 $7-1=6$ 倍.

由于年龄差不变，所以儿子 10 年前的年龄的 $6-1=5$ 倍正好是 25 岁，可以求出儿子当时的年龄，从而使问题得解.

解： ① 儿子 10 年前的年龄：$(10+15)\div(7-2)=5$(岁)

② 儿子现在年龄：$5+10=15$（岁）

③ 吴昊现在年龄：$5\times7+10=45$（岁）

答：吴昊现在45岁，儿子15岁．

【例6】 甲对乙说："我在你这么大岁数的时候，你的岁数是我今年岁数的一半．"乙对甲说："我到你这么大岁数的时候，你的岁数是我今年岁数的2倍减7．"问：甲、乙二人现在各多少岁？

分析 从已知条件中可以看出甲比乙年龄大．甲乙年龄差这是一个不变的量．

甲对乙说"我在你这么大岁数的时候"，意思是说几年以前．这几年就是甲乙的年龄差．因此，甲整句话可理解为：乙今年的岁数，减去年龄差，正好是甲今年岁数的一半．

即 $乙_{今}-年龄差=\frac{1}{2}甲_{今}$ （1）

乙对甲说"我到你这么大岁数的时候"，意思是说几年后．因此，乙整句话可理解为：甲今年的岁数，加上年龄差，正好是乙今年岁数的2倍减去7．

即 $甲_{今}+年龄差=2\times 乙_{今}-7$ （2）

把甲乙的对话用下图表示为：

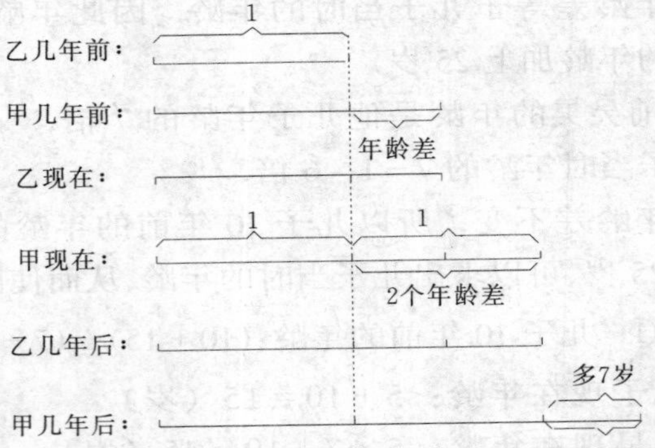

由（1）得　甲$_{今}$＝2×乙$_{今}$－2×年龄差　　（3）

由（2）得　甲$_{今}$＝2×乙$_{今}$－7－年龄差　　（4）

由（3）（4）　年龄差＝7（岁）

…

从上图不难看出，甲现在的年龄是乙几年前年龄的 2 倍，1 倍相当于 2 个年龄差，2 倍相当于 4 个年龄差．乙现在的年龄相当 3 个年龄差．

乙几年后的年龄和甲现在的年龄相等，所以乙几年后相当 4 个年龄差．甲几年后的年龄比乙几年后的年龄多一个年龄差，正好是 7 岁，从而得出年龄差是 7 岁．

解： ① 乙现在年龄：7×3＝21（岁）

② 甲现在年龄：7×4＝28（岁）

答： 乙现在 21 岁，甲现在 28 岁．

习　题　十

1．兄弟俩今年的年龄和是 30 岁，当哥哥像弟弟现在这样大时，弟弟的年龄恰好是哥哥年龄的一半，哥哥今年几岁？

2．赵、田、钱、李、吴五位老师，赵老师比田老师大 4 岁，钱老师比赵老师大 3 岁，李老师比赵老师小 3 岁，吴老师比钱老师小 2 岁．这五位老师的年龄加在一起是 122 岁．问：五位老师各多少岁？

3．哥哥 6 年前的岁数等于弟弟 8 年后的岁数．哥哥 5 年后与弟弟 3 年前的年龄和是 38 岁．求兄弟二人今年各几岁？

4．母女的年龄和是 64 岁，女儿年龄的 3 倍比母亲大

8岁，求母女二人的年龄各是多少岁？

5. 哥哥今年比小丽大12岁，8年前哥哥的年龄是小丽的4倍，今年二人各几岁？

6. 爷爷今年72岁，孙子今年12岁，几年后爷爷的年龄是孙子的5倍？几年前爷爷的年龄是孙子的13倍？

习题十解答

1. 提示：根据条件“当哥哥像弟弟现在这样大时，弟弟的年龄恰好是哥哥年龄的一半”，说明兄弟二人的年龄和30岁正好相当5个年龄差. 其中哥哥今年年龄相当3个年龄差.

所以 $30\div5\times3=18$（岁）就是今年哥哥的年龄.

答：哥哥今年18岁.

2. 提示：解题时先确定以赵老师年龄为标准量.

① 赵老师年龄的五倍：$122+4-3+3-1=125$（岁）

② 赵老师年龄：$125\div5=25$（岁）

③ 田老师年龄：$25-4=21$（岁）

④ 钱老师年龄：$25+3=28$（岁）

⑤ 李老师年龄：$25-3=22$（岁）

⑥ 吴老师年龄：$25+1=26$（岁）

答：赵、田、钱、李、吴这五位老师的年龄分别是：25岁、21岁、28岁、22岁、26岁.

3. 解：① 今年哥哥比弟弟大几岁？$6+8=14$（岁）

② 哥、弟今年年龄和：$38-5+3=36$（岁）

③ 哥哥今年年龄：$(36+14)\div2=25$（岁）

④ 弟弟今年年龄：$25-14=11$（岁）

答：哥哥今年 25 岁，弟弟今年 11 岁.

4.① 女儿的年龄：$(64+8)\div(3+1)=18$(岁)

② 母亲的年龄：$3\times18-8=46$（岁）

答：母亲今年 46 岁，女儿今年 18 岁.

5.① 8 年前小丽的年龄：$12\div(4-1)=4$(岁)

② 今年小丽的年龄：$4+8=12$（岁）

③ 哥哥今年的年龄：$12+12=24$（岁）

答：哥哥今年 24 岁，小丽今年 12 岁.

6.① 爷爷是孙子年龄 5 倍时，孙子的年龄：

$(72-12)\div(5-1)=15$(岁)

② 几年后：$15-12=3$（年）

③ 爷爷年龄是孙子的 13 倍时，孙子的年龄：

$(72-12)\div(13-1)=5$(岁)

④ 几年前：$12-5=7$（年）

答：3 年后，爷爷是孙子年龄的 5 倍；7 年前，爷爷年龄是孙子的 13 倍.

第11讲　鸡兔同笼问题

【例1】　（古典题）鸡兔同笼，头共46，足共128，鸡兔各几只？

分析　如果46只都是兔，一共应有$4\times46=184$只脚，这和已知的128只脚相比多了$184-128=56$只脚．如果用一只鸡来置换一只兔，就要减少$4-2=2$（只）脚．那么，46只兔里应该换进几只鸡才能使56只脚的差数就没有了呢？显然，$56\div2=28$，只要用28只鸡去置换28只兔就行了．所以，鸡的只数就是28，兔的只数是$46-28=18$．

解：① 鸡有多少只？

$(4\times46-128)\div(4-2)$

$=(184-128)\div2$

$=56\div2$

$=28$（只）

② 兔有多少只？

$46-28=18$（只）

答：鸡有28只，兔有18只．

我们来总结一下这道题的解题思路：先假设它们全是兔．于是根据鸡兔的总只数就可以算出在假设下共有几只脚，把这样得到的脚数与题中给出的脚数相比较，看相差多少．每差2只脚就说明有一只鸡；将所差的脚数除以2，就可以算出共有多少只鸡．我们称这种解题方法为假设法. 概括起来，解鸡兔同笼问题的基本关系式是：

鸡数 = (每只兔脚数 × 鸡兔总数 − 实际脚数) ÷ (每只兔子脚数 − 每只鸡的脚数)

兔数 = 鸡兔总数 − 鸡数

当然，也可以先假设全是鸡.

【例 2】　鸡与兔共有 100 只，鸡的脚比兔的脚多 80 只，问鸡与兔各多少只？

分析　这个例题与前面例题是有区别的，没有给出它们脚数的总和，而是给出了它们脚数的差. 这又如何解答呢？

假设 100 只全是鸡，那么脚的总数是 $2 \times 100 = 200$ (只) 这时兔的脚数为 0，鸡脚比兔脚多 200 只，而实际上鸡脚比兔脚多 80 只. 因此，鸡脚与兔脚的差数比已知多了 $(200 - 80) = 120$(只)，这是因为把其中的兔换成了鸡. 每把一只兔换成鸡，鸡的脚数将增加 2 只，兔的脚数减少 4 只. 那么，鸡脚与兔脚的差数增加 $(2 + 4) = 6$(只)，所以换成鸡的兔子有 $120 \div 6 = 20$(只). 有鸡 $(100 - 20) = 80$(只).

解：$(2 \times 100 - 80) \div (2 + 4) = 20$ (只).

$100 - 20 = 80$ (只).

答：鸡与兔分别有 80 只和 20 只.

【例 3】　红英小学三年级有 3 个班共 135 人，二班比一班多 5 人，三班比二班少 7 人，三个班各有多少人？

分析　我们设想，如果条件中三个班人数同样多，那么，要求每班有多少人就很容易了. 由此得到启示，是否可以通过假设三个班人数同样多来分析求解.

结合下图可以想，假设二班、三班人数和一班人数相同，以一班为标准，则二班人数要比实际人数少 5 人. 三班人数要比实际人数多 7－5＝2（人）. 那么，请你算一算，假设二班、三班人数和一班人数同样多，三个班总人数应该是多少？

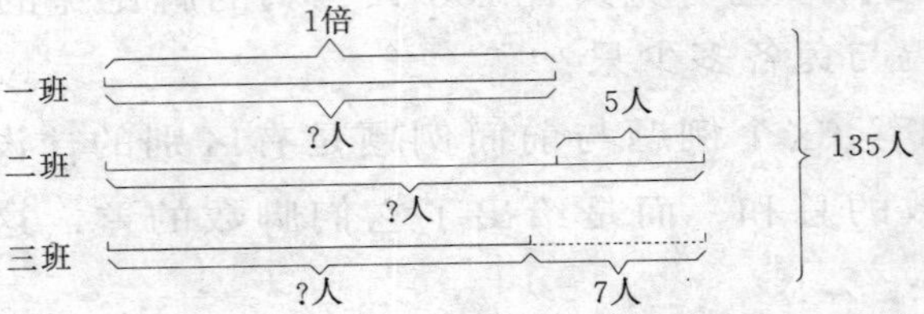

解法 1：

一班：［135－5＋(7－5)］÷3＝132÷3

＝44（人）

二班：44＋5＝49（人）

三班：49－7＝42（人）

答：三年级一班、二班、三班分别有 44 人、49 人和 42 人.

分析 假设一、三班人数和二班人数同样多，那么，一班人数比实际要多 5 人，而三班要比实际人数多 7 人. 这时的总人数又该是多少？

解法 2：（135＋5＋7）÷3

＝147÷3

＝49（人）

49－5＝44（人），49－7＝42（人）

答：三年级一班、二班、三班分别有 44 人、49 人和 42 人.

想一想：根据解法 1、解法 2 的思路，还可以怎样假设？怎样求解？

【例 4】　刘老师带了 41 名同学去北海公园划船，共租了 10 条船. 每条大船坐 6 人，每条小船坐 4 人，问大船、小船各租几条？

分析　我们分步来考虑：

① 假设租的 10 条船都是大船，那么船上应该坐 $6\times10=60$（人）.

② 假设后的总人数比实际人数多了$60-(41+1)=18$（人），多的原因是把小船坐的 4 人都假设成坐 6 人.

③ 一条小船当成大船多出 2 人，多出的 18 人是把 $18\div2=9$（条）小船当成大船.

解：$[6\times10-(41+1)]\div(6-4)$

$=18\div2=9$（条）

$10-9=1$（条）

答：有 9 条小船，1 条大船.

【例 5】　有蜘蛛、蜻蜓、蝉三种动物共 18 只，共有腿 118 条，翅膀 20 对（蜘蛛 8 条腿；蜻蜓 6 条腿，两对翅膀；蝉 6 条腿，一对翅膀），求蜻蜓有多少只？

分析　这是在鸡兔同笼基础上发展变化的问题. 观察数字特点，蜻蜓、蝉都是 6 条腿，只有蜘蛛 8 条腿. 因此，可先从腿数入手，求出蜘蛛的只数. 我们假设三种动物都是 6 条腿，则总腿数为 $6\times18=108$（条），所差 $118-108=10$（条），必然是由于少算了蜘蛛的腿数而造成的. 所以，应有 $(118-108)\div(8-6)=5$（只）蜘蛛. 这样剩下的 $18-5=13$（只）便是蜻蜓和蝉的只数. 再从翅膀数入手，假设 13 只都是蝉，则总翅膀数 $1\times13=13$（对），比实际数少 $20-13=7$（对），这是由于蜻蜓有两对翅膀，而我们只按一对翅膀计算所差，这样蜻蜓只数可求 $7\div(2-1)=7$(只).

解：① 假设蜘蛛也是 6 条腿，三种动物共有多少条腿？

$6\times18=108$（条）

② 有蜘蛛多少只？

$(118-108)\div(8-6)=5$(只)

③ 蜻蜓、蝉共有多少只？

$18-5=13$（只）

④ 假设蜻蜓也是一对翅膀，共有多少对翅膀？

$1\times13=13$（对）

⑤ 蜻蜓多少只？

$(20-13)\div(2-1)=7$(只)

答：蜻蜓有 7 只.

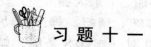

习题十一

1．小华用二元五角钱买了面值二角和一角的邮票共 17 张，问两种邮票各买多少张？

2．有鸡兔共 20 只，脚 44 只，鸡兔各几只？

3．松鼠妈妈采松子，晴天每天可采 20 个，雨天每天可采 12 个，它一连几天采了 112 个松子，平均每天采 14 个．问这几天当中有几天有雨？

4．蜘蛛有 8 条腿，蝴蝶有 6 条腿和 2 对翅膀，蝉有 6 条腿和一对翅膀，现有这三种动物共 21 只，共 140 条腿和 23 对翅膀，问蜘蛛、蝴蝶、蝉各有几只？

5．体育老师买了运动服上衣和裤子共 21 件，共用了 439 元，其中上衣每件 24 元、裤子每件 19 元，问老师买上衣和裤子各多少件？

6．鸡、兔共笼，鸡比兔多 26 只，足数共 274 只，问鸡、兔各几只？

习题十一解答

1．解：二元五角 = 250 分；1 角 = 10 分；2 角 = 20 分．

① 假设都是 10 分邮票：$10\times17=170$（分）

② 比实际少了多少钱？$250-170=80$（分）

③ 每张邮票相差钱数：$20-10=10$（分）

④ 有二角邮票多少张？$80\div10=8$（张）

⑤ 有一角邮票多少张？$17-8=9$（张）

答：二角的邮票有 8 张，一角的邮票有 9 张．

2．解：假设全是鸡，则可求得到兔子只数：

$(44-2\times20)\div(4-2)=2$(只)

鸡的只数：$20-2=18$（只）

答：鸡有 18 只，兔有 2 只．

3．解：① 松鼠妈妈一共采了几天松子？

$112\div14=8$（天）

② 假设 8 天全是晴天，一共应采松子

$20\times8=160$（个）

③ 比实际采的松子多多少？

$160-112=48$（个）

④ 晴天和雨天每天采的松子相差个数：

$20-12=8$（个）

⑤ 用晴天换雨天的天数：$48\div8=6$（天）

答：这几天中有6天有雨.

4．解：蜘蛛数：$(140-6\times21)\div(8-6)$

$=14\div2=7$（只）

蝴蝶和蝉共有只数：$21-7=14$（只）

蝉的只数：$(2\times14-23)\div(2-1)=5$(只)

蝴蝶只数：$14-5=9$（只）

答：蜘蛛有7只，蝴蝶有9只，蝉有5只.

5．解：裤子：$(24\times21-439)\div(24-19)=13$(件)

上衣：$21-13=8$（件）

答：买来上衣8件，裤子13件.

6．设鸡与兔只数一样多：$274-2\times26=222$（只）

每一对鸡、兔共有足：$2+4=6$（只）

鸡兔共有对数（也就是兔子的只数）：

$222\div6=37$（对）

则鸡有　$37+26=63$（只）

答：兔的只数为37，鸡的只数为63.

第12讲 盈亏问题

解盈亏问题，常常用到比较法.

【例 1】 三年级一班少先队员参加学校搬砖劳动. 如果每人搬 4 块砖，还剩 7 块；如果每人搬 5 块，则少 2 块砖. 这个班少先队有几个人？要搬的砖共有多少块？

分析 比较两种搬砖法中各个量之间的关系：

每人搬 4 块，还剩 7 块砖；每人搬 5 块，就少 2 块. 这两次搬砖，每人相差 $5-4=1$（块）.

第一种余 7 块，第二种少 2 块，那么第二次与第一次总共相差砖数：$7+2=9$（块）

每人相差 1 块，结果总数就相差 9 块，所以有少先队员 $9\div1=9$（人）.

共有砖：$4\times9+7=43$（块）.

解： $(7+2)\div(5-4)=9$(人)

$4\times9+7=43$（块） 或 $5\times9-2=43$（块）

答： 共有少先队员 9 人，砖的总数是 43 块.

如果把例 1 中的“少 2 块砖”改为“多 1 块砖”，你能计算出有多少少先队员，有多少块砖吗？

由本题可见，解这类问题的思路是把盈余数与不足数之和看作采用两种不同搬法产生的总差数，被每人搬砖的差即单位差除，就可得出单位的个数，对这题来说就是搬砖的人数.

【例 2】 妈妈买回一筐苹果，按计划吃的天数算了一下，如果每天吃 4 个，要多出 48 个苹果；如果每天吃 6 个，则又少 8 个苹果．那么妈妈买回的苹果有多少个？计划吃多少天？

分析 题中告诉我们每天吃 4 个，多出 48 个苹果；每天吃 6 个，少 8 个苹果．观察每天吃的个数与苹果剩余个数的变化就能看出，由每天吃 4 个变为每天吃 6 个，也就是每天多吃 2 个时，苹果从多出 48 个到少 8 个，也就是所需的苹果总数要相差 $48+8=56$（个）．从这个对应的变化中可以看出，只要求 56 里面含有多少个 2，就是所求的计划吃的天数；有了计划吃的天数，就不难求出共有多少个苹果了．

解：$(48+8)\div(6-4)$

$=56\div2$

$=28$（天）

$6\times28-8=160$（个）　或　$4\times28+48=160$（个）

答：妈妈买回苹果 160 个，计划吃 28 天．

如果条件“每天吃 4 个，多出 48 个”不变，另一条件改为“每天吃 6 个，则还多出 8 个”，问苹果应该有多少个，计划吃多少天？

分析 改题后每天吃的苹果个数没有变，也就是说每天多吃 2 个条件没变，苹果总数由原来多出 48 个变为多出 8 个．那么所需苹果总数要相差：$48-8=40$（个）

解：$(48-8)\div(6-4)$

$=40\div2$

$=20$（天）

$4\times20+48=128$（个）　或　$6\times20+8=128$（个）

答： 有苹果 128 个，计划吃 20 天．

【例 3】　学校规定上午 8 时到校，小明去上学，如果每分种走 60 米，可提早 10 分钟到校；如果每分钟走 50 米，可提早 8 分钟到校，求小明几时几分离家刚好 8 时到校？由家到学校的路程是多少？

分析　小明每分钟走 60 米，可提早 10 分钟到校，即到校后还可多走 $60\times10=600$（米）；如果每分钟走 50 米，可提早 8 分钟到校，即到校后还可多走 $50\times8=400$（米），第一种情况比第二种情况每分钟多走 $60-50=10$（米），就可以多走 $600-400=200$（米），从而可以求出小明由家到校所需时间．

解： ① 10 分种走多少米？$60\times10=600$（米）

② 8 分种走多少米？$50\times8=400$（米）

③ 需要多长时间？

$(600-400)\div(60-50)=20$(分钟)

④ 由家到校的路程：

$60\times(20-10)=600$(米)

或：$50\times(20-8)=600$(米)

答： 小明 7 点 40 分离家去上学刚好 8 时到校；小明的家离校有 600 米．

【例 4】　学校为新生分配宿舍．每个房间住 3 人，则多出 23 人；每个房间住 5 人，则空出 3 个房间．问宿舍有多少间？新生有多少人？

分析　每个房间住 3 人，则多出 23 人，每个房间住 5 人，就空出 3 个房间，这 3 个房间如果住满人应该是 $5\times3=15$（人）．由此可见，每一个房间增加 $5-3=2$

（人）．两次安排人数总共相差 $23+15=38$（人），因此，房间总数是：

$38\div2=19$（间），学生总数是：$3\times19+23=80$（人），或者 $5\times19-5\times3=80$（人）．

解： $(23+5\times3)\div(5-3)$

$=(23+15)\div2$

$=38\div2$

$=19$（间）

$3\times19+23=80$（人）或 $5\times19-5\times3=80$（人）．

答： 有 19 间宿舍，新生有 80 人．

【例 5】 少先队员去植树．如果每人种 5 棵，还有 3 棵没人种；如果其中 2 人各种 4 棵，其余的人各种 6 棵，这些树苗正好种完．问有多少少先队员参加植树，一共种多少树苗？

分析 这是一道较难的盈亏问题，主要难在对第二个已知条件的理解上：如果其中 2 人各种 4 棵，其余的人各种 6 棵，就恰好种完．这组条件中包含着两种种树的情况——2 人各种 4 棵，其余的人各种 6 棵。如果我们把它统一成一种情况，让每人都种 6 棵，那么，就可以多种树 $(6-4)\times2=4$（棵）．因此，原问题就转化为：如果每人各种 5 棵树苗，还有 3 棵没人种；如果每人种 6 棵树苗，还缺 4 棵．问有多少少先队员，一共种多少树苗？

解： $[3+(6-4)\times2]\div(6-5)=7$（人）

$5\times7+3=38$（棵）

或 $6\times7-4=38$（棵）

答： 有 7 个少先队员，一共种 38 棵树．

【例 6】　红山小学学生乘汽车到香山春游．如果每车坐 65 人，则有 5 人不能乘上车；如果每车多坐 5 人，恰多余了一辆车，问一共有几辆汽车，有多少学生？

分析　每车多坐 5 人，实际是每车可坐 $5+65=70$（人），恰好多余了一辆车，也就是还差一辆汽车的人，即 70 人．因而原问题转化为：如果每车坐 65 人，则多出 5 人无车乘坐；如果每车坐 70 人，还少 70 人，求有多少人和多少辆车？

解：$(5+5+65)\div 5=15$（辆）　$65\times 15+5=980$（人）

或　$(5+65)\times(15-1)=980$（人）

答：一共有 15 辆汽车，980 名学生．

习题十二

1．阿姨给幼儿园小朋友分饼干．如果每人分 3 块，则多出 16 块饼干；如果每人分 5 块，那么就缺 4 块饼干．问有多少小朋友，有多少块饼干？

2．某校同学排队上操．如果每行站 9 人，则多 37 人；如果每行站 12 人，则少 20 人．一共有多少学生？

3．小强由家里到学校，如果每分钟走 50 米，上课就要迟到 3 分钟；如果每分钟走 60 米，就可以比上课时间提前 2 分钟到校．小强家到学校的路程是多少米？

4．少先队员参加绿化植树，他们准备栽的苹果树苗是梨树苗的 2 倍．如果每人栽 3 棵梨树苗，还余 2 棵；如果每人栽 7 棵苹果树苗，要少 6 棵．问有多少少先队员？他们准备栽多少棵苹果树和梨树？

5．学校进行大扫除，分配若干人擦玻璃，其中两人各擦 4 块，其余各擦 5 块，则余 12 块；若每人擦 6 块，则正好擦完，求擦玻璃的人数及玻璃的块数？

习题十二解答

1．解：$(4+16)\div(5-3)=10$(人)

$3\times10+16=46$（块）

答：有 10 个小朋友，有 46 块饼干．

2．解：$(37+20)\div(12-9)=19$(行)

$9\times19+37=208$（人）

答：共有学生 208 人．

3．解：迟到 3 分钟转化成米数：$50\times3=150$（米）
提前两分钟到校转化成米数：$60\times2=120$（米）
$(150+120)\div(60-50)=27$(分钟)
$50\times(27+3)=1500$(米)

答：小强家到学校的路程是 1500 米．

4．解：每人栽 3×2（棵）则余 2×2（棵）；
每人栽 7 棵则少 6 棵
$(2\times2+6)\div(7-3\times2)=10$(人)；$7\times10-6=64$（棵）
$64\div2=32$（棵）　或　$3\times10+2=32$（棵）

答：有少先队员 10 人，要栽苹果树苗 64 棵，梨树 32 棵．

5．解：由其中两人各擦 4 块、其余各擦 5 块则余 12 块，可知，若每人都擦 5 块，则余 $12-(5-4)\times2=10$ 块，而每人擦 6 块则正好．可见每人多擦一块可把余下的 10 块擦完．则擦玻璃人数是 $[12-(5-4)\times2]\div(6-5)=10$(人)，玻璃的块数是 $6\times10=60$（块）．

答：有 10 人擦玻璃，共有 60 块玻璃．

第13讲 巧求周长

我们已经会计算长方形和正方形的周长了，但对于一些不是长方形、正方形而是多边形的图形，怎样求它的周长呢？可以把求多边形的周长转化为求长方形和正方形的周长.

【例 1】 如图 13－1 所示，求这个多边形的周长是多少厘米？

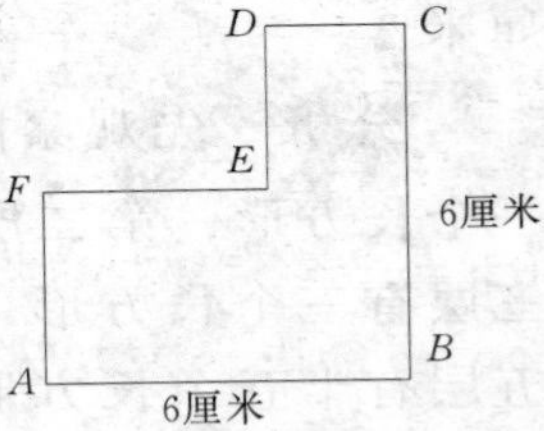

图13－1

分析 要求这个多边形的周长，也就是求线段 $AB+BC+CD+DE+EF+FA$ 的和是多少，而在这六条线段中，只有 AB 和 BC 这两条线段的长度是已知的，其余四条线段的长度均是未知的. 当然，这个多边形的周长还是可以求的. 用一个大正方形把这个图形圈起来，如图 13－2 所示，这个大正方形是 $ABCG$. 把线段 EF 水平向上移动，移到 CG 边上，这样 $CD+EF$ 的长度正好与 AB 的长度相等. 同样把竖直方向上的 DE 边向左移动，移到 AG 边上，这样 $AF+DE$ 的长度正好与 BC 边的长度相等. 这样虽然 CD、DE、EF、FA 这四条线段的长度不知道，但这四条线段的长度和我们可以求出来，

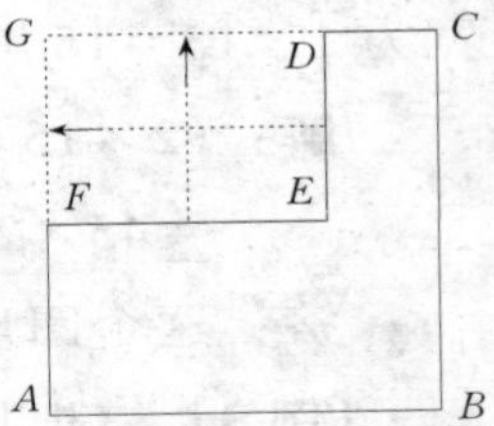

图13－2

这样求这个多边形的周长就转化为求一个正方形的周长，这个多边形的周长就可以巧妙地求出来了.

解：6×4＝24（厘米）

答：这个多边形的周长是24厘米.

说明：本例图中的 E 点在竖直方向上不论移动到什么位置（当然 F 点也随着上下移动），这个多边形的周长都不变，当然 D 点在水平方向上移动（E 点也随着移动），所得到的多边形周长也不变．这里点的移动不能超出大正方形 $ABCG$ 这个范围.

【例2】 把长2厘米宽1厘米的长方形一层、两层、三层地摆下去，摆完第十五层，这个图形的周长是多少厘米？

分析 先观察图13－3，第一层有一个长方形，第二层有两个长方形，第三层有三个长方形……找到规律，第十五层有十五个长方形．同样，用一个大长方形把这个图形圈起来．因此求这个多边形的周长就转化为求一个长为2×15＝30（厘米）、宽为1×15＝15（厘米）的长方形周长.

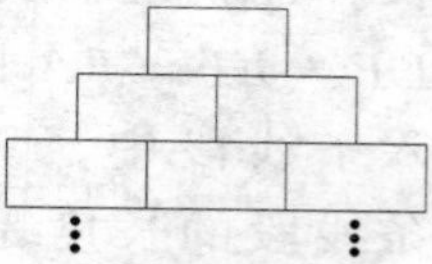

图13－3

解：（2×15＋1×15）×2

＝45×2＝90（厘米）

答：这个图形的周长为90厘米.

【例3】 把长2厘米、宽1厘米的长方形摆成如图13－4的形状，求该图形的周长.

分析 用一个大长方形把这个图形圈起来，如图13－5所示，这个大长方形的长为：2×10＝20（厘米）、

图13－4

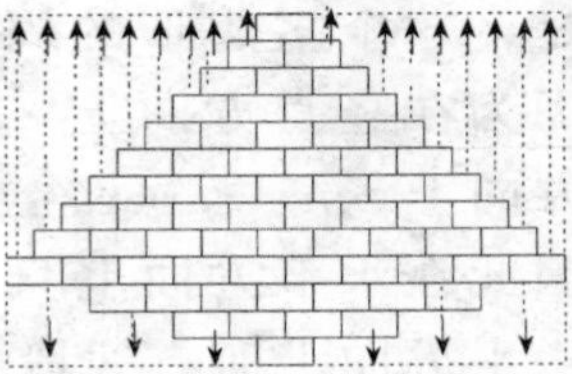

图13－5

宽为：$1\times13=13$（厘米），这个复杂的多边形的周长问题就转化为求一个长方形的周长问题.

解：　$(2\times10+1\times13)\times2$

$=33\times2=66$（厘米）

答：这个多边形的周长为 66 厘米.

【例 4】　图 13－6 共有 8 条边，分别用 a、b、c、d、e、f、g、h 表示，要测量它的周长，至少要测量哪几条线段的长度？

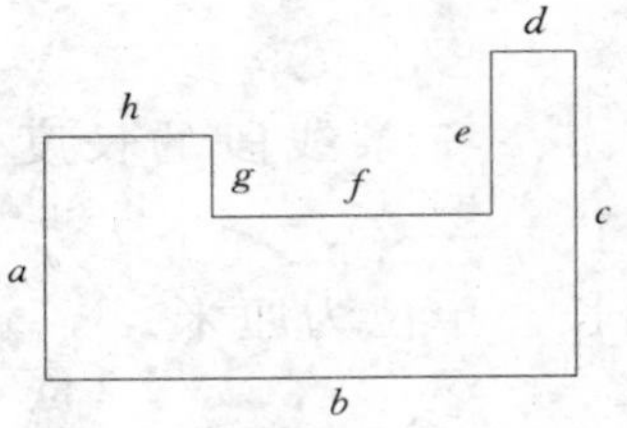

图13－6

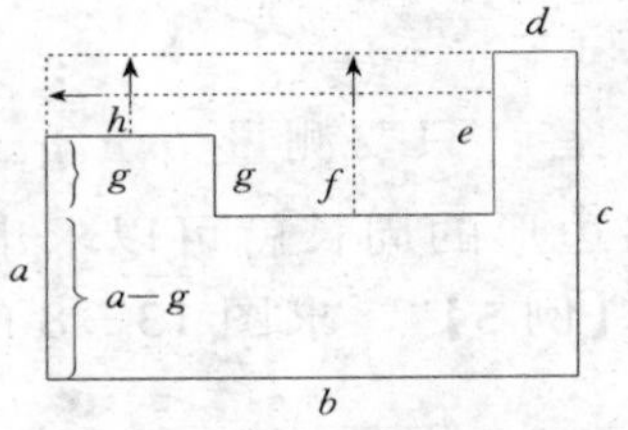

图13－7

分析　如果把这 8 条边的长度都测量出来，当然这个图形的周长也就知道了，但题目要求测量的边数要尽可能地少，所以仍然用一个长方形把这个图形圈起来.如图 13－7 所示.

这个大长方形的长为 b，宽为 c. 这里与前面例题所不同的是，这个多边形的周长并不等于这个大长方形的周长，因为在竖直方向上 a、g、e 这三条线段有所重叠．在水平方向上，$h+f+d=b$．为了使测量的线段尽可能地少，因此在水平方向上只要测量线段 b 的长度，就可以求出水平方向上所有线段的长度和．

在竖直方向上，从线段 a 上截取一段 g，则另一段 $a-g$ 加上线段 e 就等于线段 c 的长度．

则 $a+g+e+c=(g+a-g)+g+e+c$

$=(a-g+e)+2g+c=2c+2g$

或在线段 c 上截取一段，使其等于 $a-g$，然后移至线段 g 的下面，这样便有 $a+g+e+c=2(a+e)$．因此，在竖直方向上，只要测量线段 c 与 g 的长度或测量 a 与 e 的长度就可以求出竖直方向上所有线段的长度和．

解：在水平方向上测量线段 b 的长度，在竖直方向上测量 c、g 或 a 与 e 的长度，这个多边形的周长就可以求出来了．

答：只要测量 b、c、g 或 b、a、e 三条线段的长度，这个多边形的周长就可以求出来了．

【例 5】 求图 13－8 的周长．单位为厘米．

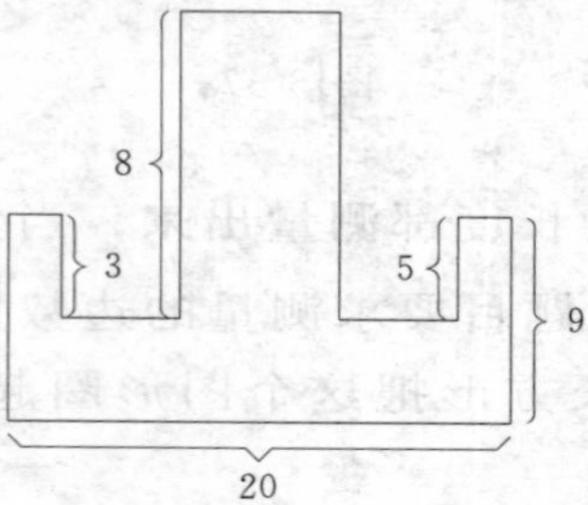

图 13－8

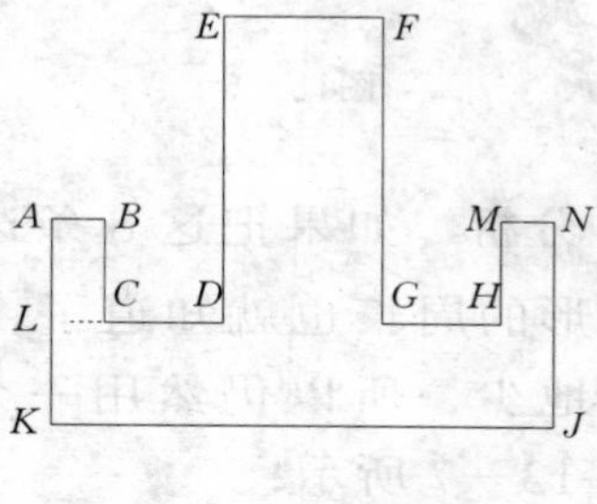

图 13－9

分析　为了叙述方便，在图中标上字母 A、B、C、D、E、F、G、H、J、K、M、N. 如图 13－9 所示.

在水平方向上：$AB+CD+EF+GH+MN=KJ$，因此水平方向上所有线段的长度和为：$20\times2=40$（厘米）.

在竖直方向上：

$$\begin{aligned}&AK+BC+ED+FG+MH+NJ\\&=(AL+LK)+BC+ED+FG+MH+NJ\\&=(AL+BC)+(LK+MH)+(ED+FG)+NJ\\&=2BC+NJ+2ED+NJ\\&=2(BC+ED+NJ)\end{aligned}$$

而 BC、ED、NJ 的长度都是已知的，因此在竖直方向上所有线段的长度和就可以求出.

解：在水平方向上，所有线段的长度和为：

$20\times2=40$（厘米）

在竖直方向上，所有线段的长度和为：

$(3+8+9)\times2=40$（厘米）

因此，这个多边形的周长为：$40+40=80$（厘米）

答：这个多边形的周长为 80 厘米.

习题十三

1. 一张长 5 分米、宽 4 分米的长方形纸板，从四个角上各裁去一个边长为 1 分米的正方形，所剩部分的周长是多少分米？

2. 如图 13－10 所示的多边形，它的周长是多少厘米？

3. 用 15 个边长 2 厘米的小正方形摆成如图 13－11 的形状，求它的周长.

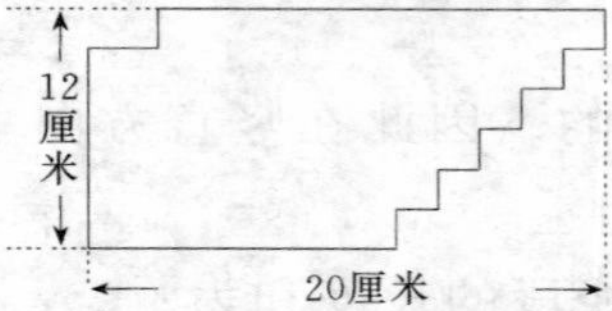

图 13—10

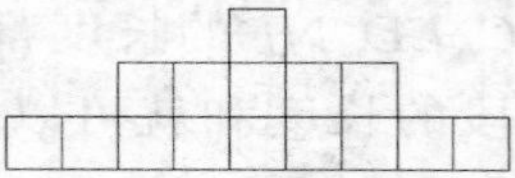

图 13—11

4. 求图 13－12 所示图形（每个小正方形的顶点恰在另一个正方形的中心，且边相互平行）的周长.

5. 用边长为 10 厘米的五个小正方形拼成如图 13－13 的形状，这个图形的周长是多少厘米？

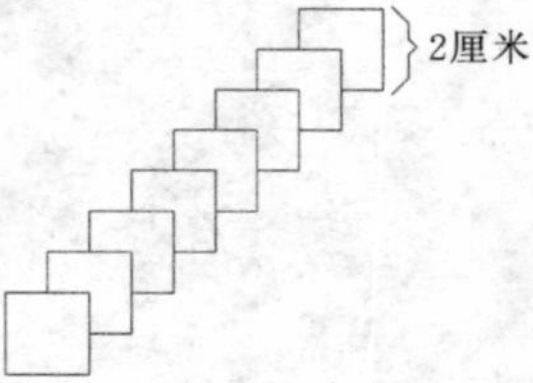

图 13—12

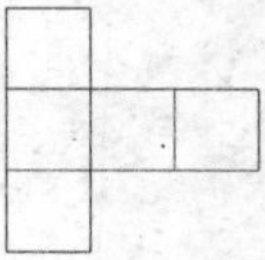

图 13—13

6. 比较图 13－14 中哪个图形的周长长？

7. 求图 13－15 的周长是多少厘米？

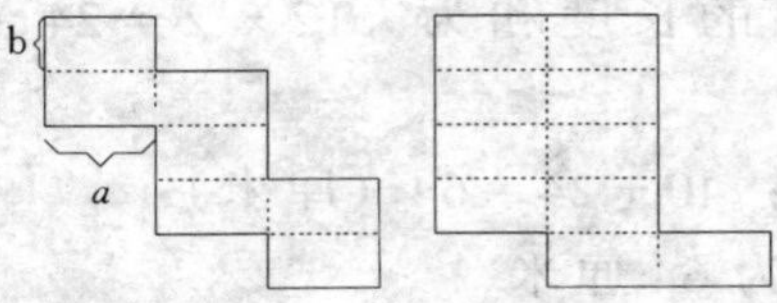

图 13－14

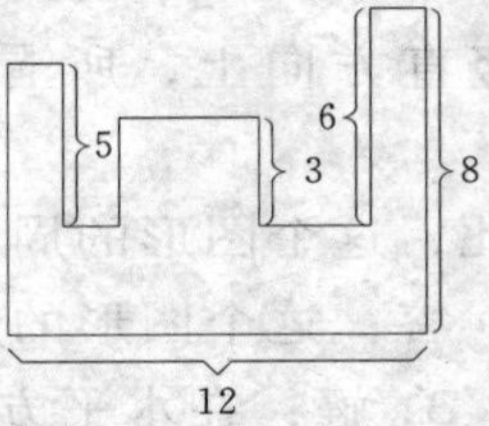

图 13－15

8．正方形被分成了五个长方形，每个长方形的周长都是 30 厘米，求这个正方形的周长是多少厘米（图 13－6）？

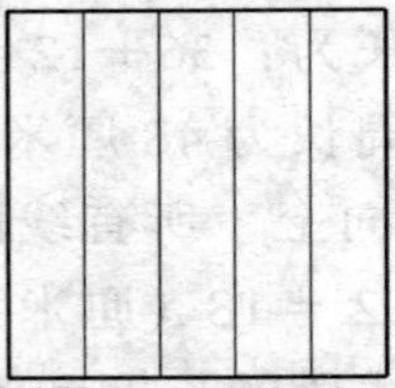

图 13－6

习题十三解答

1．解：从长方形的四个角各裁去一个正方形后，剩下部分的形状如右图所示．

在水平方向上所有线段的长度和为：

$5\times2=10$（分米）．

在竖直方向上，所有线段的长度和为：

$4\times2=8$（分米）．

因此，这个图形的周长为：$10+8=18$（分米）．

答：这个图形的周长为 18 分米．

2．解：在水平方向上，所有线段的长度和为：

$20\times2=40$（厘米）.

在竖直方向上，所有线段的长度和为：$12\times2=24$（厘米）.

因此，这个图形的周长为：$40+24=64$（厘米）.

答：这个图形的周长为 64 厘米.

3. 解：在水平方向上，所有线段的长度和为：

$2\times9\times2=36$（厘米）.

在竖直方向上，所有线段的长度和为：$2\times3\times2=12$（厘米）.

因此，这个图形的周长为：$36+12=48$（厘米）.

答：这个图形的周长为 48 厘米.

4. 解：在水平方向上，所有线段的长度和为：

$(2+1\times7)\times2=18$（厘米）.

在竖直方向上，所有线段的长度和为：

$(2+1\times7)\times2=18$（厘米）.

因此，这个图形的周长为：$18+18=36$（厘米）.

答：这个图形的周长为 36 厘米.

5. 解：在水平方向上，所有线段的长度和为：

$10\times3\times2=60$（厘米）.

在竖直方向上，所有线段的长度和为：

$10\times3\times2=60$（厘米）.

因此，这个图形的周长为：$60+60=120$（厘米）.

答：这个图形的周长为 120 厘米.

6. 解：设每个小长方形的长为 a，宽为 b.

第一个图形：在水平方向上，所有线段的长度和为：

$3a\times2=6a$.

在竖直方向上，所有线段的长度和为：$5b\times2=10b$.

因此，这个图形的周长为：$6a+10b$.

第二个图形：在水平方向上，所有线段的长度和为：

$$3a\times2=6a.$$

在竖直方向上，所有线段的长度和为：$5b\times2=10b$.

因此，这个图形的周长为：$6a+10b$.

所以，这两个图形的周长一样长.

答：这两个图形的周长一样长.

7. 解：在水平方向上，所有线段的长度和为：

$$12\times2=24\text{（厘米）}.$$

在竖直方向上，所有线段的长度和为：

$$(8+3+5)\times2=32\text{（厘米）}.$$

因此，这个多边形的周长为：$24+32=56$（厘米）.

答：这个多边形的周长为 56 厘米.

8. 解：因为每个小正方形的周长为 30 厘米，所以每个小长方形的一个长与一个宽的和为：$30\div2=15$（厘米）. 因为每个小长方形的长等于 5 个小长方形的宽，因此，每个小长方形的长为：$15\div(1+5)\times5=75\div6$（厘米），即正方形的边长为 $75\div6$ 厘米.

因此，这个正方形的周长为：$75\div6\times4=50$（厘米）.

答：这个正方形的周长为 50 厘米.

第14讲　从数的二进制谈起

在即将进入21世纪的今天，电子（数字）计算机内部数的存贮和计算采用二进制已是众所周知的事了．据学者考证，中国在公元前2000多年的伏羲氏发明的八卦，即用—和- -两种符号拼出来的．

如果把—看成1，把- -看成0，那么上述八卦可以翻译成二进制数（列于下面）．

☰	☱	☲	☳	☴	☵	☶	☷
乾	兑	离	震	巽	坎	艮	坤
111	011	101	001	110	010	100	000

但是人类历史进程表明，二进制大约被人类冷落了近四千年（在此期间一直重视和使用十进制），直到20世纪40年代，科学技术的整体水平（有了无线电通讯、雷达技术和真空管、继电器等电子元器件）进一步提高，再加上反法西斯战争需要发明原子弹（原子弹许多设计数据不能事先在实验室测出，而必须靠理论计算，而计算量超过人类有史以来全部算术运算），著名数学家冯·诺伊曼（J. von Neumann）和另一些年轻数学家发明制成了称之为ENIAC的通用电子数字计算机（用18000支真空管，1500个继电器，几十万电阻电容，自重30吨，耗电200千瓦）．直至今日，电子计算机主要还是冯·诺伊曼体系．告诉大家这一些历史，主要说明我们不能停留在为祖先最早发明了二进制而自豪这一步，还要看到数

学大有用武之地，但要与经济建设和科学技术广泛结合才能起大的或巨大的（如电子计算机）作用．下面看二进制本质到底是什么？

人类天生双手十指．“搬着手指头”计数，是每个人幼时必经之路．十进制数有两大内涵．一是有十个不同数符：0，1，2…9；二是“逢十进一”的进位法则，有个、十、百、千等自右向左的数位．倘若人类双手八指，也许地球上今日该流行八进制了．所以二进制也有两大内涵．一是有两个不同数符：0，1；二是“逢二进一”．其实，我们已见过非十进制的事物，一年十二个月，十二进制；一周七天，七进制；一小时六十分，一分六十秒，六十进制；一英尺等于十二英寸（电视机常说 20 英寸，21 英寸），十二进制；一副三角尺含 2 块，一双鞋含 2 只，一双袜子含 2 只，一双筷子含 2 根，这些都可看成二进制．一个十进制数 1993 可表述为：

$$1993=1000+900+90+3=1\times10^3+9\times10^2+9\times10+3$$

一般性地，一个整数 $N=\overline{a_na_{n-1}a_{n-2}\cdots a_2a_1a_0}$表述成：

$$N=\overline{a_na_{n-1}\cdots a_1a_0}=a_n\times10^n+a_{n-1}\times10^{n-1}+\cdots$$
$$+a_3\times10^3+a_2\times10^2+a_1\times10+a_0$$

其中 $0\leqslant a_i\leqslant9$，而 i 是 0 到 n 中的一个整数．

再回到二进制．大家知道：数是计算物体的个数而引进的，0 代表什么也没有，有一个，记为“1”；再多一个，记为“10”（在十进制下记为 2）；比“10”再多一个，记为“11”．依次类推，我们很容易接受（或自己发明）二进制下，从小到大的数列，不妨列表：

二进制数	0	1	10	11	100	101	110	111	1000	1001	1010	1011	1100	1101	1110	1111	…
十进制数	0	1	2	3	4	5	6	7	8	9	10	11	12	13	14	15	…

为了不引起混淆，我们把二进制数右下角标一个 2，如：

$(10)_2=(2)_{10}$，或省略括号，省略十进制标记，略为：

$10_2=2$，或 $(10)_2=2$，$1111_2=15$

和十进制对数位有一省略名字一样，二进制的数位也可称呼：

$N=\cdots$	b_{13}	b_{12}	b_{11}	b_{10}	b_9	b_8	b_7	b_6	b_5	b_4	b_3	b_2	b_1	b_0
	↑	↑	↑	↑	↑	↑	↑	↑	↑	↑	↑	↑	↑	↑
	8192位	4096位	2048位	1024位	512位	256位	128位	64位	32位	16位	8位	4位	2位	个位

例如：$1993=1024+512+256+128+64+8+1$，写成二进制为：

$$(1993)_{10}=(\overset{b_{10}}{1}\ \overset{b_9}{1}\ \overset{b_8}{1}\ \overset{b_7}{1}\ \overset{b_6}{1}\ \overset{b_5}{0}\ \overset{b_4}{0}\ \overset{b_3}{1}\ \overset{b_2}{0}\ \overset{b_1}{0}\ \overset{b_0}{1})_2$$

反过来，$(\overset{b_6}{1}\ \overset{b_5}{0}\ \overset{b_4}{1}\ \overset{b_3}{1}\ \overset{b_2}{0}\ \overset{b_1}{0}\ \overset{b_0}{0})_2=64+0\times32+1\times16+1\times8+0\times4+0\times2+0\times1=(88)_{10}$

因而二进制的数化为十进制，只要读出二进制各数位累加即可，如 $N=(b_nb_{n-1}b_{n-2}\cdots b_2b_1b_0)_2$ 则有 $N=(b_n\times2^n+b_{n-1}\times2^{n-1}+b_{n-2}\times2^{n-2}+\cdots+b_2\times2^2+b_1\times2^1+b_0)_{10}$

难度大的是怎样较快地把一个十进制数化为二进制数．还以 1993 为例，前面的方法是先找出二进制的高位数字，记熟了 2 的各种幂次（a 的 n 次幂表示 n 个 a 相乘，记为 a^n），找到不超过 1993 的最大的 2 的幂，是 $2^{10}=1024$，得 $b_{10}=1$，再找不超过 $(1993-2^{10})$ 的最大的 2 的幂，是 $2^9=512$，得 $b_9=1$，依次类推得 $b_8,b_7\cdots b_2,b_1,b_0$．这是由高位到低位逐渐推得的方法．

现在设法自低位到高位，先找 b_0. 显然，十进制偶数，$b_0=0$, 十进制奇数 $b_0=1$, 所以 b_0 是 N 除以 2 的余数. 再说 b_1, 因为 $N=b_n\times 2^n+\cdots+b_2\times 2^2+b_1\times 2^1+b_0$, 所以 $\dfrac{N-b_0}{2}=b_n\times 2^{n-1}+\cdots+b_2\times 2^1+b_1$, 即同样的理由看出 b_1 是 $\dfrac{N-b_0}{2}$ 除以 2 以后的余数，余数为 0，b_1 就为 0；余数为 1，b_1 就为 1；这样的想法可逐渐向高位推，得出一般性方法. 还以 1993 为例，写出竖式：

2 | 1993
2 | 996 … 余 $1=b_0$
2 | 498 … 余 $0=b_1$
2 | 249 … 余 $0=b_2$
2 | 124 … 余 $1=b_3$
2 | 62 … 余 $0=b_4$
2 | 31 … 余 $0=b_5$
2 | 15 … 余 $1=b_6$
2 | 7 … 余 $1=b_7$
2 | 3 … 余 $1=b_8$
1 … 余 $1=b_9$
(b_{10})

$N=1993$, b_0 为 $1993\div 2$ 的余数，

b_1 为 $\dfrac{1993-b_0}{2}\div 2$ 的余数.

…

$(1993)_{10}=(11111001001)_2$

以后熟悉了这一算法，我们可很快地化十进制数为二进制数. 例如化 $(19)_{10}$，$(101)_{10}$，$(81)_{10}$ 为二进制的竖式为：

2 | 19
2 | 9 … 1
2 | 4 … 1
2 | 2 … 0
1 … 0

2 | 101
2 | 50 … 1
2 | 25 … 0
2 | 12 … 1
2 | 6 … 0
2 | 3 … 0
1 … 1

2 | 81
2 | 40 … 1
2 | 20 … 0
2 | 10 … 0
2 | 5 … 0
2 | 2 … 1
1 … 0

$(19)_{10}=(10011)_2$；　$(101)_{10}=(1100101)_2$；　$(81)_{10}=(1010001)_2$

顺便说一句，现在使用电子计算机，直接输入十进制数即可，因为机器内部已专门编有（十）化（二）程

序，可以自动转换.

下面讲一下二进制数的加减乘除四则运算：
加法“口诀”特别简单，0 + 0 = 0，1 + 0 = 0 + 1 = 1，1 + 1 = 10. 表述成运算时的竖式（用十进制和二进制比较）

$$\begin{array}{r} 1993 \\ +\quad 88 \\ \hline 2081 \end{array} \qquad \begin{array}{r} 11111\,001001 \\ +\quad 1\,011000 \\ \hline 1\,00000\,100001 \end{array} \qquad \begin{array}{r} 2048 \\ 32 \\ +\quad 1 \\ \hline 2081 \end{array}$$

↑ 2048位 b_{11} ↑ 32位 b_5 ↑ 1位 b_0

读者不难体会竖式中进位及累进等与十进制相似的规则. 关键之处会“逢二进一”. 减法的关键在于够减就减；不够减时，向高位借，而“借一还二”（高位借一，相当于低的为二）.

例如：

$$\begin{array}{r} 11 \\ -\ 10 \\ \hline 01 \end{array}\ ; \quad \begin{array}{r} \text{借出} \\ 101 \\ -\ \ 11 \\ \hline 0 \end{array} \Rightarrow \begin{array}{r} 1 \\ 011 \\ -\ 11 \\ \hline 10 \end{array}\ ; \quad \begin{array}{r} 100 \\ -\ \ 1 \\ \hline \end{array} \Rightarrow \begin{array}{r} \text{借出} \\ 1 \\ 010 \\ -\ 1 \\ \hline \end{array} \Rightarrow \begin{array}{r} 1 \\ 01 \\ 010 \\ -\ \ 1 \\ \hline 11 \end{array}$$

够减；　不够减，借1还$\overset{1}{1}$　不够减，向高位借，不能借，再向更高位借；

第三个竖式和十进制中 100—7 的思想是一样的.

二进制的乘法口诀只有三句，1×0 = 0，　0×0 = 0，1×1 = 1. 看竖式：

$$\begin{array}{r} 3 \\ \times\ \ 6 \\ \hline 18 \end{array} \qquad \begin{array}{r} 11 \\ 110 \\ \hline 00 \\ 11 \\ 11 \\ \hline 10010 \end{array}$$

b_4 b_1

b_4 位上1 = 16
b_1 位上1 = 2，
16 + 2 = 18.

二进制除法是乘法逆运算，除法也就是连减．看竖式：

十进制中：

$$6 \overline{)\begin{array}{r} 3 \\ 1\,8 \\ \underline{1\,8} \\ 0 \end{array}}$$

二进制中：

$$110 \overline{)\begin{array}{r} 1\,1 \\ 1\,0\,0\,1\,0 \\ -\,)\,\underline{1\,1\,0} \\ 1\,1\,0 \\ \underline{1\,1\,0} \\ 0 \end{array}}$$

又如，$1993 \div 88 = 22$ 余 57，二进制除法，在试找商时，较省力，要么 0，要么 1．

十进制中：

$$88 \overline{)\begin{array}{r} 2\,2 \\ 1\,9\,9\,3 \\ \underline{1\,7\,6} \\ 2\,3\,3 \\ \underline{1\,7\,6} \\ 5\,7 \end{array}}$$

二进制中：

$$1011000 \overline{)\begin{array}{r} 1011\,0 \\ 11111001001 \\ -\,)\,\underline{1011000} \\ 10010010 \\ -\,)\,\underline{1011000} \\ 1110100 \\ -\,)\,\underline{1011000} \\ 111001 \end{array}}$$

商 10110
$= 16 + 4 + 2$
$= 22$

余数 111001
$= 32 + 16 + 8$
$+ 1$
$= 57$

二进制数有被电子计算机采用的好处，但人们有时还觉得它表达一个数时，数位太长，如 $(1023)_{10}$，表成二进制为十位：$(1111111111)_2$，为读写和观察方便，要缩短数位又便于机器使用，科学家们偏爱于八进制和十六进制．大家可以自己扩充八进制的数的概念和运算：

八进制有 0，1，$2 \cdots 7$ 共八个数符，由低位向高位是"逢八进一"，如：$N = (c_n \cdots c_3 c_2 c_1 c_0)_8 = c_n \times 8^n + c_{n-1} \times 8^{n-1} + \cdots + c_2 \times 8^2 + c_1 \times 8 + c_0$

其中 $0 \leqslant c_i \leqslant 7$，$i$ 取 0，1，$2 \cdots n$．

十进制化八进制：$(1993)_{10}=(3711)_8$；

$(88)_{10}=(130)_8$

$$\begin{array}{l} 8\,\underline{|\,1993} \\ \;8\,\underline{|\,249}\cdots 1=c_0 \\ \;\;8\,\underline{|\,31}\cdots 1=c_1 \\ \;\;\;\;3\cdots 7=c_2 \\ \;\;(c_3) \end{array} \qquad \begin{aligned}(3711)_8&=3\times 8^3+7\times 8^2\\&\quad+1\times 8+1\\&=3\times 512+7\times 64\\&\quad+8+1\\&=1993\end{aligned} \qquad \begin{array}{l} 8\,\underline{|\,88} \\ 8\,\underline{|\,11}\cdots 0 \\ \;\;\;1\cdots 3 \end{array} \qquad \begin{aligned}&(130)_8\\&=64+3\times 8\\&=88\end{aligned}$$

加法：
$$\begin{array}{r} (3711)_8 \\ +(130)_8 \\ \hline (4041)_8 \end{array}$$

$$\begin{aligned}(4041)_8&=4\times 512+4\times 8+1\\&=2081\\&1993+88=2081\end{aligned} \qquad \begin{array}{r} 4\;0\;4\;1 \\ -\;3\;7\;1\;1 \\ \hline 1\;3\;0 \end{array}$$

加法关键在于“逢八进一”.

减法：$2081-1993=88$

$(4041)_8-(3711)_8=(130)_8$，

$$\begin{array}{r} 31234 \\ -)\;\;7657 \\ \hline \end{array} \Rightarrow \begin{array}{r} 3122\;\binom{8}{4} \\ -\;765\;\;7 \\ \hline 5 \end{array} \Rightarrow \begin{array}{r} 311\;\binom{8}{2}\binom{8}{4} \\ -\;76\;\;5\;\;7 \\ \hline 5\;\;5 \end{array} \Rightarrow \begin{array}{r} 30\;\binom{8}{1}\binom{8}{2}\binom{8}{4} \\ -\;7\;\;6\;\;5\;\;7 \\ \hline 21\;\;3\;\;5\;\;5 \end{array}$$

减法关键在于不够减时，“退一还八”

乘法：八进制乘法口诀表重新制定如下：

八进制乘	1	2	3	4	5	6	7
1	1	2	3	4	5	6	7
2		4	6	10	12	14	16
3			11	14	17	22	25
4				20	24	30	34
5					31	36	43
6						44	52
7							61

如：十进制：

```
  207
×  19
-----
 1863
 207
-----
 3933
```

八进制：

```
8 | 207
  ------
8 |  25 … 7
  ------
      3 … 1

8 | 19
  -----
     2 … 3
```

八进制乘法：

```
     317
 ×    23
 --------
    1155
 +) 636
 --------
    7535
```

$$(7535)_8 = 7\times512+5\times64+3\times8+5 = (3933)_{10}$$

这些口诀读起来不顺口，如读成“七七得六一”，当然是八进制的六个 8 加上一个 1. 同样做除法时，也挺费神，看着“七七乘法表”做可省心些，并不是说除法有什么难度，主要是脑中的十进制“九九表”干扰了“七七表”的记忆.

$(7535)_8 \div (23)_8 = (317)_8$

```
       317
    ------
23 ) 7535
     71
     ---
      43
      23
     ----
      205
      205
     ----
        0
```

现在再讲十六进制.

大家自然会想到 16 个数符要设想一套简明的表达符号，国际上通用为 0,1,2,…,8,9,A,B,C,D,E,F. 这里特别请大家记住六个字母：A,B,C,D,E,F. A 代表 10，（十六进制中比 9 多一的数），同理 B 代表 11，C 代表 12，D 代表 13，E 代表 14，F 代表 15. 这样：

$$
\begin{aligned}
N &= (d_n d_{n-1} \cdots d_2 d_1 d_0)_{16} \\
&= d_n \times 16^n + d_{n-1} \times 16^{n-1} + \cdots + d_2 \times 16^2 + d_1 \times 16 \\
&\quad + d_0
\end{aligned}
$$

其中 d_i 取自 $0,1\cdots9,A,B,C,D,E,F$. i 可取 $0,1\cdots n$.

例如 $N=(20A)_{16}=2\times16^2+10=(522)_{10}$

$(AB)_{16}=10\times16+11=(171)_{10}$

如把十进制直接化为十六进制：

$(1993)_{10}=(7C9)_{16}$　　　　$(88)_{10}=(58)_{16}$

$$
\begin{array}{r|l}
16 & 1993 \\ \hline
16 & 124 \cdots 9 \\ \hline
 & 7 \cdots 12 = C
\end{array}
\qquad\qquad
\begin{array}{r|l}
16 & 88 \\ \hline
 & 5 \cdots 8
\end{array}
$$

十六进制中的加法其关键在于“逢十六进一”，减法的关键则在于“退一还十六”.

$$
\begin{array}{r}
7\ C\ 9 \\
+\quad 5\ 8 \\ \hline
8\ 2\ 1
\end{array}
\qquad
\begin{aligned}
(821)_{16} &= 8\times16^2+2\times16+1 \\
&= 8\times256+32+1 \\
&= 2081=1993+88
\end{aligned}
$$

$$
\begin{array}{r}
1\,0\,2\,3 \\
-\ ABC \\ \hline
\end{array}
\Rightarrow
\begin{array}{r}
1\,0\,1\binom{16}{3} \\
-\ ABC \\ \hline
7
\end{array}
\Rightarrow
\begin{array}{r}
0\binom{16}{0}1\binom{16}{3} \\
-\ A\ B\ C \\ \hline
7
\end{array}
\Rightarrow
\begin{array}{r}
0\binom{15}{0}\binom{16}{1}\binom{16}{3} \\
-\ A\ \ B\ \ C \\ \hline
5\ \ 6\ \ 7
\end{array}
$$

注意：十六进制的乘法和除法很费神，要构造“十六——十六表”.

十六进制乘法表

	1	2	3	4	5	6	7	8	9	A (10)	B (11)	C (12)	D (13)	E (14)	F (15)
1	1	2	3	4	5	6	7	8	9	A	B	C	D	E	F
2		4	6	8	A	C	E	10	12	14	16	18	1A	1C	1E
3			9	C	F	12	15	18	1B	1E	21	24	27	2A	2D
4				10	14	18	1C	20	24	28	2C	30	34	38	3C
5					19	1E	23	28	2D	32	37	3C	41	46	4B
6						24	2A	30	36	3C	42	48	4E	54	5A
7							31	38	3F	46	4D	54	5B	62	69
8								40	48	50	58	60	68	70	78
9									51	5A	63	6C	75	7E	87
(10) A										64	6E	78	82	8C	96
(11) B											79	84	8F	9A	A5
(12) C												90	9C	A8	B4
(13) D													A9	B6	C3
(14) E														C4	D2
(15) F															E1

利用这表做乘法及除法：

$$\begin{array}{r} 1\,0\,A\,D \\ \times \quad F\,3 \\ \hline 3\,2\,0\,7 \\ +)\ F\,A\,2\,3\ \ \\ \hline F\,D\,4\,3\,7 \end{array}$$

$$(10AD)_{16}=16^3+10\times16+13=4096+160+13$$
$$=4269$$
$$(F3)_{16}=15\times16+3=243$$
$$4269\times243=1037367$$
$$(FD437)_{16}=15\times16^4+13\times16^3+4\times16^2+3\times16+7$$
$$=(((15\times16+13)\times16+4)\times16+3)\times16$$
$$+7$$
$$=1037367$$

$$
\begin{array}{r}
F\ 3\\
10AD\,\overline{)\ FD437}\\
-)\ FA23\\
\hline
3207\\
-)\ 3207\\
\hline
0
\end{array}
$$

当然这十六进制的乘除法是很不习惯的．下面谈一下二进制和八进制、十六进制之间的较密切的相互关系．

把一个二进制的数自右向左 3 位一组，立刻可以翻译成八进制数．其间对应规律为：

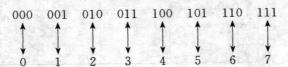

000	001	010	011	100	101	110	111
↕	↕	↕	↕	↕	↕	↕	↕
0	1	2	3	4	5	6	7

同样，把一个二进制数自右向左 4 位一组，立刻可以翻译为十六进制数．其间对应规律为：

0000	0001	0010	0011	0100	0101	0110	0111
↕	↕	↕	↕	↕	↕	↕	↕
0	1	2	3	4	5	6	7
1000	1001	1010	1011	1100	1101	1110	1111
↕	↕	↕	↕	↕	↕	↕	↕
8	9	10=A	11=B	12=C	13=D	14=E	15=F

如$(1993)_{10}=(11111001001)_2=(\underline{011}\,\underline{111}\,\underline{001}\,\underline{001})_2$

$=(3711)_8=(\underline{0111}\,\underline{1100}\,\underline{1001})_2=(7C9)_{16}$

前面在十六进制下很不顺手的除法 $FD437\div10AD=F3$ 可以重新用二进制检验：

$(FD437)_{16}=(1111\ 1101\ 0100\ 0011\ 0111)_2$

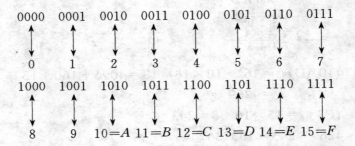

$(10AD)_{16}=(1\ 0000\ 1010\ 1101)$

排成除法竖式：

```
                                 1111 0011
1000010101101)11111101 0100 0011 0111
               10000101 0110 1
               1110111 1101 10
               1000010 1011 01
                110101 0010 011
                100001 0101 101
                 10011 1100 1101
                 10000 1010 1101
                    11 0010 0000 011
                    10 0001 0101 101
                     1 0000 1010 1101
                     1 0000 1010 1101
                                    0
```

而 $(1111\ 0011)_2=(F3)_{16}$

最后，关于三进制数、五进制数、七进制数，以及一般的 g 进制数，读者一定可以自己推出一套记数、转化及加减乘除的法则来.

例如：$(1993)_{10}=(5545)_7=(30433)_5=(2201211)_3$ 等. 只要看竖式：

```
7|1993
 7|284…5
  7|40…4
     5…5
```

```
5|1993
5|398…3
 5|79…3
 5|15…4
    3…0
```

```
3|1993
 3|664…1
 3|221…1
  3|73…2
  3|24…1
   3|8…0
     2…2
```

这样，将一个七进制的数化成三进制数时，可以先将此数化成十进制数作中介而求得，例如：

$(1046)_7=1\times7^3+4\times7+6=343+28+6=(377)_{10}$

$$
\begin{array}{r|l}
3 & 377 \\
3 & 125 \cdots 2 \\
3 & 41 \cdots 2 \\
3 & 13 \cdots 2 \\
3 & 4 \cdots 1 \\
 & 1 \cdots 1
\end{array}
\qquad \therefore \quad (1046)_7 = (111222)_3
$$

最后介绍几个问题．研究表明，要保存数码最经济的进位制是三进制．可惜现在物理器件较成熟的还是支持两种状态的二进制．

不久前刚逝世的本世纪杰出的科普作家阿西莫夫(Isaac Asimov)曾喜悦地谈到自己年轻时独立解决了一个看似与二进制无关的有趣问题．问题是这样的：如何制造个数最少的一些单位砝码，如 1 克、2 克、3 克、4 克等，能称出 1 克到 1 千克的任何整克数的物体？

答案是：1 克、2 克、4 克、8 克、16 克、32 克、64 克、128 克、256 克、512 克，共十个砝码．实际上这些砝码一直可称出 1 到 1023 克之间任何整克数的物体．这在我们学完二进制数以后就不难理解了．如：$x = a_9a_8a_7a_6a_5a_4a_3a_2a_1a_0$，每个 a_i 或 0 或 1 表示 2^i 克砝码或不用或用上．如把问题再简化一些，如只许用 3 个砝码，就制成 1 克、2 克、4 克．可称 1、2、…7 克的任何整克数物体，或说要称 1、2、…7 克之间任一物体，3 个砝码是最少的了。因为 1 克必然要的．2 克，如不要，再造一个 1 克砝码，这样用二个 1 克砝码，仅能称 1 克、2 克共 2 种物体，效率不高．所以造一个 1 克，一个 2 克，这样可以称 1、2、3 克三种物体了．下一个不必造 3 克的砝码，而造了一个 4 克的砝码，所以 1 克、2 克、4 克是最省个数的体系了．十个砝码最省的推理也相似．

在结束本讲之时，希望读者注重于理解各种进制的

思想，不必去死记硬背八进制乘法表、十六进制乘法表．并请思考类似于十进制的分数、小数、循环小数等内容在二进制或八进制等体系下，如何进行？

习 题 十 四

1．$(518)_{10} = (\quad)_2 = (\quad)_8 = (\quad)_{16}$
$= (\quad)_3 = (\quad)_5 = (\quad)_7$

2．$(AF01)_{16} = (\quad)_7$

3．$1+2+4+8+16+32+64+128+516+1024$ 用二进制计算后，能很快得到十进制答案吗？（提示：类比于 $9+90+900=999=1000-1$）

4．请用二进制运算、三进制运算实现下面式子：

$$\begin{array}{r} (1\ 0\ 1\ 1)_2 \\ +\ (1\ 1\ 1)_2 \\ \hline \end{array}$$
二进制：

$$\begin{array}{r} (1\ 0\ 1\ 1)_3 \\ +\ (1\ 1\ 1)_3 \\ \hline \end{array}$$
三进制：

5．用竖式做十六进制除法：$(FD\ 437)_{16} \div (F3)_{16}$

6．请你造一个三进制乘法表，造一个七进制乘法表．

7．一个 g 进制的数，$N = a_5 \cdot g^5 + a_4 \cdot g^4 + a_3 \cdot g^3 + a_2 \cdot g^2 + a_1 \cdot g + a_0$．要计算它的十进制数值时，有一个简便算法：$N = ((((a_5 \cdot g + a_4) \cdot g + a_3) \cdot g + a_2) \cdot g + a_1)g + a_0$．这样共进行 5 次乘法 5 次加法，如死板地按 $a_5 \cdot g^5 + \cdots + a_1 \cdot g + a_0$，需进行（$5+4+3+2+1$）15 次乘法 5 次加法，显然浪费时间．而另有一个聪明学生想：我在纸上先把 g, g^2、g^3、g^4、g^5 记下来这样做了 4 次乘法，再把这 5 个 g^i 相应与 a_i 作乘法，又做 5 次，总共做了 9 次乘法，5 次加法，中间还要耗费空白纸记下 g^i，他仔细一想觉得

不合算了，就接受了题目中的简便算法．现在请你用简便算法求出3进制的 N.

$$N=(210122)_3=(\qquad)_{10}$$

8．在二进制下，一个数扩大2倍，就在右边添一个0，扩大4倍，右添二个0…扩大 2^i 倍，右添 i 个0．这个规则对吗？类似规律在八进制下怎样叙述？十六进制下呢？

9．十进制下，除法 $1\div7=\frac{1}{7}=0.\dot{1}4285\dot{7}$．如在二进制下作除法竖式：$1\div(111)_2=\left(\frac{1}{111}\right)_2=(0.001001\cdots)_2$

```
          0 . 0 0 1 0 0 1…
1 1 1 ) 1   0 0 0
              1 1 1
            ─────────────
                1 0 0 0
                  1 1 1
                ─────────
                        1
```

请你自己想一下，如何“自圆其说”地把二进制数推广到分数、小数，以及二进制循环小数？

10．如果天平两边都可以放砝码，即可以调用两砝码的数值差，要称物体而制造尽可能少的砝码，借用多少进位制？

习题十四解答

1. $(518)_{10}=(1006)_8=(1000000110)_2=(206)_{16}$
$=(201012)_3=(4033)_5=(1340)_7$

2. $(AF01)_{16}=10\times16^3+15\times16^2+1=44801$
$=(244421)_7$

3. $1+2+4+8+16+\cdots+1024$
$=(1+10+100+1000+\cdots+1\underbrace{0\cdots0}_{10个0})_2$
$=(\underbrace{11\cdots1}_{11个1})_2=(1\underbrace{0\cdots0}_{11个0}-1)_2$
$=2048-1=2047$

4.

$$\begin{array}{r} (1\ 0\ 1\ 1)_2 \\ +\ (\ \ 1\ 1\ 1)_2 \\ \hline (1\ 0\ 0\ 1\ 0)_2 \end{array} \qquad \begin{array}{r} (1\ 0\ 1\ 1)_3 \\ +\ (\ \ 1\ 1\ 1)_3 \\ \hline (1\ 1\ 2\ 2)_3 \end{array}$$

5. 十六进制除法：

$$\begin{array}{r} 1\ 0\ A\ D \\ F\ 3\ \overline{)\ F\ D\ 4\ 3\ 7} \\ \underline{F\ 3\qquad} \\ A\ 4\ 3\ \ \\ \underline{9\ 7\ E\ \ } \\ C\ 5\ 7 \\ \underline{C\ 5\ 7} \\ 0 \end{array}$$

6. 三进制乘法：

	1	2
1	1	2
2	2	11

七进制乘法：

	1	2	3	4	5	6
1	1	2	3	4	5	6
2		4	6	11	13	15
3			12	15	21	24
4				22	26	33
5					34	42
6						51

7. $N=(210122)_3$

$$=2\times3^5+1\times3^4+0\times3^3+1\times3^2+2\times3^1+2$$

$$=((((2\times3+1)\times3+0)\times3+1)\times3+2)\times3+2$$

$$=584.$$

8. 规律对的．$(N)_8$，八进制数扩大 8 倍相当于右边添一个 0；$(N)_{16}$，十六进制数扩大 16 倍相当于右边添一个 0.

9. 二进制小于 1 大于 0 的数也叫纯小数，整数部分记为 0，后加小数点．$0.b_1b_2b_3b_4\cdots$，b_1 位称为$\frac{1}{2}$位，b_1 或为 0，或为 1．b_2 位称为$\frac{1}{4}$位，b_2 或 0，或 1．所以二进制小数

$$0.b_1b_2b_3\cdots=b_1\times\frac{1}{2}+b_2\times\left(\frac{1}{2}\right)^2+b_3\times\left(\frac{1}{2}\right)^3+\cdots$$

例如 $(101.011)_2=1\times2^2+0\times2^1+1+0\times\frac{1}{2}+1\times\frac{1}{4}+1\times\frac{1}{8}=5+\frac{3}{8}=(5.375)_{10}$

二进制分数：分数线上面写二进制整数，分数线下面写二进制整数，值等于分子除以分母.

如 $\left(\frac{1}{7}\right)_{10}=\left(\frac{1}{111}\right)_2=(0.001001\cdots)_2=(0.\dot{0}0\dot{1})_2$

二进制循环小数，但是并非每个十进制循环小数都可化成别的进制循环小数的.

例如 $\left(\frac{1}{7}\right)_{10}=(0.\dot{1}4285\dot{7})_{10}=\left(\frac{1}{10}\right)_7=(0.1)_7$

此处含义：十进制循环小数

$$\left(\frac{1}{7}\right)_{10}=0.142857142857142857\cdots$$

$= (0.\dot{1}4285\dot{7})_{10}$

但在七进制下，显然不是一个循环小数

$$\left(\frac{1}{7}\right)_{10}=\left(\frac{1}{10}\right)_{7}=(0.1)_7$$

10．天平两边均可放砝码，调用三进制合适．因为：$(1)_{10}=(1)_3$，$(2)_{10}=(3-1)_{10}=(10-1)_3$——右边放 3 克，左边放 1 克，相当于右边放一个 2 克．

$(3)_{10}=(10)_3$，$(4)_{10}=(10+1)_3$

所以，制造一个 1 克、一个 3 克的砝码就可以称出 1、2、3、4 共 4 种物体了．

再扩大：1 克、3 克、9 克，共 3 个砝码可称出 1 克到 13 克之间所有整数克物体了．请读者自己补证．

例如$(13)_{10}=(100+10+1)_3$　　$(12)_{10}=(100+10)_3$

$(11)_{10}=(100+10-1)_3$　　$(10)_{10}=(100+1)_3$

$(9)_{10}=(100)_3$　$(8)_{10}=(100-1)_3$　$(7)_{10}=(100+1-10)_3$

$(6)_{10}=(100-10)_3$　$(5)_{10}=(100-10-1)_3$

结论：制造 1、3^1、3^2、$3^3\cdots3^K$ 共 $K+1$ 个砝码，天平左右两边都允许放砝码，可称出 1、2… $(3^{K+1}-1)/2$ 种整克数物体．

第15讲 综合练习

一、填空题:

1. 计算 $12345679\times72=$____.

2. 计算 $1992\times19931993-1993\times19921992=$____.

3. 根据下面字母的排列规律，确定第 100 个字母应是=____.

abacbadcbabacbadcbabacbadcbaba …

4. 一“台阶”图的每一层都由黑色和白色的正方形交错组成，且每一层的两端都是黑色的正方形，从上到下第一层到第四层如图所示，则第 1993 层中白色的正方形的数目是____.

5. 如图，把正方形 $ABCD$ 的对角线 AC 任意分成 10 段，并以每一段为对角线作为正方形. 设这 10 个小正方形的周长之和为 P, 大正方形的周长为 L, 则 P 与 L 的关系是____（填$<$，$>$，$=$）.

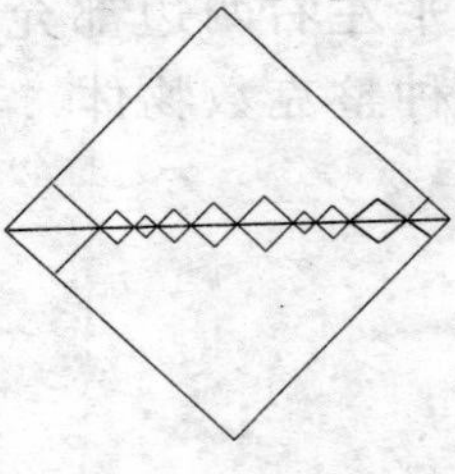

6. 有一个长 4 米的长方形木块，锯成等长的 5 段后，表面积增加了 4 平方米，则这个长方体的体积是____立方米.

7. 五位数字中各位数字之和为 42，且能被 4 整除的数有____个.

8. 在由两个不同数字组成的两位数中，每个两位数被其中两个数位上的数字之和除时，所得的商的最大值是____.

9. 袋子中有红、黄、兰三种颜色的球各若干，最少摸出____个球才能保证其中一定有四个球的颜色相同.

10. 从 1 2 3 4 5 6 7 8 9 10 11 12 13 14 15…99 100 中划去 100 个数码，使剩下的数首位不是 0 且数值最小，则这个数是____.

11. 某羽毛球队共有男女队员 24 人. 在男队员中，有 5 人和第一个女队员配合过双打；有 6 人和第二个女队员配合过双打…所有男队员都和最后一个女队员配合过双打，则男女队员的人数各是____.

12. 小明花了很多时间求出了 $a_1, a_2 \cdots a_{1993}$ 这 1993 个数的平均数为 2000，后来这个粗心的小明又将这个平均数混入了原来的 1993 个数中，于是他又求出了这 1994 个数的平均数，则这 1994 个数的平均数是____.

13. 2001 个空格排成一行，预先在左边第一格内放入一枚棋子，然后 A、B 两人交替走，先 A 后 B，每步可向右移动 2 格或 3 格或 4 格，规定谁走到最后一格谁胜. A 为了保证获胜，他第一步必须把棋子向右移动____格.

14. 由数字 1、2、3、4 可以组成没有重复数字且千位数字是 1 的四位数共____个.

15. 将 11112222 写成两个连续的自然数的乘积，则其中较大的那个自然数是____.

16. 有一串数排列成一行，其中第一个数是 0，第二个数是 1，第三个数是 2，从第四个数开始，每一个数都是其前三个数的和，那么第 1993 个数被 3 除所得的余数是____.

17. 某班有女生 15 人，这个班的男、女团员共 26 人，则女生中的非团员比男生中的团员人数少____人.

18. A、B、C、D 四人买西瓜，已知 A、B、C 三人平均每人买了 95 斤，B、C、D 三人平均每人买了 94 斤，C、D、A 三人平均每人买了 90 斤，D、A、B 三人平均每人买了 91 斤西瓜，则 A、B、C、D 分别买了____斤西瓜.

19. 在下面的数表中，第 100 行左边第一个数是____.

5	4	3	2		第一行
	6	7	8	9	第二行
13	12	11	10		第三行
	14	15	16	17	第四行
21	20	19	18		第五行
	…				

20. 已知：两个三位数的差为 892（如下面框图所示），那么这两个三位数的和的最小值是____.

$$\begin{array}{r} \square\square\square \\ -\ \square\square\square \\ \hline 8\ 9\ 2 \end{array}$$

二、解答题：

1. 在一次解放军的野营拉练中，某通讯员为了传达上级指示，必须从 A 点出发走过下图中所有的路，再回到出发点．图中的数字表示对应的路线的公里数．通讯员怎样走才能使所走的路程最短，全程多少公里？

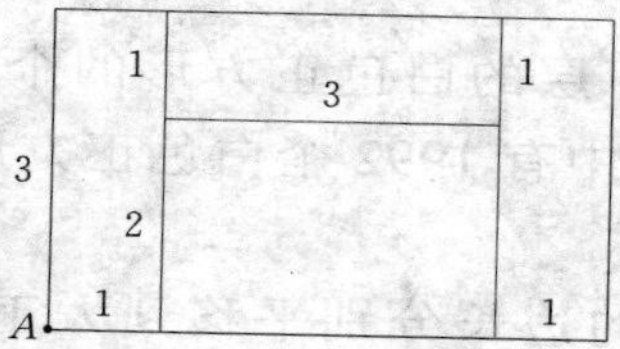

2．下面算式中不同的字母代表 1、2、3、4、5、6、7、8、9、0 中的不同的数字，若 $A=5$，请求出它们所对应的数字，按 A、B、C、D、E、F、G、H、L、I 的顺序写出．

$$\begin{array}{r} A\ B\ C\ D\ E\ A \\ +\ F\ L\ G\ D\ E\ A \\ \hline G\ B\ H\ L\ G\ I \end{array}$$

3．某中学共 30 个班级，各班的人数只可能是 44、45 或 46 人．已知全校的学生总人数为 1352 人，且 44 人的班级比 45 人的班级多 2 个，求这个中学里，44 人的班、45 人的班、46 人的班各有多少个？

习题解答

一、填空题：

1．　888888888．

$$12345679\times72=12345679\times9\times8=111111111\times8$$
$$=888888888.$$

2．　0．

原式 $=1992\times1993\times10001-1993\times1992\times10001=0$

3． a.

这组字母的排列规律为 $abacbadcb$ 9 个一循环，因此，第 100 个字母应与第 1 个字母相同，为 a.

4． 1992.

观察图形可知，每层的白色正方形的个数等于层数减 1，因此，第 1993 层中有 1992 个白色正方形.

5． =.

把每个小正方形的边长分别平移到大正方形的四条边上可知．所有小正方形的周长之和恰等于大正方形的周长.

6． 2.

锯成 5 段后，增加的面积等于 $2\times(5-1)$ 个底面积．因此，长方体木块的底面积为 $4\div8=0.5$（平方米）．所以，长方体的体积为 $4\times0.5=2$（立方米）.

7． 4.

五位数字之和为 42，则这个五位数中至少有 2 个 9，至多有 4 个 9．若有 2 个 9，则另 3 个数字只能全为 8，其中能被 4 整除的数必须末两位数是 4 的倍数，因此这样的五位数只有 3 个.

若有 3 个 9，则另两个数字之和为 15，只能为 8 和 7，但这种情况下，不能被 4 整除.

若有 4 个 9，则另一个数只能为 6，因此能被 4 整除的数只有 1 个.

综合上述情况可知，满足条件的五位数共 4 个.

8． 10.

设这个两位数为 $\overline{ab}$, 若 b 为 0，则 $\overline{ab}\div(a+b)=10$

若 $b\neq0$, 则 $\overline{ab}\div(a+b)=\dfrac{10a+b}{a+b}<\dfrac{10a+10}{a+1}=10$

因此，商的最大值为 10.

9.10.

这是简单的抽屉原理问题，因此，至少需摸出 $3\times(4-1)+1=10$ 个球，才能保证其中一定有四个球的颜色相同.

10. $1000001234061626 3\cdots 99100$.

这个数的数位是固定的，因此若要使这个数尽可能小，则必须使其前面的数字尽可能小，最好为 0，但首位不能为 0，则应保留 1，划去 2～9 及与 9 相邻的 1，这样，这个数的第二位为 0，依次划下去. 当第 6 个数为 0 后，若要使第 7 个数也为 0，则必须划去 $19\times5+9=104$ 个数，与题目要求矛盾，因此第 7 个数应为 1. 同理推得第 8、第 9、第 10 个数分别为 2、3、4，第 11 个数为 0. 至此已划完了 100 个数，因此，后面的数为 $\underbrace{61626364\cdots99100}$.

11. 14 和 10.

根据题意容易知道，男队员比女队员多 4 人，因此，男队员人数为 $(24+4)\div2=14$，女队员人数为 $24-14=10$.

12. 2000.

因为原 1993 个数的平均数为 2000，所以在第二次求和时，原 1993 个数的总和必为 2000×1993. 再加上小明混入的平均数 2000，正好是 2000×1994，所以这 1994 个数的平均数仍为 2000.

13. 2.

这是一个对策问题. A 为了保证获胜，第一步必须把棋子向右移动 2 格，这样，还剩下 $2001-1-2=1998$ 个空格，是 6 的倍数. 因此，不管 B 向右移几格，A 只要保证向前移动的格数与 B 移动的格数之和为 6，则一定能走到最后一格.

14．6.

若百位为2，则有两个满足条件的四位数：1234 和 1243. 百位为 3 或 4 时，同理可知，每种情况下只能有 2 个，因此共有 6 个满足条件的四位数.

15．3334.

$11112222=1111\times10002=1111\times3\times3334=3333\times3334$

16．0.

考察这列数被 3 除的余数：

0，1，2，0，0，2，2，1，2，2，2，0，1，0，1，2…

可知，这列数每 13 个数一循环．又因为 $1993\div13=153\cdots4$，因此，第 1993 个数被 3 除的余数与第 4 个数除以 3 所得的余数相同，为 0.

17．11.

男生团员人数 + 女生团员人数 = 26 人

女生非团员人数 + 女生团员人数 = 15 人，

因此，男生团员人数 − 女生非团员人数 = 26 − 15 = 11 人.

18．88 斤、100 斤、97 斤和 85 斤.

这是一个平均数问题，设 A、B、C、D 四人买的西瓜的斤数依次为 a、b、c、d. 则 $(a+b+c)\div3=95$，$(b+c+d)\div3=94$，$(c+d+a)\div3=90$，$(d+a+b)\div3=91$ 所以把四个式子相加可得 $a+b+c+d=370$（斤）.

$\therefore\quad d=(a+b+c+d)-(a+b+c)=370-95\times3=85$（斤）

同理　$a=88$ 斤　$b=100$ 斤　$c=97$ 斤

19．398.

因为每行 4 个数，所以前 99 行共有 $99\times4=396$ 个数，又因为这个数表中最开始的最小的一个数为 2，所以依数列的排列规律可知第 100 行的左边第 1 个数为 $396+1+1=398$.

20. 1092.

由图易知，被减数和减数的百位只能分别为 9 和 1，十位只能分别为 9 和 0，则被减数的个位数字减去减数的个位数字得 2，又因为题目要求它们的和最小，所以这两个数应为 992 和 100，它们的和为 1092.

二、解答题:

1. 解: 因为图中有 6 个奇点，所以必须走三段重复路径. 根据路线图和简单计算可知，当通讯员走重复路径 BC、DE、FG 时，他所走的重复路径最短，因此，通讯员所走的全程为:

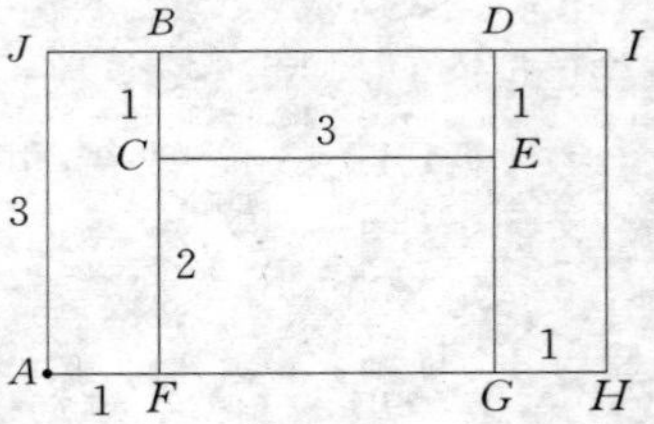

$[(1+3+1+3)\times2+(2+1)\times2+3]+(1+1+3)=30$(公里)走法不惟一，如:

$A\to H\to I\to D\to G\to F\to C\to E\to D\to B\to C\to B\to J\to A$.

2. 如图，$\because\ A=5$，

$$\begin{array}{r} 5\,B\,C\,D\,E\,5 \\ +\ F\,L\,G\,D\,E\,5 \\ \hline G\,B\,H\,L\,G\,0 \end{array}$$

$\therefore\ I=0$，则 $L\neq0$，观察算式的第 2 列可知

$L=9$；由第 4 列可知 $D=4$；这时

$2E+1=10+G$，$5+1+F=G$，

因此 G 只能为 7，$F=1$，$E=8$；这时由第 3 列可知 $C+7=10+H$，所以 $C=6$，$H=3$ $B=2$. 则 A、B、C、D、E、F、G、H、L、I 的值依次为：5、2、6、4、8、1、7、3、9、0，算式为:

$$\begin{array}{r} 526485 \\ +\ 197485 \\ \hline 723970 \end{array}$$

3. 解：设 45 人的班级有 x 个，则 44 人的班级和 46 人的班级分别有 $x+2$ 个和 $30-(x+x+2)=28-2x$ 个.

因此：$44(x+2)+45x+46\times(28-2x)=1352$

则 $x=8$　　　$x+2=10$　　　$28-2x=12$

∴　这个学校中 44 人的班、45 人的班、46 人的班依次分别有 10 个、8 个和 12 个.

人大附中远程教育网热烈祝贺本书再版
本书作者郑重向您推荐人大附中网校

“一花怒放诚可爱，万紫千红才是春”，人大附中远程教育网小学部秉承北京市仁华学校（原北京市华罗庚学校）教育精神，以仁华课堂教学为基础，以互联网与信息技术为传播手段，旨在为广大家庭提供终身开放的教育平台，从而为更多的孩子提供可选择的高质量的教育。

现代远程网络教育不是传统教育的网络版，而是由传统教育的优秀资源、现代教育技术的解决方案以及全新的教育理念和先进的管理体制以及完善配套的服务体系构成的。

人大附中远程教育网小学部立足于全面发展和突出特长，努力做到“发展个性，挖掘潜能”，强调学生的知识拓展和能力提高。其中教学内容以全国闻名的北京市仁华学校的思维训练丛书为蓝本，网上课程与北京市仁华学校的课程同步进行，与学校教学相辅相成。

人大附中远程教育网小学部网上教育全部由人大附中名师、特级教师、专家学者授课，解答疑难，命题考试。采用多媒体网络互动教学方式，学生可听到教师讲课的声音，看到老师课堂上的版书；通过视频课堂真实体验到生动活泼的课堂教学效果，感受名师的风采；学生还可以自主地选择想学习的课程，真正实现了自主学习过程。真实再现“原汁原味”仁华学校课堂，激发学生学习兴趣，培养学生自主学习能力，提高学生的学业水平。

人大附中远程教育网小学部提供的英语课程以北京市仁华学校的英语课程内容为基础，配合阅读欣赏，同时也增加了英语听力欣赏，在英语角还有外教讲故事，用地道的英语口语将学生引入到一个童话世界。

人大附中远程教育网小学部提供的语文课程以阅读欣赏为手段，通过对学生的作文评析，以及对名著名篇的欣赏提升学生的文学修养，同时更开拓性利用中国古代汉语、现代汉语、英语三方面的结合来引导学生对语言文学的兴趣，达到让学生“学会学习”的目的。

人大附中远程教育网小学部提供的网络测试评估系统，立足仁华学校的优秀教育教学资源，结合课堂教学内容，开展远程辅助教学，强化学生的个性化学习，提供灵活多样的学习方式，针对学生的“不足”，开展“查缺补漏”，让学生通过测试评估系统完善自己的知识结构，建构正确的学习方法，有效调动学生学习的主动性，从而提高学习效率和成绩。

据统计，人大附中远程教育网小学部的名师讲解、听力教室、英语角、测试评估、作品欣赏、作文指导、名师答疑、视频课堂等栏目是同学们认为对学习帮助最大的几个栏目。学生可以足不出户坐在家中学习北京市仁华学校所学的课程，领略北京市仁华学校课堂的精髓，巩固自己的知识，提高自己的潜能。

人大附中承担了国家“十五”重大科技攻关计划“网络教育关键技术及示范工程”项目课题，作为示范学校将面向全国提供与样板校园同步的远程网络教学和师资培训。在远程教育网络上，我们愿意成为莘莘学子的助手，广大家长的益友、名师交流的沙龙。

人大附中远程教育网的网址是：www.rdfz.com

联系电话：（010）62519611/2